CRUZANDO O CAMINHO DO SOL

CRUZANDO O CAMINHO DO SOL

Corban Addison

Tradução

Mariângela Vidal Sampaio Fernandes

Publicado em acordo com o autor, c/o BAROR INTERNATIONAL, INC., Armonk, New York, USA
Copyright © 2012 by Regulus Books, LLC
Copyright © 2012 Editora Novo Conceito
Título original: *A Walk Across the Sun*
Todos os direitos reservados.

Esta é uma obra de ficção. Nomes, personagens, lugares e acontecimentos descritos são produto da imaginação do autor. Qualquer semelhança com nomes, datas e acontecimentos reais é mera coincidência.

1ª impressão – 2013

Edição: Edgar Costa Silva
Produção Editorial: Alline Salles, Lívia Fernandes, Tamires Cianci
Preparação de Texto: Ana Issa
Revisão de Texto: Sandra Brazil e Helô Beraldo (coletivo pomar)
Diagramação: Vanúcia Santos, Ana Dobón
Design da capa: Elisabeth Minaltse
Foto da capa: Mohamad Itani / Archangel-images: Simon A. Webber / Stockphoto; Heidi Kalyani / iStockphoto
Impressão e Acabamento Log & Print 050413

Este livro segue as regras da Nova Ortografia da Língua Portuguesa.

Dados Internacionais de Catalogação na Publicação (CIP)
(Câmara Brasileira do Livro, SP, Brasil)

Addison, Corban
  Cruzando o caminho do sol / Corban Addison ; tradução Mariângela Vidal Sampaio Fernandes. –
Ribeirão Preto, SP : Novo Conceito Editora, 2013.

Título original: A Walk Across the Sun.
ISBN 978-85-8163-147-9 (pocket)

1. Ficção norte-americana I. Título.

12-13011   CDD-813

Índices para catálogo sistemático:
1. Ficção : Literatura norte-americana 813

Rua Dr. Hugo Fortes, 1885 – Parque Industrial Lagoinha
14095-260 – Ribeirão Preto – SP
www.editoranovoconceito.com.br

Dedicatória

Para as milhares de pessoas mantidas em cativeiro pelo tráfico sexual.

E para os homens e as mulheres do mundo inteiro que, com seu trabalho heroico, lutam incansavelmente para conquistar sua liberdade.

"Porque os lugares escuros da terra ficaram cheios de moradias de violência."
Asafe, o salmista

"Se não temos paz, é porque nos esquecemos de que pertencemos uns aos outros."
Madre Teresa de Calcutá

PARTE UM

Capítulo 1

"Na praia do mar de mundos sem fim, crianças brincam."
Rabindranath Tagore

Tamil Nadu, Índia

O mar acordou manso com as primeiras luzes daquela manhã em que o seu mundo desabaria. Eram duas irmãs: Ahalya, a mais velha, tinha 17 anos, e Sita, 15. Como sua mãe, antes delas, eram crianças do mar. Quando seu pai, um executivo da área de informática, se mudou com a família das planícies de Nova Déli para Chennai, nas costas de Coromandel, Ahalya e Sita se sentiram como se estivessem voltando para casa. O mar era seu amigo; seus pelicanos, seus peixes, suas ondas encrespadas eram seus companheiros. Elas nunca imaginaram que um dia o mar pudesse se voltar contra elas. Mas elas eram jovens demais e sabiam muito pouco sobre o sofrimento.

Ahalya percebeu quando a terra tremeu naquele começo de manhã. Ela olhou para Sita dormindo na cama ao lado e ficou se perguntando como é que ela não acordara. Os tremores foram violentos, mas cessaram depressa e, por isso, ela ficou imaginando se não teria sido um sonho. Não se ouvia o barulho de ninguém na parte de baixo da casa. Era o dia depois do Natal, um domingo, e toda a Índia dormia.

Ahalya se ajeitou debaixo das cobertas, sentiu o cheiro adocicado de sândalo do cabelo de sua irmã, e seus pensamentos se voltaram para o *salwar kameez* azul-pavão com que seu pai lhe presenteara para usar no conservatório, em Mylapore, naquela noite. Era dezembro e a estação musical de Madras estava no auge. Seu pai lhes comprara ingressos para um concerto de violino às 20 horas. Ela e Sita estudavam violino.

A casa acordava por etapas. Às 7h15, Jaya, que trabalhava havia muito tempo com a família, se enrolava em um sári, pegava um pequeno vaso com pó de calcário que guardava no baú em frente da cama e se dirigia para a varanda. Ela varria a areia da soleira e despejava pitadas do pó branco sobre o solo, e, então, juntava o pó em linhas elegantes, traçando o formato de estrela da flor de jasmim. Satisfeita consigo mesma, unia as mãos espalmadas e sussurrava uma prece para Lakshmi, a deusa da fortuna dos hindus, pedindo por um dia auspicioso. Depois, assim que terminava seu ritual *kolam*, ela ia até a cozinha para preparar a refeição da manhã.

Ahalya tornou a despertar quando os raios de Sol passaram através das cortinas. Sita, que sempre acordava cedo, já estava quase vestida. Seus cabelos negros, brilhantes e úmidos. Ahalya observava sua irmã se maquiando diante de um pequeno espelho e sorria. Sita era miúda e abençoada com feições delicadas e os grandes olhos expressivos de sua mãe, Ambini. Ela era pequena para a idade e a mágica da puberdade ainda precisava transformar sua figura no corpo de uma mulher. Por isso, ela tinha vergonha de sua aparência, apesar de Ahalya e Ambini repetirem, muitas vezes, que o tempo se encarregaria de trazer as mudanças que ela tanto desejava.

Para acompanhar Sita e para não se atrasar para o café da manhã, Ahalya vestiu-se apressadamente, com uma roupa indiana amarela, um *churidaar* e um lenço combinando. Colocou alguns braceletes e tornozeleiras, e completou o visual com uma gargantilha em torno do pescoço e um delicado *bindi* na testa.

— Pronta, querida? — Ahalya perguntou a Sita, em inglês. Era regra na residência dos Ghai que as meninas só falassem em híndi ou tâmil se fossem encaminhadas a essas línguas por um adulto. Como todos os indianos pertencentes à privilegiada classe média, seus pais acalentavam o sonho de mandá-las cursar a universidade na Inglaterra e acreditavam firmemente que o domínio da língua inglesa era o principal passaporte para Cambridge ou Oxford. O colégio de freiras onde as meninas estudavam ensinava o híndi, a língua oficial, e o tâmil, o dialeto falado em Tamil Nadu, além do inglês, mas as irmãs do convento preferiam conversar em inglês e as meninas nunca discutiram a regra.

— Sim — respondeu Sita, desanimada, dando uma última olhada no espelho. — Acho que sim.

— Oh, Sita — Ahalya a repreendeu —, esse desânimo não vai fazer Vikram Pillai se encantar por você.

O comentário teve exatamente o efeito que Ahalya desejava. O rosto de Sita se iluminou com a menção dos planos da família para aquela noite. Pillai era seu violinista favorito.

— Você acha que vamos nos encontrar com ele? — Sita perguntou. — As filas depois do espetáculo são tão longas...

— Pergunte ao baba — disse Ahalya, pensando na surpresa que ela e seu pai haviam preparado para Sita, e que conseguiram manter em segredo. — Nunca se sabe, com os contatos que ele tem.

— Vou perguntar para ele durante o café da manhã — disse Sita, desaparecendo por trás da porta e descendo as escadas.

Sorrindo internamente, Ahalya seguiu Sita até a sala de estar. Juntas, as meninas fizeram sua *puja*, ou adoração matinal, diante dos ídolos da família de Ganesh, o deus elefante da sorte, e de Rama, avatar de Vishnu, que ficava em um altar separado no canto da sala. Como a maioria dos membros da casta dos comerciantes, os Ghai não eram muito religiosos e frequentavam um templo ou um santuário apenas nas raras ocasiões em que buscavam uma dádiva dos deuses. No entanto, quando a avó das meninas chegava de visita, os palitos de incenso eram acesos, a *puja* era preparada e todos, crianças e adultos, tomavam parte no ritual.

Quando entraram na sala de jantar, as irmãs encontraram o pai, Naresh, mãe e avó reunidos para o café da manhã. Antes de se sentarem, Ahalya e Sita tocaram os pés de seu pai em um tradicional sinal de respeito. Naresh sorriu e apertou suas bochechas com carinho.

— Bom dia, baba — disseram.

— Bom dia, minhas belezas.

— Baba, você conhece alguém que conheça Vikram Pillai? — Sita perguntou.

Naresh olhou para Ahalya e piscou para Sita.

— Vou conhecer, depois de hoje à noite.

Sita ergueu as sobrancelhas.

— O que você quer dizer com isso?

Naresh colocou a mão no bolso.

— Eu estava esperando para contar mais tarde, mas já que você perguntou... — e tirou do bolso um passe VIP, colocando-o sobre a mesa. — Nós vamos conhecê-lo antes do show.

Sita olhou para o passe e um sorriso nasceu em seu rosto, ajoelhou-se lentamente e tocou os pés de seu pai uma segunda vez.

— Obrigada, baba. Ahalya poderá ir conosco?

— Mas é claro — Naresh respondeu e colocou mais três passes VIPs ao lado do primeiro. — E também sua mãe e sua avó.

— Ele faz tudo o que a gente pede — Ahalya comentou, feliz.

Sita olhou para a irmã, olhou para o pai e não coube em si de contentamento.

Enquanto as meninas tomavam seus lugares à mesa, Jaya andava pela sala servindo tigelas cheias de arroz, *chutney* de coco, *masala dosa* — crepes recheados com batata — e um pão achatado, chamado *chapatti*, sobre a mesa. A comida foi degustada sem o uso de talheres e, ao final da refeição, os dedos de todos estavam lambuzados com restos de arroz e *chutney*.

Para a sobremesa, Jaya serviu *chickoo*, uma fruta semelhante ao kiwi, e *mysore pak*, um tradicional doce indiano. Ao cortar o *chickoo*, Ahalya se lembrou do tremor que sentiu de manhã cedo.

— Baba, você sentiu o terremoto? — ela perguntou.

— Que terremoto? — a avó retrucou.

Naresh riu.

— A senhora tem sorte de dormir tão profundamente, Naani. — Ele se voltou para a filha com um sorriso reconfortante. — O tremor foi forte, mas não causou nenhum estrago.

— Terremotos são mau presságio — disse a velha senhora, apertando o guardanapo.

— Eles são um fenômeno natural — Naresh corrigiu com brandura. — E esse não causou nenhum mal. Não precisamos nos preocupar. — Voltando-se para Ahalya, ele mudou de assunto.

— Você tem notícias da irmã Naomi? Ela não estava bem na última vez que a vi.

A família terminou a refeição enquanto Ahalya dava a seu pai notícias sobre a saúde da diretora do Colégio St. Mary. Soprava uma brisa vinda das janelas abertas, que refrescava o ar. De repente, Sita começou a se mostrar inquieta e pediu licença para se retirar. Depois de obter a permissão de Naresh, ela colocou no bolso um pedaço de *mysore pak* e correu para fora de casa em direção à praia. Ahalya sorriu do entusiasmo de sua irmã, mas não conseguiu se conter.

— Posso ir também? — ela pediu ao pai.

Ele consentiu.

— Acho que nossa surpresinha de Natal foi uma grande ideia.

— Eu também acho — ela disse. Levantando-se da mesa, ela calçou suas sandálias e foi atrás da irmã no dia ensolarado.

* * *

Por volta das 8h20, todos, exceto Jaya e a avó das meninas, haviam partido para a praia. O modesto bangalô da família ficava em um terreno de frente para o mar a cerca de 25 quilômetros ao sul de Chennai e a 1,5 quilômetro da praia, partindo de qualquer uma das diversas comunidades pesqueiras ao longo da costa de Tamil Nadu. Pelos padrões indianos, essa é uma área rural, e Ambini, que cresceu nos arredores da populosa Mylapore, achava o lugar remoto. No entanto, ela considerava a distância da cidade um pequeno sacrifício a fazer pela oportunidade de criar suas meninas tão perto da terra de seus ancestrais.

Ahalya caminhava sobre a areia enquanto Sita corria na beira do mar e catava conchas. Naresh e Ambini passeavam atrás delas em silencioso contentamento. A família Ghai rumou em direção norte até uma vila de pescadores. Eles passaram por um casal de idosos sentados na areia e por dois meninos que atiravam pedras nos pássaros. Fora isso, a praia estava deserta.

Pouco antes das 9 horas, Ahalya notou algo diferente no mar. As ondas carregadas pelo vento que chegavam até a praia não alcançavam a mesma distância na areia que atingiam até pouco tempo antes. Ela observou a linha da água, e parecia que o mar se retraía diante de seus olhos. Em pouco tempo, quinze metros de areia encharcada ficaram expostos. Os dois meninos, gritando de alegria, corriam um atrás do outro sobre a superfície esponjosa na direção do oceano que se afastava. Ahalya assistia ao espetáculo com um mau pressentimento, mas Sita parecia mais curiosa que preocupada.

— *Idhar kya ho raha hai?* — Sita perguntou, retornando ao híndi nativo. — O que está acontecendo?

— Não tenho certeza — Ahalya respondeu em inglês.

Ahalya foi a primeira a ver a onda. Ela apontou para uma tênue linha branca que surgiu no horizonte. Em menos de dez segundos, a linha se expandiu e se transformou em uma parede agitada de água. A onda se aproximava tão rapidamente que os Ghai quase não tiveram tempo de reagir. Naresh começou a gritar e abanar os braços, mas suas palavras foram engolidas pelo enorme rugido da onda.

Ahalya agarrou a mão de Sita e a arrastou até um grupo de palmeiras, lutando contra a resistência da areia lodosa. A água suja e salgada serpenteou em volta de suas pernas, até que a onda quebrou sobre ela e jogou seu corpo para cima e para baixo. A água salgada encheu suas narinas, entupiu seus ouvidos e castigou seus olhos. Ela começou a sufocar, a sentir náuseas, mas tentou alcançar a claridade. Quando, finalmente, conseguiu chegar à superfície, estava ofegante, tentando respirar.

Ela avistou uma mancha colorida que se movia — o *churidaar* turquesa de Sita — e tornou a agarrar a mão da irmã, mas, novamente, a perdeu com a violência da onda. Seus dedos tocaram o tronco de uma palmeira. Ela se abraçou a ele, lutando desesperadamente contra a corrente, porém, mais uma vez, não conseguiu se segurar. Enquanto o mar jogava seu corpo na direção da costa, ela tentava gritar no meio da confusão, colocando nas palavras toda a força que lhe restava:

— Nade! Sita, se agarre em uma palmeira!

Ainda levada pela água, ela avistou o tronco de uma palmeira uma fração de segundo antes do impacto. A dor explodiu em sua cabeça, mas ela envolveu seus braços e pernas em torno da árvore e decidiu que não ia se deixar levar pela onda. E, então, perdeu a consciência.

Quando tornou a abrir os olhos, viu o céu azul por entre folhas de palmeiras destroçadas pelo vento. O silêncio em volta era assustador. O coração batia com força em seu peito e a cabeça parecia que havia se partido em duas. Passaram-se alguns segundos e, então, o mar começou a recuar, dando novamente espaço à areia. Ela viu Sita ao longe e ouviu um grito.

— Ahalya, me ajude!

Tentou responder, mas sua boca estava cheia de água salgada. As palavras soavam como um ruído áspero:

— Espere. — Cuspiu e tentou outra vez: — Espere! Sita! Espere até a água baixar.

E a água baixou. Finalmente baixou.

Ahalya foi descendo devagar do tronco da palmeira até que seus pés tocaram a areia molhada. Seu *churidaar* estava em frangalhos e seu rosto, coberto de sangue. Ela soltou os braços do tronco que salvou sua vida e caminhou com dificuldade para vencer a distância até onde estava Sita. Envolvendo o corpo de sua irmã de forma protetora, Ahalya seguiu entre a floresta de palmeiras, em direção à praia. A princípio, ela não se deu conta da visão aterradora. Os arbustos arrancados e caídos sobre a areia não possuíam mais suas folhas. Em torno deles, formas escuras flutuavam sobre a superfície lodosa da água.

Ahalya observou aquelas formas e, com um tranco no peito, de repente, ela percebeu.

— *Idhar aawo!* — ela chama Sita em híndi. — Vamos!

Tomando a irmã pela mão, Ahalya a conduziu pela água, que estava na altura dos joelhos. O primeiro corpo que encontraram foi o de Ambini. Ela estava coberta de lama e cada centímetro exposto de pele estava coberto por lacerações. Os olhos estavam abertos e seu rosto era a máscara do horror.

A transfiguração grotesca de sua amada mãe deixou Sita petrificada. Ela apertou a mão da irmã com tanta força que Ahalya gritou e se soltou.

Ahalya caiu de joelhos, em prantos, mas Sita apenas olhava. Depois de um longo tempo, suas feições se abrandaram e ela começou a soluçar, enterrou o rosto nas mãos e tremeu com tanta força que parecia estar tendo uma convulsão.

Ahalya abraçou a irmã com força, segurou sua mão e a conduziu para longe do corpo de Ambini. Pouco depois, elas se depararam com outro cadáver. Era de um dos meninos que brincava na praia. Sita ficou estática novamente. Ahalya apenas continuou conduzindo a irmã pelas ruínas alagadas da praia em direção ao bangalô da família. Ela sabia que sua única esperança era encontrar o pai.

Se Sita não tivesse tropeçado, elas não teriam encontrado o corpo de Naresh. Quando se inclinou para ajudar a irmã a se levantar, Ahalya olhou na direção da terra e viu outra mancha escura flutuando em uma lagoa de água salgada. A onda arrastou Naresh pela floresta de palmeiras e seu corpo ficou preso em umas rochas na beira da lagoa.

Ahalya foi puxando a irmã até o corpo de Naresh. Por um longo tempo ela apenas olhou para o pai como se não compreendesse o que havia acontecido. Quando a verdade despencou sobre ela, começou a chorar, como se o peso esmagador de todo aquele sofrimento desabasse sobre seus ombros. Ela era a preferida de Naresh e Sita, a favorita de Ambini. Ele não podia estar morto. Ele prometera encontrar um marido respeitável para ela e oferecer uma festa de casamento de causar inveja. Ele prometera tantas coisas.

— Olha — disse Sita, apontando para o sul.

Limpando as lágrimas do rosto, Ahalya seguiu o olhar de sua irmã por um mundo estranho e completamente esvaziado pela onda. Seu bangalô podia ser visto à distância. Aquela silhueta familiar pegou Ahalya de surpresa, tanto quanto a inesperada imobilidade de sua irmã. Sita havia parado de chorar e envolvia o próprio corpo com os braços, como que para se proteger. A visão de seu rosto tão carregado de dor infundiu coragem à Ahalya. Talvez Jaya ou sua avó tivessem sobrevivido. Não era possível suportar a ideia de que ela e Sita estavam totalmente sozinhas.

Ahalya permaneceu calada e pegou a mão de sua irmã. Movendo-se com dificuldade no terreno submerso, as meninas conseguiram chegar até o que restara do bangalô, seu lar por quase uma década. Antes da onda, o terreno em volta do bangalô era o retrato da natureza preservada, com jardins floridos e árvores frutíferas. Logo que a família chegara de Nova Déli, Naresh plantou uma árvore *ashoka* perto da casa em homenagem à Sita. Quando criança, ela brincava debaixo daquela árvore sempre verde e imaginava a heroína do *Ramayana*, de quem tinha o mesmo nome, sendo resgatada por Hanuman, o nobre deus macaco, de seu cativeiro na ilha de Lanka. Agora, a árvore *ashoka* e todos os seus companheiros verdejantes haviam se transformado em um monte de gravetos, sem seus galhos, folhas e flores.

Sita parou ao lado do esqueleto de sua amada árvore, mas Ahalya a puxou pela mão para que continuasse a andar. As janelas do andar de baixo haviam sido arrancadas e a mobília, que antes enfeitava a sala de estar, agora boiava pelo quintal. Ainda assim, a casa parecia ter resistido. À medida que se aproximavam da porta da frente totalmente escancarada, Ahalya procurava o som de uma voz humana, mas não ouvia nada. A casa estava imersa em silêncio, como uma cripta.

Ela entrou no saguão e franziu o nariz, sentindo a umidade do ar. Ao entrar na sala de estar, ela viu o corpo de sua avó flutuando com o rosto para baixo, mergulhada na sujeira, ao lado de um sofá coberto de lama. Novas lágrimas brotaram em seus olhos, mas ela estava exausta demais para prantear por sua avó. A descoberta dos restos mortais da avó não a surpreendeu. Depois de encontrar o pai, ela já suspeitava que sua avó também tivesse perecido.

Juntando o que ainda lhe restava de força, Ahalya caminhou com dificuldade até a cozinha, clamando em desespero pela sobrevivência de Jaya. A empregada trabalhava para a família Ghai desde antes do nascimento de Ahalya. Era indispensável e insubstituível.

Quando Ahalya entrou na cozinha, arrastando sua irmã, fraca e sem energia, o que encontrou foi um amontoado de destroços. Cestos e todo tipo de vasilhame derrubados, potes de doces e frutas — como manga, papaia e coco — boiando na água estagnada. Sob a superfície, panelas, frigideiras, louças e talheres espalhados pelo chão, como restos de um naufrágio. Mas nenhum sinal de Jaya.

Ahalya estava prestes a deixar a cozinha para ir procurar na sala de jantar quando percebeu que a porta da despensa estava entreaberta. Ela viu uma mão antes de sua irmã e abriu a porta com força. Espremido no exíguo espaço da despensa jazia o corpo de Jaya. De todos os membros da família que sucumbiram, Jaya era a que mais parecia em paz com a morte. Seus olhos estavam fechados, parecia que ela dormia. Porém, sua pele estava fria e viscosa.

Subitamente Ahalya sentiu uma vertigem e quase caiu desmaiada. Em pé naquela cozinha, com a água batendo nos tornozelos, ela finalmente se deu conta de sua terrível situação. Ela e Sita estavam órfãs. Os únicos parentes ainda vivos eram tios e primos que viviam na distante Nova Déli, com quem ela não entrava em contato há muitos anos.

Assim que percebeu que toda a esperança estava perdida, Sita veio até ela e segurou sua mão. A sensação repentina do toque fez Ahalya entrar em ação novamente. Tomando para si a responsabilidade de irmã mais velha, ela conduziu Sita ao andar de cima, até o quarto que dividiam.

A onda alcançou a escada e enlameou o assoalho, mas as janelas e a mobília do segundo pavimento permaneceram intactas. Ahalya tinha um único pensamento: encontrar sua carteira e seu telefone celular. Se conseguisse entrar em contato com a irmã Naomi e encontrasse um modo de ir com Sita até o Colégio St. Mary, em Tiruvallur, elas estariam a salvo.

Ela encontrou a carteira na mesa de cabeceira e digitou o número da irmã Naomi em seu celular. Quando o telefone começou a chamar, ela ouviu um estrondo à distância que vinha do leste. Ela foi até a janela e olhou para a superfície manchada de lama da Baía de Bengala. Ela mal podia acreditar no que via. Uma segunda parede de água estava prestes a alcançar a praia. Em segundos, o barulho aumentou até se transformar em um rugido gutural que afogou a voz do outro lado da linha. "Alô? Alô? Ahalya? Sita?" Ahalya esqueceu completamente a irmã Naomi. Seu mundo de repente se resumia a sua irmã e à iminência de uma segunda onda assassina.

A ruidosa massa de água atingiu o bangalô e inundou o piso inferior. A casa estremecia e rugia à medida que a onda batia com violência contra as fundações. Ahalya bateu a porta do quarto e puxou Sita para cima da cama. Abraçada a sua irmã, que tremia, ela se perguntava se o deus Shiva escolhera a água no lugar do fogo para destruir o mundo.

O terror daquela segunda onda parecia durar para sempre. A água salgada penetrou pela fresta, por baixo da porta do quarto, e se espalhou pelo chão. As duas irmãs se embrulharam em uma pilha de cobertores e o nível da água subia. De repente, a casa se deslocou sob seus pés e o assoalho se inclinou. A porta do quarto se abriu e uma água barrenta o inundou. Ahalya gritou e Sita enterrou a cabeça no tecido molhado do *churidaar* da irmã. Ahalya fechou os olhos e rezou uma prece à Lakshmi, para que as perdoasse de todos os pecados e lhes garantisse uma passagem segura para a próxima vida.

Diante dessa situação limite, ela mal se deu conta de que o barulho estava diminuindo até que desapareceu. A casa permaneceu firme enquanto a corrente se revertia e a segunda onda recuava para o mar. As duas irmãs se sentaram imóveis sobre a cama. O mundo de devastação deixado pela onda parecia misteriosamente destituído de qualquer som.

— Ahalya? — Sita suspirou profundamente. — Para onde nós iremos?

Ahalya piscou e sua mente colocou-se em atividade. Ela se desvencilhou da irmã e, ainda atordoada, com o celular em sua mão, digitou os números tão conhecidos.

— Nós precisamos chegar até o St. Mary — disse. — A irmã Naomi saberá o que fazer.

— Mas como? — Sita envolveu o corpo com os braços. — Não tem ninguém para nos levar até lá.

Ahalya fechou os olhos e ouviu o telefone chamando. Irmã Naomi atendeu. Sua voz soou ansiosa. O que tinha acontecido? Elas estavam em perigo? Quando Ahalya respondeu, sua voz parecia distante. Veio uma onda. Sua família estava morta. Ela e Sita haviam sobrevivido, mas sua casa estava destruída. Elas não tinham nenhum dinheiro, apenas o celular.

A linha falhou por vários segundos até que a irmã Naomi con-seguiu ouvi-la novamente. Ela instruiu Ahalya para caminhar até a estrada e pegar carona para Chennai com um vizinho.

— Vá apenas com pessoas em que você confia — ela disse. — Nós estaremos esperando por vocês.

Ahalya desligou o telefone e se voltou para Sita, tentando demonstrar confiança.

— Nós temos que encontrar alguém de carro. Vamos lá. Precisamos de roupas secas.

Ela conduziu a irmã pelo quarto até um gaveteiro. Então, ajudou Sita a tirar suas roupas sujas e encharcadas e deu a ela um *churidaar* limpo. Depois, trocou a própria roupa e foi até a pia, na esperança de poder lavar seu rosto, mas não havia água. Elas teriam que conviver com aquela camada de areia cobrindo a pele até que chegassem ao St. Mary.

Sita se encaminhou para a porta, pronta para seguir em frente, mas Ahalya parou para pegar uma fotografia da estante. O retrato mostrava a família Ghai no Natal do ano anterior. Ela retirou a foto da moldura e a colocou embaixo de seu *churidaar*; recolheu, também, uma caixa de madeira e a colocou dentro de uma bolsa de pano, junto com o celular. Dentro da caixa havia joias e peças de ouro que as irmãs receberam de presente ao longo dos anos, o que constituía toda sua fortuna. Ahalya olhou uma última vez o seu quarto e se despediu com um inclinar da cabeça. Tudo seria deixado para trás.

As irmãs desceram as escadas e passaram com dificuldade pelo saguão até o jardim em frente da casa. Do lado de fora, o sol brilhava e a água empoçada, deixada ali pela segunda onda, começava a cheirar mal, com odor de peixe morto. Ahalya conduziu Sita até a parte de trás do bangalô destruído e dali para a rua. Os dois carros da família, que estavam estacionados em frente da casa antes da chegada das ondas, não podiam mais ser encontrados. Ahalya teve vontade de olhar uma última vez para o bangalô, mas resistiu a esse desejo. Aquele mundo em ruínas deixado pelas ondas não era o lar que elas conheciam. O mundo que havia antes e a família que ali habitava agora viviam apenas na sua lembrança.

* * *

Quando chegaram à rua principal, encontraram-na coberta por destroços da floresta de palmeiras. Ahalya entrou em desespero. Quem iria se aventurar numa rua nessas condições? Mas, então, ela teve uma ideia: talvez pudessem pegar uma carona com alguém da vila dos pescadores. Ela sabia que a chance era pequena. A maioria dos moradores da vila vivia em choças à beira do mar, que, provavelmente, haviam sido levadas pelas ondas. Mas os sobreviventes teriam que buscar provisões e assistência em Chennai. Logo alguém do vilarejo teria que fazer a viagem.

As irmãs caminhavam lado a lado em silêncio. Por mais de um quilômetro não encontraram nenhum sinal de vida. Toda a vegetação rasteira tinha sido arrasada, deixando a terra de ambos os lados do pavimento em estado de desolação. Quando finalmente chegaram à vila de pescadores, elas suavam muito e suas gargantas estavam ressecadas pela sede. Mesmo no inverno, o sol do sul da Índia castigava com sua intensidade.

Ahalya decidiu descer pelo caminho que levava à comunidade pesqueira. Quando se aproximavam da beira da praia, viram um homem vestido com uma saia branca, ou *lungi*, muito suja de lama, e ele caminhava em direção a elas com uma criança nos braços. Atrás do homem vinham outras pessoas da comunidade, desgrenhadas e carregando cestos sobre a cabeça e coloridas bolsas de pano sobre os ombros.

O homem parou em frente de Ahalya.

— *Vanakkam* — ela disse, empregando a saudação usual. — Para onde vocês estão indo?

O homem estava tão perturbado que pareceu não entender a pergunta. Apontando e gesticulando como um louco, ele contou a ela sobre as ondas.

— Eu estava em meu barco — ele disse. — Não percebi nada. Quando retornei, tudo havia desaparecido. Minha mulher, meus filhos, não sei o que aconteceu com eles. — Ele se virou e mostrou o bando desorganizado que o acompanhava. — Só restamos nós.

Ahalya compreendeu a tristeza do homem, mas se fez forte para não se deixar abater. Em vez disso, ela se concentrou em questões práticas.

— O líder da comunidade possui uma van — ela disse. — Onde está ela?

O homem sacudiu a cabeça.

— Está quebrada.

— E sua água potável? Certamente vocês estocam a água das monções.

— Foi tudo levado pela onda.

— Para onde estão indo? — Ahalya perguntou outra vez.

— Mahabalipuram — respondeu o homem. — Temos parentes lá.

Ahalya tentou disfarçar seu desapontamento. Mahabalipuram ficava a oito quilômetros na direção contrária.

— Precisamos chegar em Chennai.

O homem olhou para ela como se achasse que ela tinha perdido o juízo.

— Vocês não vão conseguir chegar lá.

Ahalya pegou Sita pela mão e disse com confiança.

— Nós chegaremos.

As irmãs foram na companhia dos homens até a estrada principal, onde cada um seguiu seu caminho.

— Devíamos tentar chegar a Kovallam — disse Sita bem baixinho, falando pela primeira vez em muito tempo. — Talvez a gente consiga pegar um ônibus.

Ahalya fez que sim com a cabeça. Kovallam era uma comunidade pesqueira bem maior que ficava três quilômetros ao norte. Ainda que não encontrassem ônibus nenhum, ela achou razoável acreditar que, pelo menos, conseguiriam água filtrada no mercado de Kovallam. Água era a prioridade. A questão do transporte teria que esperar.

* * *

A viagem custou a passar sob o sol tropical. De vez em quando, soprava uma brisa vinda do oceano, trazendo certo alívio ao calor. Se não fosse assim, o caminho seria monótono e doloroso. Suas sandálias, mergulhadas na areia, causavam bolhas na sola dos pés.

Quando finalmente chegaram a Kovallam, o rosto de Sita parecia congelado num esgar perpétuo e Ahalya tinha dificuldades para manter a compostura. Pela posição do Sol, ela acreditava ser por volta das 11 horas da manhã. E, a não ser que sua sorte se revertesse, haveria pouca chance de chegarem ao convento antes do cair da noite.

A vila de Kovallam era cheia de atividade. Carros de boi e carroças disputavam as ruas estreitas e alagadas com carros e pedestres. Ahalya parou uma velha senhora que vestia um sári coberto de lama e perguntou sobre um ônibus para Chennai. A mulher, entretanto, estava fora de si de tanto pesar.

— Meu filho — ela falou chorosa. — Ele estava na praia. Por acaso você o viu?

Ahalya fez que não com a cabeça e seguiu em frente. Então, pediu ajuda a um homem que carregava um cesto de bananas, mas ele apenas olhou para ela com um olhar vazio. Outro homem, dirigindo uma carroça carregada de uvas, respondeu a ela com um breve aceno de cabeça.

— Você sabe o que aconteceu por aqui? — ele perguntou, cuspindo na rua o sumo da folha de pimenta betel que mascava. — Ninguém sabe me dizer se os ônibus estão funcionando.

Ahalya lutou contra uma súbita onda de desespero que a invadiu. Ela sabia que, se não permanecesse calma, poderia tomar uma decisão errada que as colocaria em perigo.

Conduziu Sita até o mercado de Kovallam e, como ela suspeitava, apenas umas poucas barracas estavam montadas. Ela perguntou a um vendedor de caldo de cana se ele poderia lhe arrumar um pouco de água. Ostentando seu melhor sorriso, ela explicou para ele que a onda havia levado sua bolsa e que ela não tinha dinheiro. O vendedor olhou para ela com cara de poucos amigos.

— Todo mundo tem que pagar — disse ele, bruscamente. — Nada aqui é de graça.

Tomando Sita pela mão, ela se aproximou de um vendedor de legumes, contou para ele sobre sua situação e ele se compadeceu delas. Ele lhes deu as garrafas de água e uma beirada na sombra de um guarda-sol.

— *Nandri* — disse Ahalya, aceitando a água e passando uma garrafa para Sita. — Obrigada.

Elas aproveitaram a sombra e beberam a água com gosto. Depois de secar sua garrafa, Sita apoiou a cabeça no ombro de Ahalya e começou a cochilar. Ahalya, entretanto, resistiu à tentação de cair no sono e observou as pessoas no mercado em busca de um rosto familiar. Seu pai conhecia muitos homens em Kovallam, mas ela não conseguia lembrar seus nomes.

O tempo passava e ela não reconhecia ninguém, então começou a calcular quanto dinheiro conseguiria se vendesse as joias escondidas em sua bolsa. Quanto custaria alugar um carro para levá-las até Chennai? Seu instinto a alertava sobre a segurança de pegar um táxi, mas ela não tinha visto nenhum ônibus passando pelo mercado e duvidava que algum deles fosse empreender a viagem ainda aquela tarde. Elas não conseguiriam chegar a Chennai a pé, pelo menos não antes do anoitecer, e não conheciam nenhum lugar fora da cidade onde pudessem passar a noite em segurança.

* * *

As moças descansaram por cerca de uma hora sob a sombra do guarda-sol. Sita não se mexia e Ahalya acabou caindo no sono. Quando despertou, viu que o Sol havia ultrapassado o zênite. Ela precisava tomar uma decisão.

Voltou-se para o vendedor para perguntar como conseguiria um motorista, mas nesse instante uma lembrança surgiu em sua memória. Um rosto na multidão. Um jantar de recepção em Mylapore no começo daquele ano. Um homem havia cumprimentado seu pai de forma afetuosa e seu pai respondera no mesmo tom. Ahalya não conseguia se lembrar do nome do homem, mas ela nunca esquecia um rosto.

Ahalya despertou Sita e disse a ela para não sair dali. Caminhou desviando das vacas, automóveis e riquixás, e se aproximou do homem.

— Senhor — ela disse, falando em inglês —, meu nome é Ahalya Ghai. Meu pai é Naresh Ghai. O senhor se lembra de mim?

O homem olhou para ela e abriu um sorriso.

— Mas é claro — ele respondeu em um inglês cheio de sotaque. — Eu sou Ramesh Narayanan. Nós nos conhecemos na última primavera na

Sociedade Histórica Tamil. — Ele pareceu não entender o que estava acontecendo. — O que você faz aqui? Você está com seu pai?

A pergunta abalou Ahalya. Ela desviou o olhar de Ramesh para poder se recompor. Embora hesitante, ela contou toda a verdade sobre o que ocorrera com sua família.

A cor ia desaparecendo da face de Ramesh à medida que ela falava. Ele tentava encontrar alguma coisa apropriada para dizer. Finalmente, ele perguntou:

— Onde está sua irmã?

Ahalya se virou na direção da barraca de verduras.

— Estamos tentando chegar ao colégio de freiras onde estudamos em Tiruvallur. As irmãs cuidarão de nós.

Ramesh olhava para cada uma das irmãs.

— Vocês vão precisar de uma carona para chegar a Tiruvallur.

Ahalya fez que sim com a cabeça.

— Nós caminhamos até aqui, mas Sita está muito cansada.

Ramesh cerrou os lábios.

— Então, nossa situação é a mesma. Não se preocupe. Vou tomar as providências para que vocês estejam em Tiruvallur ao cair da noite. É o mínimo que posso fazer pelas filhas de Naresh Ghai.

Ahalya quase não cabia em si de tão aliviada.

— Espere aqui com sua irmã — disse Ramesh. — Eu voltarei para buscá-las assim que puder.

* * *

Algum tempo depois, Ramesh voltou com um homem muito magro que vestia uma espécie de camisolão bem solto, ou *kurta*, e calças cáqui. O homem tinha a face maltratada, os olhos frios e uma cicatriz no queixo. Ele deu uma olhada nas irmãs e fez que sim com a cabeça para Ramesh. Ahalya instintivamente sentiu que não devia confiar naquele homem, mas ela não tinha outra opção senão aceitar a ajuda de Ramesh.

— Para onde estamos indo? — perguntou Sita com um leve tremor em sua voz.

Foi Ramesh quem respondeu.

— Esse homem, seu nome é Kanan, é dono de uma caminhonete com tração nas quatro rodas. Ele é o único em toda Kovallam com coragem suficiente para enfrentar as estradas depois das ondas e seu preço foi muito justo. Nós tivemos sorte de encontrá-lo.

Ahalya tomou sua irmã pela mão e disse:

— Está tudo bem.

Permanecendo sempre próximas a Ramesh, as irmãs seguiram Kanan pelo mercado até uma viela estreita coberta por tecidos de cores brilhantes. A caminhonete — uma Toyota azul toda empoeirada — já tinha visto dias melhores. Estava estacionada, toda amassada e enferrujada, ao lado de uma botica. Ahalya, fazendo de conta que sofria de claustrofobia, recusou a oferta de Ramesh de viajar, junto com Sita, na cabine, e foi empurrando a irmã para subir na carroceria. A ideia de se sentar tão perto do homem com a cicatriz lhe era repulsiva.

Kanan ligou o motor e engrenou a marcha. A caminhonete tremeu e deu um tranco para a frente. Depois de passar pelas ruas de Kovallam, ele pegou a estrada que ia dar em Chennai.

As ondas transformaram o cenário paradisíaco da costa em um pântano lamacento e, a rodovia, em uma estrada de barro. A caminhonete seguia devagar pelo caminho arenoso. Embora não houvesse trânsito na rodovia, levou uma hora para chegarem a Neelankarai, o subúrbio mais ao sul de Chennai, e outra hora inteira para alcançarem Thiruvanmiyur, que ficava a menos de três quilômetros do rio Adyar. As ondas destruíram muitas habitações costeiras, afundaram ruas, capotaram veículos e jogaram vários barcos de pesca para terra firme. A rodovia da Costa Leste estava lotada de gente caminhando a pé, o que deixava o tráfego muito lento.

A uns oitocentos metros ao sul do delta do rio, o trânsito parou de vez. Buzinas tocavam sem parar e motoristas gritavam obscenidades, mas nada parecia desmanchar o nó que se criara no trânsito. Depois de dez exasperantes minutos, Kanan deu marcha a ré e entrou por uma via secundária que seguia na direção do monte St. Thomas. O Sol já estava baixo no céu quando conseguiram atravessar o rio por uma ponte em Saidapet. As ruas ao norte do rio não mostravam sinais de destruição.

O motorista virou para leste em direção a Mylapore e à costa. Ahalya sentiu um pouco de alívio no meio da caótica dança de carros, caminhões, bicicletas e riquixás. Ela apertou a mão de Sita para passar confiança à irmã.

— Logo estaremos lá — disse ela, abrindo um sorriso que não encontrou reflexo nos olhos de sua irmã.

— O que faremos então? — perguntou Sita.

— Ainda não sei — Ahalya teve que admitir.

Ela tentava lutar contra a angústia que lhe apertava o peito sem cessar, mas, nesse momento, cedeu à pressão. Lágrimas rolaram pelo rosto, fazendo arder os olhos de Ahalya. Ela tomou Sita em seus braços e prometeu à Lakshmi, pela alma de seu pai, que não permitiria que nada de mau acontecesse a Sita. Ela seria como uma mãe para Sita. Faria o sacrifício que fosse necessário para que Sita encontrasse uma nova vida depois que findassem aqueles dias de horror. A existência de sua irmã lhe dava energia.

Ela não podia falhar.

* * *

Pouco antes das 18 horas, a caminhonete estacionou em frente de um condomínio de luxo. As sombras já estavam longas sobre a rua arborizada e o Sol estava quase se pondo. Ramesh desceu da cabine, ajeitou a roupa e deu um simpático sorriso às meninas.

— Lamento não poder acompanhar vocês até Tiruvallur — disse ele —, tenho um compromisso importante essa noite em Chennai. Mas já paguei Kanan para conduzi-las até seu destino.

Ele entregou um cartão de visitas à Ahalya, com o número do seu celular.

— Não tenho palavras para descrever como me sinto pela sua perda. Se precisarem de alguma coisa, por favor, telefonem. — E, com uma leve reverência, ele se despediu delas.

Kanan não se dirigiu às meninas depois que Ramesh os deixou. Simplesmente fez uma rápida ligação de seu telefone celular e virou a caminhonete para noroeste em direção ao centro da cidade. Cruzaram o rio Kuvam e viraram à esquerda em uma via principal. Kanan dirigia o carro em direção aos subúrbios a oeste.

Tudo ia bem até que cruzaram uma intersecção na rua Jawaharlal Nehru. Sem que esperassem, Kanan virou à esquerda e entrou em um distrito industrial.

— *Neengal enna seigirirgal?* — Ahalya reclamou batendo na janela da cabine. — O que está fazendo?

Kanan simplesmente a ignorou e acelerou ainda mais sobre a rua poeirenta. Eles chegaram a uma área degradada. Crianças sujas e cachorros famintos eram vistos por toda parte; homens fumavam sob portais sombrios e casais de idosos se sentavam silenciosos em terraços exíguos. Aquela vizinhança não era familiar à Ahalya, mas havia muitas outras como essa pela cidade. Eram lugares onde, por gerações, a sobrevivência era conquistada à margem da sociedade, lugares onde as pessoas olhavam para o outro lado e não faziam perguntas. Ahalya sabia que, mesmo que gritasse por socorro, ninguém viria acudi-la. Sua intuição estava correta. Kanan não era um homem em quem se pudesse confiar.

Ela procurou o celular dentro da bolsa. E, nesse exato momento, Kanan deu uma freada brusca e a caminhonete derrapou até parar. Ahalya agarrou o telefone e o escondeu sob o *churidaar*. Ela deu uma olhada nas redondezas.

O carro parou no fim de uma fileira de prédios velhos construídos abaixo de um paredão de pedra. A área era mal iluminada e deserta, exceto por três homens reunidos na penumbra. Os homens cercaram a caminhonete e o mais novo deles pulou na carroceria.

Inclinado diante delas, ele disse:

— Vocês não precisam ter medo de nós. Se fizerem tudo o que a gente mandar, ninguém vai machucar vocês — e notou a bolsa de Ahalya. — O que temos aqui? — perguntou, pegando a bolsa.

Ahalya apertou a bolsa contra o corpo. Sem hesitação, o homem mais jovem a esbofeteou no rosto. Seu rosto doeu muito e ela sentiu o gosto de sangue nos lábios. A seu lado, Sita começa a choramingar. A violência daquele ato repentino a deixou em choque. Ahalya entregou a bolsa.

O homem derramou o conteúdo no assoalho da carroceria, recolheu a caixa de madeira e abriu o fecho. As joias brilharam na claridade das lâmpadas da rua.

— Seu rato duma figa — disse exultante, segurando uma das gargantilhas que pertenciam à Sita —, olha o que você trouxe para nós! Você foi abençoado por Ganesha.

— Ótimo — disse Kanan, voltando-se para um homem gordo com o rosto marcado pela varíola. — Então vocês vão ter que dobrar meu pagamento.

O homem gordo avançou em sua direção e, imediatamente, ele recuou.

— Tá bom, tá bom. O dobro é muita coisa. Façamos 50%.

— Feito — disse o homem gordo já contando o dinheiro. — E agora, se manda daqui.

Depois que o homem mais jovem obrigou as meninas a descer da caminhonete, Kanan subiu outra vez na cabine, ligou o motor e saiu em disparada, deixando atrás de si uma nuvem de poeira.

O mais jovem segurou Sita pelo braço e o gordo tomou conta de Ahalya. O terceiro dos captores, que usava óculos e tinha um relógio de prata, seguiu atrás. O coração de Ahalya quase parou quando os homens as conduziram por um corredor escuro e as fizeram subir um lance de escada. A porta do apartamento estava aberta e pendia da soleira da porta um *hamsa*, amuleto em forma de mão para proteção contra o mau-olhado.

Os homens colocaram as meninas para dentro da sala. Uma mulher muito gorda, vestindo um sári, estava sentada em um sofá assistindo à televisão. Ela deu uma olhada nas meninas e voltou ao seu programa. O jovem e o homem gordo trocaram apertos de mão com o homem de óculos, a quem chamavam de Chako. O gordo conversava em voz baixa com Chako. Ahalya não conseguia ouvir nada da conversa a não ser a promessa do gordo de voltar na manhã seguinte.

Chako se despediu deles e fechou a porta, com duas trancas. Ele se voltou para as meninas com uma expressão neutra.

— Estão com fome? — perguntou.

O estômago de Ahalya estava roncando de fome. Havia horas que ela não pensava em comida. Ela trocou um olhar com Sita e assentiu. Chako se virou para a mulher e deu uma ordem em tâmil. A mulher se levantou do sofá, olhou irritada para as meninas e foi para a cozinha.

Pouco depois, ela retornou com dois pratos fumegantes de arroz misturado com grão-de-bico e *chutney* de batata, e um jarro de água. As irmãs estavam famintas e comeram com vontade. A comida estava muito apimentada e a água não era filtrada, nem estava gelada. Ahalya não se importava mais. Elas precisavam esperar até que estivessem sozinhas e ela pudesse ligar para a irmã Naomi.

* * *

Terminada a refeição, Chako mandou as meninas se sentarem no sofá, ao lado de sua esposa. Ele se sentou em uma cadeira. A mulher de Chako estava com os olhos cravados em um programa de entrevista que a mãe das meninas nunca havia permitido que assistissem. Uma atriz de cinema de Tamil era a celebridade convidada e o assunto era sua produção mais recente, um melodrama que se passava durante a guerra civil no Sri Lanka.

Ahalya, sentada ao lado da irmã, estava imóvel e parecia não acreditar no que estava acontecendo. Em um único dia, toda a sua família havia sido aniquilada pelo mar e ela e Sita tinham sido sequestradas. O que será que Chako e a mulher pretendiam com elas? Será que outras moças já haviam sido aprisionadas aqui ou seria essa a primeira vez? Ahalya lembrou que Kanan havia recebido uma comissão do homem gordo, o que sugeria que eles já haviam feito isso antes. Mas por quê?

O show durou uma hora e, depois disso, Chako mudou de canal para uma emissora estrangeira de notícias. Ahalya e Sita se aprumaram no sofá, atraídas pelos vídeos que mostravam a devastação causada pelas ondas gigantes que atingiram a linha costeira do Oceano Índico. Crianças órfãs gritavam no colo de socorristas, mulheres choravam desesperadas diante das câmeras e vilas inteiras estavam em ruínas, destruídas por uma parede de água que surgira sem que se pudesse prever.

De acordo com o locutor, o *tsunami* se formara após um terremoto colossal que ocorrera na costa da Indonésia. A sucessão de ondas provocada pelo tremor se espalhou a partir de seu epicentro e viajou na velocidade de um avião a jato. Em um intervalo de menos de três horas, o *tsunami* deixara um rastro incontável de mortos nas regiões costeiras da Indonésia, Tailândia, Malásia, Sri Lanka, Índia e nas ilhas de Andamã e Nicobar. A emissora divulgou projeções sobre estimativas do número total de mortos. Algumas fontes diziam que 50 mil pessoas haviam perecido. Outras estimavam um número cinco vezes maior. A extensão da catástrofe era incalculável.

Eles assistiram à televisão até às 22 horas, quando Chako, finalmente, desligou o aparelho e conduziu as meninas até um quarto pequeno, mobiliado apenas com duas camas e um criado-mudo. Chako disse às meninas que elas dividiriam uma das camas e que sua mulher dormiria na outra. No quarto havia uma janela na parede do fundo, coberta por uma gelosia enferrujada e barras de ferro.

A mulher de Chako entrou no quarto logo depois, vestindo uma camisola e carregando um copo de água e dois comprimidos redondos. Chako disse às meninas que os comprimidos as ajudariam a dormir. Pensando rápido, Ahalya colocou a pílula debaixo da língua e engoliu apenas a água. Seu celular ainda estava escondido sob suas vestes. Ela pretendia usá-lo quando todos estivessem dormindo. No entanto, a mulher de Chako vasculhou sua boca com o dedo e descobriu o truque.

— Garota estúpida — ela praguejou e esmurrou a cabeça de Ahalya. — Você não sabe o que é bom para você. — Ela tornou a entregar o comprimido a Ahalya e a forçou a engolir.

Chako deu uma olhada em seu relógio brilhante e deu boa-noite às meninas. Fechando a porta atrás de si, ele passou a tranca com um clique audível. Sua mulher se sentou na cama mais próxima à janela e fixou um olhar malévolo em Ahalya.

— Não tem como escapar — disse ela. — Nem tente sair ou Chako vem com uma faca. Outras já tiveram que aprender do jeito mais difícil. E não perturbem meu sono.

Ahalya e Sita deitaram lado a lado na cama. Sita chorava em silêncio e as lágrimas molhavam os lençóis, até que caiu no sono. Ahalya colocou os braços em torno da irmã como um escudo protetor, tentando desesperadamente esquecer as forças misteriosas que transformaram sua vida em um pesadelo. À medida que o sedativo ia fazendo efeito, Ahalya lutava para ficar acordada, mas o remédio confundia sua mente e seus olhos se fecharam.

Juntando suas últimas forças, ela tentou esconder ainda melhor seu telefone por baixo do *churidaar*. Então, não conseguindo resistir por mais tempo, perdeu a consciência.

Capítulo 2

"É preciso dizer — o mal está na terra,
seu princípio secreto é desconhecido."
Voltaire

Kiawah Island, Carolina do Sul, Estados Unidos

Na primeira manhã depois do Natal, no amanhecer antes do nascer do Sol, Thomas Clarke fazia uma caminhada ao longo da praia de Vanderhorst Plantation. Ele foi o primeiro, entre os amigos que estavam na casa de praia, a saudar o dia. A festa da noite anterior tinha sido muito animada, com vinho e uísque correndo à vontade, e a maioria de seus amigos bebera até cair. Thomas mostrou mais controle, mas apenas porque seus pensamentos estavam em outra parte.

Ele se arrependera de ter vindo da capital, Washington. Não fora ideia dele. Seu melhor amigo, com quem estudou Direito, tinha ouvido falar sobre Priya e o convidara para passar o Natal na ilha. Thomas estava grato por Jeremy querer fazer companhia a ele, mas toda aquela diversão tinha causado o efeito contrário. Havia muitos anos que ele não se sentia tão só.

Ele atravessou as dunas até a praia. O cenário diante dele era pitoresco — um céu sem nuvens de um rosa pálido, ondas brilhantes açoitadas por um forte vento e uma enorme faixa de areia.

Colocando as mãos nos bolsos do casaco, ele caminhava em direção à linha da água e, então, se virou para o leste, contra o vento. Com 1,89 metro de altura e pesando 80 quilos, seu corpo era talhado para exercícios. Em circunstâncias diferentes, ele teria feito uma longa corrida. Mas, nesse dia, ele estava preocupado. Com passadas firmes e jogos mentais, ele tentava desviar o pensamento buscando assuntos mais leves. Mesmo assim, de vez em quando, sua mente se rebelava e via sua mulher em pé ao lado do táxi, lhe dizendo adeus.

Seu nome era Priya, que significa "bem-amada". Ele se lembrou de como repetia essas palavras para si mesmo, muitas e muitas vezes, quando se encontraram pela primeira vez. A inocência dos primeiros tempos agora parecia surreal. Aconteceram tantas coisas. Tantas coisas mudaram. Os golpes que vieram tiveram um efeito devastador, e a trilha que deixaram atrás de si foi de total destruição. Seu olhar, quando partiu, dizia tudo. Para além da amargura, raiva e desespero, para além das próprias emoções, havia um vazio.

Ela não olhava propriamente para ele, senão para além dele. Sua história teve muitos capítulos, muitas etapas. Algumas claras, mas a maior parte foi uma confusão de culpa e dor. Houve momentos de tragédia e traição, lealdade relativa e frases não ditas, além de um abismo cultural, que, na verdade, nunca foi transposto. Mas, muitas vezes, é isso o que acontece na vida. Sem que se possa prever, um terreno firme se transforma em areia movediça. A razão dá lugar à loucura e pessoas bem-intencionadas perdem a cabeça.

Thomas caminhou até a ponta oeste da costa e fez a volta. A praia deserta de Vanderhorst Plantation era fria no ar invernal, mas o Sol nascente cintilando sobre as águas conferia uma sensação de calor. No caminho de volta para a casa de praia, Thomas apertou o passo. Ele havia sido criado pelo campeão de atletismo e ex-fuzileiro, que agora atuava como juiz principal da Corte Distrital Americana no Distrito Leste da Virgínia, o honorável Randolph Truman Clarke. Jurista de olhar duro, e mestre dos ritos sumários, era um ardente defensor de castigos matinais e acordava Thomas e seu irmão mais novo, Ted, para que pudessem aproveitar o poder estimulante do vento frio no rosto e a visão do nascer do Sol.

Quando alcançou a plataforma que o conduziria através das dunas, Thomas parou por um momento, permitindo que a cadência das ondas acalmasse a sua mente. Ele teria um longo dia pela frente. Esse pensamento o fez se encolher, mas ele não podia adiar por mais tempo.

Durante o período em que ele e Priya viveram na cidade, sempre passavam a noite de Natal com sua família em Alexandria. E esse ano ele quebrara a tradição sem maiores explicações. Seu pai manifestara seu desagrado em poucas palavras, como costumava fazer, mas sua mãe não conseguira disfarçar seu desapontamento. Ela perguntou, então, sobre seus planos, mas ele não deu nenhum detalhe. Ele não tinha forças para contar a ela que Priya havia partido. Entretanto, eles conseguiram prensá-lo. Sua mãe insistira e insistira para que eles viessem visitá-los, antes ou depois do feriado, não fazia diferença. Ele tentou se esquivar, colocando a culpa no excesso de trabalho no escritório de advocacia, mas o juiz pegou o telefone e interveio.

— O dia seguinte ao Natal é um domingo — disse ele. — Ninguém vai trabalhar neste dia. Tenho certeza de que você também pode tirar uma folga.

— Mas a festa no escritório ficou para essa noite — Thomas tentou novamente.

A manobra ia bem até que o juiz perguntou a que horas começaria a festa.

— Oito e meia — ele disse.

— Então você passa aqui primeiro — o juiz respondeu.

Ele retornou à casa de praia e fez suas malas. A maioria dos seus companheiros ainda dormia e a casa estava um desastre. Havia pratos sujos e copos jogados por toda parte, e o ar ainda estava carregado com o cheiro da bebida. Ele não invejou Jeremy por ter que cuidar da limpeza. Seu amigo o encontrou na sala, vestido com uma camiseta cinza e shorts.

— Vai sair tão cedo? — perguntou. — Vou fazer panquecas mais tarde. É o combustível para a viagem.

Thomas passou a mão pelos cabelos escuros.

— É tentador, mas preciso voltar. A festa do Clayton será essa noite, e antes eu tenho que jantar na casa dos meus pais.

— Às vezes tenho a sensação de que o feriado não acaba nunca — Jeremy respondeu com um sorriso.

— Muito obrigado por se lembrar de mim — disse Thomas.

Jeremy bateu em seu ombro.

— Sei que não é a mesma coisa que passar o Natal com Priya, mas foi bom vê-lo outra vez. Se eu puder ajudar de alguma forma...

— Obrigado — Thomas sorriu meio sem graça, pegou sua mala e partiu.

* * *

Ele dirigiu até o portão, sentindo-se atordoado e não estava propriamente satisfeito com a expectativa de dez horas de viagem até Washington. Ele deixou a propriedade e rumou em direção à cidade de Charleston. Não havia muito trânsito e ele chegou em 40 minutos. Ele não estava com pressa, mas a ausência de policiais na estrada o encorajou a acelerar. Ele fez o máximo para não pensar na casa vazia esperando por ele em Georgetown, ou no cheiro de jasmim do perfume de Priya que ainda recendia nos lençóis.

Totalmente absorto pela pista da Rodovia Interestadual 95, Thomas sintonizou o rádio em uma estação de música clássica e simplesmente ignorou o limite de velocidade. O carro rodava tão tranquilo a 140 km/hora como o fazia a 90 km/hora. Pelo meio-dia ele parou para abastecer e se lembrou de que não havia tomado o café da manhã. Por sugestão do atendente do posto de gasolina, comprou um sanduíche de pernil meio engordurado e dirigiu uns oitocentos metros até o jardim botânico de Cape Fear. A temperatura estava agradável o suficiente para que comesse um lanche ao ar livre.

Ele estacionou no local reservado para visitantes e entrou a pé nos jardins. Era um lugar idílico, com um verde exuberante. Havia alguns casais passeando; um senhor idoso jogava milho para os pombos e uma mulher loira tirava fotografias de um homem com óculos de sol fazendo pose sob um carvalho. Não muito longe dali, uma jovem mãe, com uma menina de 10 ou

11 anos de idade, seguia pela trilha que ia dar no Children's Garden. Thomas observava a menina correndo na frente da mãe e sentia uma angústia familiar. Quando Priya ficou grávida, ele teve um sonho com sua filha Mohini dando os primeiros passos no parque Rock Creek. Foi um dos muitos sonhos destruídos com a morte da menina.

Ele caminhou até um coreto no meio de um campo gramado, se sentou nos degraus e ficou olhando até que mãe e filha desaparecessem no meio da folhagem das árvores. Logo, a moça com a máquina fotográfica perdeu o interesse em fotografar seu companheiro e começou a apreciar os canteiros de flores. Ajeitando as lentes e procurando o melhor ângulo para os cliques, ela vagueava pelos jardins na direção da trilha que levava ao Children's Garden, com seu companheiro atrás dela.

Thomas desembrulhou seu sanduíche e começou a comê-lo. Ficou observando as nuvens se movendo lentamente e saboreando a tranquilidade do lugar. Passado um tempo, ele olhou para o gramado e viu que o homem idoso havia se sentado em um banco próximo à linha das árvores. Todos os outros sumiram de vista. E, por um breve instante, tudo era serenidade. O ar estava tranquilo, a floresta, imperturbável, e o Sol de dezembro pendia do céu como uma grande lanterna.

Então, de repente, o silêncio foi quebrado por um grito.

Thomas largou o sanduíche e ficou em pé. Ouviu um novo grito. Era a voz de uma mulher e vinha do Children's Garden. Sua reação foi instintiva. Em segundos ele estava correndo pela trilha na direção das árvores. E ele não tinha dúvidas. O grito tinha algo a ver com a menina

Ele entrou correndo na floresta. A trilha estava deserta e escura sob a ramagem verde. Quando saiu, em meio ao campo, viu a jovem mãe caída, apertando o estômago com uma das mãos e seu rosto com a outra, repetindo o mesmo nome sem cessar — Abby.

Thomas olhou em torno.

A menina havia desaparecido.

Ele correu até a mulher e se ajoelhou ao lado dela. Sua face estava lívida e mostrava os primeiros sinais de uma mancha roxa. Ela olhou para ele desesperada.

— Por favor — ela disse com uma voz rouca. — Eles a levaram! Eles levaram minha Abby! Me ajude!

O coração de Thomas deu um salto.

— Quem fez isso? — ele perguntou enquanto olhou outra vez na direção das árvores.

— Uma mulher com uma câmera — ela gaguejou, tentando se levantar. — E dois homens. Um deles me agarrou por trás. — Ela foi andando na direção das árvores que separavam o jardim do estacionamento. — Eles foram por ali! Faça alguma coisa! Por favor!

Nesse momento, Thomas escutou um motor de carro sendo ligado e logo depois o som de pneus passando sobre o chão de cascalho. Ele hesitou apenas um momento antes de correr em direção à floresta. Galhos batiam em seu rosto e ele tropeçou em um tronco, mas, mesmo assim, não reduziu a marcha de sua corrida. Ele só pensava em uma coisa — na menina.

Thomas saiu da floresta bem a tempo de ver um veículo utilitário preto deixando o estacionamento e tomando o rumo norte, pegou o telefone celular e discou o número da emergência. A ligação foi completada imediatamente.

— Houve um sequestro — disse ele, sem fôlego e tentando pegar suas chaves com a outra mão. — Foi no jardim botânico. Levaram uma menina de uns 10 anos de idade. A mãe dela está aqui e foi ferida. Pude ver uma SUV preta, mas não consegui enxergar a placa.

Ele desligou o celular antes que o atendente pudesse responder. Abriu a porta do carro, se jogou no banco do motorista, pisou na embreagem e manobrou o carro até a entrada da rodovia, fez um desvio para o Eastern Boulevard cantando os pneus e seguiu na direção do Middle River Loop. Ele dirigiu por uns dois quilômetros na via expressa acelerando o dobro da velocidade permitida na esperança de localizar a SUV antes que ela pegasse uma via secundária. Não havia trânsito, e, mesmo assim, não havia sinal de uma SUV. Dirigiu por mais uns dois quilômetros na direção da I-95 sem avistar a SUV e, então, passou para a lateral da via expressa, olhando desesperadamente para todos os lados. Cada segundo perdido diminuía a chance de sucesso. O terreno ao norte do Middle River Loop era coberto de florestas e colinas. Ele olhava alternadamente para os dois lados da estrada, tentando vislumbrar uma mancha preta contra o fundo verde. Poucos veículos circulavam pela rodovia, mas não havia sinal da SUV.

Thomas agarrou com força o volante do carro. A brutalidade do crime o enraivecia. Na pior das hipóteses, a SUV tinha um minuto de dianteira. Pelas leis da Física, não poderia estar muito longe. Mas ele não conhecia a região, e os sequestradores, com certeza, sabiam onde estavam.

Depois de um tempo, ele fez o caminho de volta ao ponto de partida. Durante sua ausência, a entrada do jardim botânico havia sido cercada por quatro carros de polícia e uma ambulância, todos com as luzes piscando. Dois policiais estavam postados atrás da ambulância, observando os paramédicos atenderem a mãe da criança. Outro policial falava pelo rádio e um quarto estava mais distante, tirando fotografias.

Thomas se aproximou do policial que se comunicava pelo rádio e esperou. O homem falava sem parar e parecia não ter percebido sua presença.

E, antes que Thomas pudesse se apresentar, alguém o segurou pelo braço. Ele se virou e viu a mãe da menina. Seu olhar brilhava e suplicava.

— Por favor, diga que os encontrou — ela implorou, afastando a enfermeira que tentava levá-la de volta para a ambulância. — Por favor, diga que sabe para onde eles a levaram.

Ele apenas balançou a cabeça, com o fracasso pesando sobre seus ombros.

— Oh, meu Deus! — a mulher gritou. — Oh, meu Deus do céu — Ela extravasava sua dor através das palavras. — Ela faz 11 anos hoje. Eu queria levá-la ao cinema, mas ela preferiu passear no jardim botânico. — E, de repente, ela se jogou nos braços de Thomas e afundou a cabeça em seu peito.

— Eu devia ter dito que não! — Ela chorava e soluçava descontrolada. — Como é que isso pôde acontecer? — Thomas não sabia o que fazer. Ele trocou um olhar com um dos policiais, que tentava intervir, mas ele tinha um jeito seco e pouco afetuoso. Passado certo tempo, a mulher conseguiu se recompor e se soltou dele. — Desculpe-me — disse ela, dando um passo para trás. — É que... — Ela envolveu o próprio corpo com os braços. — Abby é tudo o que tenho. Eu não posso perder minha filha. Eu não sei o que faria.

Aproveitando a oportunidade, a enfermeira segurou sua mão.

— Venha, Sra. Davis. A polícia fará tudo que estiver ao seu alcance. Vamos cuidar da senhora.

Dessa vez a mulher não fez nenhuma objeção.

Thomas se manteve imóvel, ao mesmo tempo comovido e perturbado pela cena.

O policial que falava ao rádio começou a lhe fazer perguntas sobre o incidente e ele as respondia, mas seu pensamento estava em outro tempo e lugar; vagava por um outeiro no cemitério de Glenwood, colocando flores no túmulo de sua filha.

Foram necessários quinze minutos para completar seu depoimento. Quase no final, um carro sem identificação parou no estacionamento e dele saiu um homem alto com roupas civis. Depois de falar com um dos policiais que estavam perto da ambulância, o homem se aproximou de Thomas.

— Sou o detetive Morgan e trabalho para o departamento de polícia de Fayetteville. Fui informado que foi o senhor que ligou para a emergência.

— Fui eu — Thomas confirmou.

— Posso saber por que o senhor tentou perseguir o veículo?

Thomas deu de ombros.

— Sei lá. Acho que queria ajudar.

— O policial Velasquez, que está ali, informou que o senhor viu os suspeitos.

— Eu os vi de longe. Eles pareciam qualquer outro casal que você encontra em um shopping center. Na hora, não notei nada de diferente neles.

— Você seria capaz de fazer o reconhecimento deles?

— Não tenho certeza. O homem pode ser que eu reconheça, mas a mulher não.

O detetive olhou para ele com curiosidade e perguntou:

— Com o que você trabalha, se não se importa que eu pergunte?

— Sou advogado em Washington. Por quê?

O detetive sorriu com ironia.

— Um advogado altruísta. Não existem muitos no mundo.

Foi um comentário inútil e Thomas sentiu uma ponta de irritação. Ele deu uma olhada na ambulância e viu que a mãe da menina estava sendo tratada de lacerações nos punhos. Havia algo sobre o incidente que o incomodava. Algo não batia.

— O que aconteceu aqui? — perguntou. — Como isso aconteceu em plena luz do dia? Quanto mais eu penso, mais acredito que houve premeditação.

O detetive cruzou os braços.

— Não sei o que responder.

— Você está me dizendo que este é um crime comum? Estamos na Carolina do Norte, não no México.

O olhar do detetive escureceu.

— Não vou dizer que foi um crime comum, nem que não foi. — E abaixou o tom da conversa. — Se isso servir de consolo, vai ter muita gente boa trabalhando nesse caso. Pode ser que a polícia federal seja chamada. Faremos todo o possível.

— Não duvido. Mas isso significa que vão encontrar a menina?

O detetive desviou o olhar para a floresta e, por um instante, baixou a guarda.

— Eu não vou mentir para você. As estatísticas não são boas.

Thomas respirou fundo, sentia-se como se alguém tivesse enfiado uma faca em suas entranhas. Ele agradeceu ao detetive e se despediu com um aperto de mão. O detetive lhe deu um cartão.

— Aí tem meu telefone, se você se lembrar de mais algum detalhe sobre o caso. E verifique sua caixa de e-mail. Pode ser que a gente tenha mais perguntas a lhe fazer.

Thomas assentiu com a cabeça e foi andando de volta ao seu carro, com as palavras da mãe da menina ressoando em sua cabeça: "Abby é tudo o que eu tenho. Eu não posso perdê-la". Tentou esquecer o desespero da mulher, mas foi inútil.

* * *

Ele passou o restante da viagem até Washington em um estado de torpor mental. As cenas do sequestro se reproduziam em sua mente sem cessar. Se pelo menos tivesse pressentido o perigo e avisado à mãe de Abby para não seguir pela trilha. Se tivesse percebido as más intenções daquela mulher com a câmera e de seu companheiro. Se tivesse agido mais rápido e pegasse o carro antes de ligar para a emergência. O que será que os sequestradores pretendiam fazer com a criança? Será que pediriam resgate, ou seria pior?

Ele chegou à cidade um pouco antes das 18 horas. Seguiu pela margem do rio Potomac antes de cruzar a ponte para Georgetown, encontrou uma vaga em frente de sua casa e deixou sua bagagem no vestíbulo. Nas três semanas que se passaram desde que Priya tinha ido embora, ele ainda não tinha se acostumado ao silêncio do lugar. Acendeu algumas luzes, subiu até o quarto e trocou de roupa. Depois de vestir um conjunto de moletom, se olhou no espelho e viu círculos negros ao redor de seus olhos. Sua mãe comentaria que ele não estava se cuidando bem. E ela teria razão.

A viagem até a parte antiga de Alexandria passou como um borrão luminoso. Ele estacionou na calçada em frente à modesta casa estilo Tudor de seus pais e ficou ali sentado em silêncio. Depois, subiu os degraus da frente e parou diante da porta. O som da voz suave de Gene Autry[1] lhe deu boas-vindas. O antigo artista cantava uma canção sobre Papai Noel. Por um momento, ele sentiu como se estivesse em um sonho. Havia um ano, ele e Priya tinham estado naquele mesmo lugar, de mãos dadas; ela estava grávida e ansiosa por se tornar mãe, e ele estava satisfeito com a vida que levava. Ele era uma estrela em ascensão na empresa Clayton Swift, defendendo Wharton Coal em um caso importante que poderia mudar o rumo de sua carreira. Eles iam bem financeiramente. Como foi possível que tudo tivesse dado tão errado?

Bateu duas vezes na porta. Elena Clarke foi encontrá-lo no hall, enrolada no avental e com o rosto brilhando de suor por causa do calor do forno. Ela franziu a testa quando percebeu que ele estava sozinho. Eles permaneceram em silêncio por um momento, nenhum dos dois com disposição para dar o primeiro passo. Então, Thomas se acalmou para falar.

— Priya não virá. Ela me deixou há três semanas. — Finalmente deixou de ser segredo.

Sua mãe arregalou os olhos em choque, mas conseguiu se recompor rapidamente.

---

[1] Músico e ator, Autry foi astro de filmes das décadas de 1930 e 1940, que misturavam o estilo faroeste ao musical. (N. E.)

— Você não nos disse nada — ela disse com brandura.
— Eu não sabia como contar.
— Para onde ela foi?
Ele respirou fundo.
— Ela voltou para casa.
Elena se aproximou dele, um pouco hesitante, a princípio, e, depois, com mais confiança. Ele aceitou seu abraço sem resistência.
— Nós sabíamos que seria muito difícil, mas tínhamos esperança de que não chegasse a isso.
Ela se afastou e olhou novamente para ele.
— Como é que você está se sentindo?
Ele deu de ombros.
— Já estive melhor.
Elena assentiu com a cabeça.
— Seu pai está no escritório — disse, fazendo uma careta. — Está lá, lendo alguma obra impenetrável sobre as guerras do Peloponeso.
Thomas esboçou um sorriso.
— E quais são as novidades por aqui?
E foi caminhando pelo corredor, passando por fotografias emolduradas de seu tempo de escola, até que entrou no santuário de seu pai. O cômodo parecia mais uma biblioteca que um escritório. O juiz estava sentado em uma poltrona de couro, com uma almofada no colo e uma caneta tinteiro nas mãos. O livro diante dele era de um tamanho incomum, quase tão grande quanto um dicionário. Thomas podia ver incontáveis grifos e anotações nas margens de cada página. O juiz marcava tudo o que lia. Profissionalmente, ele atuava como um árbitro de destinos, mas os autores sem rosto também eram presas fáceis para ele.
Seu pai ergueu os olhos.
— Feliz Natal, Thomas.
— Feliz Natal, pai. — Ele ficou ali parado, sem saber direito o que dizer.
O juiz falou por ele.
— Eu ouvi o que você disse a sua mãe sobre Priya. Foi por causa do que aconteceu com Mohini ou o caso Wharton foi demais para ela?
Thomas recuou. Seu pai não era ele mesmo sem sua brutalidade.
— Um pouco de cada, eu acho — ele respondeu, omitindo o fato de que a história era um pouco mais complicada, que eles eram tão culpados quanto as circunstâncias.
— Ela nunca gostou do maldito caso Wharton — seu pai foi em frente.
— É difícil gostar de uma empresa que destrói uma escola, matando muitas crianças.

O juiz concordou e se levantou.

— A maldição do litigante — disse e se dirigiu para a sala de jantar — é que não pode escolher seus clientes.

— Priya discordaria do senhor.

— Eu sei — o pai respondeu. — Ela sempre foi uma idealista. — Voltou-se e pôs a mão no ombro de Thomas. Não muito longe o relógio bateu as horas. Sete badaladas. — Eu sinto muito, meu filho. De verdade. Você passou por maus bocados nos últimos seis meses.

— Obrigado, pai — disse Thomas, comovido com essa rara demonstração de afeto.

Elena foi encontrá-los na sala de jantar com um cesto cheio de pães frescos.

— Peru, purê de batatas, o recheio, amoras, brócolis, de tudo um pouco — disse ela, tentando aliviar a tensão. — Ted e Amy comeram todo o recheio na ceia de Natal, mas eu fiz mais um pouco.

O aroma era delicioso e Thomas se permitiu um sorriso. Seu irmão mais novo trabalhava em uma financeira em Nova York e sua mulher, Amy, era modelo para um monte de revistas de moda. Apesar de suas importantes carreiras, os dois eram, na verdade, bem pés no chão.

— Tenho certeza de que Ted é mais responsável pelo prejuízo do que a Amy — Thomas disse com ironia.

Seu pai deu risada.

— Parece que ela nunca come nada.

— Olha, sinto muito não ter vindo — disse Thomas com um sorriso. Ele não imaginava que diria isso, mas percebeu que foi sincero no que disse.

— Estão todos perdoados — disse a mãe. — Agora, vamos comer.

* * *

Durante o jantar, todos tentaram conduzir a conversa para assuntos mais leves. Mas a gravidade dos eventos recentes os pegou quando terminavam a refeição. A mãe perguntou a Thomas se ele tinha ouvido falar do *tsunami* no Oceano Índico.

— Eu ouvi alguma coisa pelo rádio — respondeu Thomas.

— Sua mãe ficou grudada à televisão a tarde toda — disse o juiz.

— É inconcebível — disse Elena, balançando a cabeça. — Todas aquelas pessoas... — Sua voz foi se enchendo de emoção. — Como pôde acontecer uma coisa assim?

— Não sei dizer — disse Thomas. Pela segunda vez no mesmo dia ele teve que se confrontar com esta pergunta. Então, ele se lembrou da mãe de Abby chorando em seus braços e se virou para o pai:

— Enquanto estamos falando de coisas tristes, pai, eu queria sua opinião sobre uma coisa que me aconteceu na viagem para casa.

Contou ao juiz sobre o sequestro e sobre sua conversa com o detetive Morgan. Contar o caso ao juiz tinha um propósito. Seu pai ocupava o cargo mais alto de um dos distritos judiciais mais poderosos do país. Se existia alguém com uma visão panorâmica sobre o crime nos Estados Unidos, essa pessoa era seu pai.

Quando Thomas terminou seu relato, seu pai coçou o queixo.

— Humm, forte Bragg é em Fayeteville. — Depois de uma pequena pausa, ele prosseguiu: — Pode não ter sido um sequestro comum. Nós observamos um aumento no número de casos de tráfico no ano passado.

Thomas franziu o semblante.

— E o que o forte tem a ver com isso?

— É muito simples, na verdade. O forte oferece aos intermediários uma base sólida de clientes.

Elena fez o sinal da cruz, se levantou de repente e começou a recolher a louça. Trocando um olhar com seu pai, Thomas se levantou para ajudá-la. Depois disso, eles se retiraram para a sala de estar. Thomas bebericava uma caneca de *eggnog*[2], enquanto seu pai atiçava as brasas da lareira. Eles se juntaram ao redor da árvore de Natal e Elena pegou uma velha *Bíblia* de couro. Ela abriu no evangelho de Lucas, como fazia todo ano no Natal, mas ficou simplesmente olhando para a página. Depois de um momento, ela fechou a *Bíblia*.

— Acho que não vou conseguir ler agora — disse ela.

— Pode deixar que eu leio — disse o juiz pegando a *Bíblia* das mãos dela.

Ele abriu na passagem sobre o Advento e leu as palavras desgastadas pelo tempo.

Thomas ouviu, como sempre fez desde que nasceu, mas a passagem não significava mais muita coisa. Ele foi crismado, como qualquer garoto católico, mas o que aprendeu no catecismo foi se desgastando e desaparecendo durante seus anos em Yale. No mundo real, a única certeza era a dúvida.

Quando o juiz terminou a leitura, Elena pegou um pequeno pacote embrulhado em papel dourado sob a árvore de Natal e o entregou a Thomas. Ouvir as palavras das Escrituras pareceu acalmá-la. Ela sorriu para ele e olhou para o juiz.

— Foi seu pai que escolheu — disse ela.

Thomas rasgou o papel e abriu uma caixa de joias contendo um par de abotoaduras de prata. Em cada abotoadura estavam gravadas as iniciais: TRC. O "R", de Randolph.

---

[2] Uma espécie de gemada com *brandy*, típica do Natal norte-americano. (N. T.)

— Priya estava sempre insistindo para que você usasse aquelas camisas afetadas com punho francês — disse seu pai com um leve sorriso. — Achei que isso poderia ajudar.

— Ela estava sempre insistindo para que eu fizesse um monte de coisas — disse Thomas.

Elena pegou um segundo pacote.

— Eu comprei isso para ela — disse Elena com tristeza. — Encontrei em uma loja de livros usados. Achei que podia ficar comigo, mas eu ficaria mais feliz se você o levasse.

Thomas sacudiu a cabeça.

— Ela não vai voltar, mãe. Não vejo motivo. — Ele não pretendia ser agressivo, mas também não queria que restasse nenhuma dúvida.

Elena respirou fundo.

— Seja como for, leve-o com você. Por favor.

Thomas recebeu o presente com relutância.

— Devo desembrulhar?

Sua mãe fez que sim com a cabeça.

Debaixo do papel ele encontrou um pequeno livro de poesias de Sarojini Naidu.

— Boa escolha — ele disse. — Ela adorava Naidu.

— Por que você não lê alguma coisa para nós? — Sua primeira reação foi dizer que não, mas ele não queria desapontar a mãe, então abriu o livro na página onde havia um poema intitulado "Transitoriedade" e o leu em voz alta. A estrofe possuía uma beleza pungente, mas soava vazia em seu coração.

Não, não chore; nova esperança, novos sonhos, novos rostos,
E a alegria não vivida dos anos que estão por vir
Vai mostrar que o coração pode enganar o sofrimento,
E que os olhos podem as próprias lágrimas iludir.[3]

A sala ficou silenciosa depois que ele terminou a leitura. Ninguém sabia o que dizer. Foram socorridos pelo relógio do avô. Oito badaladas.

— Desculpem a minha pressa — disse Thomas, tentando disfarçar seu alívio. — Mas ainda tenho que trocar de roupa antes de ir para a cidade.

— Tudo bem — disse Elena, embora seus olhos demonstrassem grande tristeza.

Seus pais o acompanharam até a porta. Contrastando com a alegria que aparentavam no início do jantar, suas expressões agora se mostravam sérias.

---

[3] Tradução livre. (N. T.)

— Telefone se precisar de alguma coisa — disse Elena. — A qualquer hora do dia ou da noite, estaremos aqui.

— Eu vou ficar bem — Thomas respondeu, dando um beijo na mãe e apertando a mão do pai. — Não se preocupem comigo.

Mas ele sabia que não os convencera.

* * *

Voltou para a cidade e deu uma rápida passada em casa para vestir seu smoking. Sentia-se profundamente aborrecido. Ele fora um tolo ao viajar até a Carolina do Sul para passar o Natal. As festas têm seus méritos, mas, mesmo em um bom ano, toda essa socialização lhe deixava com dor de cabeça. Ele precisava de um drinque. Essa era praticamente a única vantagem de comparecer à festa de Clayton, bebida em quantidade ilimitada.

Ele tomou um táxi até o Hotel Mayflower. O táxi o deixou na porta às 21 horas. Ele sabia, por experiência própria, que seu atraso não seria notado. As festas do Clayton viravam a noite.

Ele cruzou o imenso lobby da galeria de Belas Artes e ouviu o som de vozes. O escritório de Washington da empresa de Clayton, um dos vinte espalhados pelo mundo, era a própria casa para duzentos advogados e o dobro de funcionários da equipe. Quando todo o grupo se reunia e a bebida era servida, as pessoas tinham que gritar para serem ouvidas acima da vozaria.

Ele entrou no salão principal e cumprimentou um grupo de amigos. Depois de algumas piadas e um pouco de fofoca de escritório, pediu licença e foi pegar uma bebida. Em um dos bares, ele pediu um Manhattan e ficou apreciando o barman misturar uísque, vermute e os amargos. Pegou a bebida e sorveu um gole, enquanto olhava aquele mar de rostos corados de entusiasmo e embriaguez. Sempre se sentia agitado em meio a essa multidão. Clayton possuía um dos escritórios de advocacia de maior prestígio em todo o mundo. Na última década, especialmente, o aquecimento do mercado imobiliário, o aumento de fusões e aquisições internacionais, e a expansão global do setor energético transformaram os sócios majoritários da empresa em multimilionários e deram aos associados, como Thomas, uma amostra da boa-vida que estava por vir.

Priya, por outro lado, detestava tudo que dizia respeito à empresa. Ela fez muita pressão contra Thomas quando ele enviou seu currículo ao Clayton. Ela defendia que o trabalho em organizações sem fins lucrativos era o único modo de alcançar a verdadeira satisfação profissional. Ele escutava o que ela dizia, sempre escutava, porém tinha que discordar. Trabalhar feito um escravo, a troco de migalhas, para um grupo de direito civil, pode ser emocionalmente gratificante, mas para fazer carreira era um buraco sem saída. Ele desejava conquistar o mesmo que seu pai havia conquistado — uma cadeira em um tribunal federal. E, para chegar lá, tinha que jogar nos times da primeira divisão.

— Olá, estranho.

O som daquela voz o surpreendeu. Ele se virou e deu de cara com os olhos azuis de Tera Atwood.

— Liguei para você durante todo o fim de semana — disse —, mas você não atendeu. — Ela se aproximou e tocou seu braço. — Foi a algum lugar divertido?

Tera se graduou na Chicago Law e era associada havia menos tempo do que ele. Ela era inteligente, alegre e bonita. Nessa noite, usava um vestido bordado com lantejoulas prateadas que a fazia parecer mais com uma atriz de cabaré do que uma litigante de uma empresa importante.

— Eu viajei para a praia com uns amigos — disse, olhando em volta para ver se alguém os observava. — E esqueci meu smartphone.

Ele tentava relaxar, mas não conseguia. Tera exercia sobre ele um efeito avassalador. A presença dela podia ser resumida em duas palavras: desejo e culpa.

Ela deu um sorriso coquete.

— Nós podíamos dar o fora daqui e ir a um lugar com mais privacidade.

Sua culpa aumentou ainda mais.

— Não acho que seja uma boa ideia.

Tera pareceu confusa e um pouco magoada.

— Thomas, querido, você esqueceu que Priya o deixou? O que você tem a esconder?

Ele olhou para a multidão.

— Eles não sabem disso.

— Por quanto tempo você pretende manter segredo?

— Não tenho certeza — ele respondeu, desejando que essa conversa não estivesse acontecendo.

— Você tem vergonha de mim, Thomas? — Seu tom de voz era suave, mas a pergunta era direta.

— É claro que não — ele respondeu depressa. Por que ele estava tão interessado em acalmá-la?

Tera tornou a colocar a mão sobre o braço dele.

— E amanhã?

Ele viu um dos sócios da divisão de litígios olhando para eles e evitou seu olhar.

— Amanhã é melhor — ele disse, esperando que ela entendesse a dica e o deixasse sozinho.

— Mal posso esperar — ela disse e foi cumprimentar um conhecido.

Ele a viu partir e desejou que ela desaparecesse para sempre. Tera era uma das partes obscuras da sua história. Ele desprezava a cultura extravagante da firma: as intrigas, as trocas de olhares entre colegas, as amantes. Sua devoção era sempre para Priya. Tera trabalhou com ele por três anos no caso Wharton, mas ele a considerava uma amiga, nada além disso. Então, ocorreu a tragédia e as regras foram subitamente alteradas.

Ela começou a se insinuar para ele no momento mais errado, quando a tristeza de Priya se transformou de sofrimento silencioso para amargura brutal.

O caso começou de modo bem inocente: uma risadinha aqui, um toque no ombro ali e nada mais. No entanto, entre o turbilhão que os envolveu na preparação do julgamento de Wharton e a depressão cáustica de Priya, ele cruzou o limite que separa a simples atração de uma louca paixão e foi ficando até mais tarde no escritório, com mais frequência, temendo as críticas que enfrentaria em casa para cada falha que Priya percebia ou inventava. Não podia conversar com a mulher sobre Mohini, de quem ela nem mesmo pronunciava o nome, e estava totalmente vulnerável. Tera se mostrava disponível, mais do que isso, ela estava enfeitiçada. Ele resistiu aos seus avanços até Priya ir embora, mas, nas últimas três semanas, ele tinha estado por duas vezes no seu apartamento em Capitol Hill. Ele nunca passara a noite lá. Sentia-se muito culpado para isso. No entanto, ele cedeu à tentação de dormir com ela porque era sensível e bonita, e sua esposa tinha ido embora.

Olhou o relógio e viu que eram 22 horas, se aprumou, circulou pela festa, trocou comentários espirituosos com os dois principais sócios e foi embora. Saiu a pé do Mayflower e foi caminhando para o sul pela rua 18 até a rua K. A noite estava fria e límpida. As estrelas mais brilhantes podiam ser vistas através da névoa causada pela poluição. Thomas se embrulhou no sobretudo, considerou chamar um táxi, mas pensou melhor e foi caminhando. Vinte e cinco minutos depois, ele chegou em casa se sentindo ligeiramente revigorado. Foi direto para a cozinha e se serviu de um *scotch*. Levou a garrafa consigo para o sofá e tentou esvaziar a mente. Mas continuava se sentindo culpado por seu encontro com Tera.

Ele tornou a se lembrar do sequestro em Fayetteville. Será que seu pai tinha razão em relação à conexão com o tráfico? Abby Davis estaria mesmo em poder de intermediários? Ficou imaginando como seria Mohini aos 11 anos de idade e estremeceu. O que ele faria se acontecesse uma coisa dessas com sua própria filha?

Procurou pelo livro de poesias que sua mãe havia lhe dado e encontrou-o em cima da mesinha do telefone. Ele o pegou e voltou ao sofá sem saber o motivo de ter feito aquilo. Leu novamente o poema "Transitoriedade" e, dessa vez, uma das estrofes lhe falou ao coração:

> *Não, não sofra, embora viva a escuridão de seus problemas,*
> *O tempo não vai parar, e nem andar atrasado;*
> *O dia de hoje que parece tão longo, tão estranho e amargo,*
> *Breve estará esquecido no passado.*[4]

Ele se encostou no sofá, fechou os olhos e, então, conheceu o tamanho do abismo em que havia caído. Contudo, soube, com a mesma clareza, que só havia um caminho de volta à luz. Algo precisava mudar. Ele precisava de novos horizontes, não sabia direito quais, mas o estado atual da sua vida não era mais uma opção viável.

Não tomar uma atitude seria morrer um dia de cada vez.

Capítulo 3

> "Todo ser contém dentro de si a totalidade do mundo inteligível."
>
> Plotino

Chennai, Índia

Ahalya despertou numa espécie de entorpecimento e sensações enevoadas. Era a ressaca da droga que lhe deram para dormir e, num primeiro instante, não sabia ao certo onde estava. Por uns preciosos segundos, pensou que ela e Sita estavam em casa, deitadas em seu quarto, com seus pais esperando para recebê-las com beijos e as novidades do dia. O horror da sua real situação foi se instalando lentamente.

Sita estava abraçada a ela, seus corpos unidos, como dormiram tantas vezes antes. Mas a cama era esquisita e cheia de calombos, e as paredes estavam nuas, sem as tapeçarias que haviam pendurado em seu quarto com a ajuda da mãe. Uma mulher surgiu no campo de visão de Ahalya e seu coração pulou. O rosto da mulher estava obscurecido pelas sombras, mas o formato não era de Ambini.

---

[4] Tradução livre. (N. T.)

— Hora de levantar — disse a mulher de Chako, laconicamente. — O trem está esperando.

Sita se mexeu nos braços de Ahalya e as duas meninas se sentaram na cama. O relógio na mesinha marcava 5h40.

— Que trem? — Ahalya perguntou segurando a irmã pela mão.

— Vocês vão descobrir logo, logo.

A mulher de Chako foi até a porta e se virou. — A propósito, eu descobri seu segredinho sobre o telefone celular. Nunca mais esconda nada de nós ou sua irmã sofrerá as consequências.

Instintivamente, Ahalya colocou a mão na cintura, mas só sentiu o vazio. Seu coração pesava como chumbo. Ela havia perdido o celular.

— Para onde estão nos levando? — ela perguntou, tentando parecer corajosa.

— Sem perguntas — a mulher interrompeu. — Seu café da manhã está na mesa. Vocês têm quinze minutos para comer. Prakash e Vetri vão estar aqui às 6 horas. Eles vão levar vocês até o trem.

As duas irmãs foram até a mesa e encontraram dois bolinhos *idli* e dois crepes *dosa* em um prato ao lado de duas canecas com água. Aquilo não constituía exatamente um desjejum. Sentando-se à mesa, Ahalya disse a Sita que não estava com fome e que ela podia comer tudo sozinha. Sita olhou bem para Ahalya e recusou o segundo bolinho *idli*. Ahalya o comeu, agradecida.

Prakash e Vetri apareceram pontualmente às 6 horas. Houve uma batida na porta e Chako foi abrir. O mais novo, Vetri, passou para dentro e os saudou com um breve aceno. Nem Chako nem sua mulher falaram com eles quando deixaram o apartamento.

A área permanecia sombria e silenciosa sob um céu escuro quando Ahalya e Sita chegaram à rua. A região estava deserta, exceto por uns poucos vira-latas que dormiam na soleira das portas. O homem gordo, Prakash, ficou esperando por eles ao lado de uma SUV prateada estacionada naquela vizinhança arruinada. Ele estava de braços cruzados, olhando para elas.

— *Caril utkarungal* — disse ele, abrindo a porta do banco de trás. — Entrem aí.

Sita subiu na cabine seguida por Ahalya. O veículo tinha aquele cheiro característico de carro novo e fez Ahalya se lembrar do carro de seu pai. Ela afugentou a lembrança da mente e segurou a mão de Sita.

— Você está bem? — perguntou em inglês, na esperança de que os homens não entendessem.

— Fale em tâmil — Prakash deu um berro, subindo no banco da frente.

Sita se virou para sua irmã. Ela tinha os olhos límpidos na pouca luz da cabine.

— Eu estou bem — ela sussurrou colocando a cabeça no ombro de Ahalya.

Vetri se sentou no banco do passageiro e Prakash acelerou na pequena rua deserta. Eles deixaram aquela região e foram em direção ao oceano. As ruas da cidade estavam bem vazias àquela hora da manhã. Poucos minutos depois, Prakash estacionou em uma área da Estação Central de Chennai. Vetri pulou para fora e desapareceu no meio da multidão de passageiros que aguardavam as primeiras partidas dos trens. Prakash olhou para as meninas pelo espelho retrovisor e trancou as portas.

— Para onde estamos indo? — perguntou Ahalya.

Prakash esbravejou.

— Sem perguntas — disse.

Vetri logo retornou, segurando um monte de papéis. Ele os entregou para Prakash, que os examinou e fez que sim com a cabeça. Então, ele se virou e ficou olhando de Ahalya para Sita.

— Suas passagens estão em ordem. Vetri viajará com vocês e Amar também. Vocês logo vão conhecê-lo. Façam o que eles disserem sem discutir. Não falem com ninguém ou vão arcar com as consequências. E nem pensem em chegar perto da polícia. O delegado é amigo meu.

* * *

As irmãs desceram do veículo e seguiram os dois homens através da multidão. Quando entraram na estação, elas subiram um lance de escadas, atrás de Prakash, até uma passarela sobre os trilhos. Eles seguiram até a plataforma e desceram as escadas. O trem se estendia como uma serpente azulada, com tantos vagões que Ahalya não conseguia calcular quantos, na plataforma mal iluminada. Ela olhava para os vagões tentando identificar o nome do trem, até que leu uma placa: Expresso Chennai. Ela nunca tinha ouvido falar desse trem.

Prakash disse às meninas para esperarem com Vetri em um canto debaixo da escada, e os deixou lá por uns momentos. Quando voltou, estava acompanhado de outro homem. Ele era baixo, tinha cabelos pretos e um pescoço grosso; o estranho apresentava a compleição característica de pessoas do norte da Índia. Ele olhou as meninas de cima a baixo e se virou para Prakash sorrindo.

— Muito bem, meu amigo — disse ele em um tâmil carregado de sotaque. Seu jeito de falar confirmava que ele não era de Chennai.

— Eu achei que você gostaria.

O homem entregou a Prakash uma mala preta.

— Doze mil rúpias, seis mil para cada um. São duas mil rúpias a mais do que o normal.

Prakash apertou os lábios.

— Eu pedi quinze.

— Treze e nem um centavo a mais. — O homem rebateu, colocando a mão no bolso e tirando de lá duas notas de quinhentas rúpias.

Prakash concordou, pegou o dinheiro e foi embora sem dizer mais nada. O homem se apresentou às meninas.

— Meu nome é Amar. Vetri é meu assistente. Ele vai acompanhar vocês. A viagem é longa e o trem está lotado. Comportem-se normalmente, mas não fiquem puxando conversa. Se uma desobedecer, a outra será castigada.

— Para onde está nos levando? — Ahalya perguntou outra vez, apertando a mão de Sita para lhe passar confiança. Ela pensou nas histórias que ouvira sobre homens que aliciam mulheres e as levam de suas famílias para que trabalhem como criadas por pouco ou nenhum salário. A ideia de trabalhar como escrava noite e dia para um estranho, em um lugar distante, a fez estremecer.

Amar apertou os olhos.

— Vocês logo vão saber. — Ele trocou olhares com Vetri e apontou para o trem. — Leve-as para seus lugares.

Vetri assentiu com a cabeça e conduziu as irmãs para um vagão-dormitório quase no final do trem. Uma mulher mais velha estava sentada no assento diante deles. Ela deu um pequeno sorriso à Ahalya, mas não falou nada. Ao lado dela, estava sentado um homem gordo de meia-idade que cochilava. O banco envergava com o peso dele, que tinha uma valise entre as pernas. Apesar do frio da manhã, o vagão-dormitório já estava aquecido pelo calor dos corpos e o ar estava saturado com o cheiro de suor. Na frente do vagão, um bebê chorava e, no compartimento de trás, dois homens falavam alto sobre a política em Tamil. A conversa enchia o espaço apertado. Ahalya tinha certeza de que esta seria uma viagem bastante desconfortável.

Ela cedeu o assento da janela para Sita e se sentou em frente à ela. Sita olhou para ela e disse baixinho em inglês: — Para onde você acha que estão nos levando?

Ahalya deu uma olhada em Vetri, mas ele estava extasiado folheando uma revista de cinema e não demonstrava interesse na conversa delas. Ela respirou fundo e respondeu:

— Não sei. Nunca ouvi falar nesse trem.

— Eu estou com medo — as palavras de Sita mal podiam ser ouvidas.

— Seja forte, florzinha — Ahalya respondeu usando o apelido favorito de Sita. — Se mamãe estivesse aqui, diria a mesma coisa.

* * *

Quando o Sol estava nascendo, o trem partiu de Chennai e foi se arrastando através da imensa área rural, passando por vilarejos com plantações de arroz e incontáveis campos com cultivos ressecados pelo Sol. Para se distrair e ajudar a passar o tempo, Ahalya e Sita brincaram de adivinhação, como haviam feito tantas vezes no St. Mary.

— Diga o nome do poeta — e Ahalya declamava: — "A luz, meu amigo, se estilhaça diamantina em cada nuvem, irradiando miríades de joias".

— Tagore — responde Sita. — Essa é fácil.

— Então, que tal essa outra: "O caminho do amor é a vida; sem ela os seres humanos são apenas ossos revestidos de pele".

— Thiruvalluvar. — Sita respondia, matando a charada com facilidade.

Ahalya pensava, então, em um verso menos conhecido:

— "A brisa do amanhecer que abre as pétalas da flor também traz para ti o seu calor". Sita pensou por um longo tempo.

— Não sei.

— Hafiz — Ahalya diz.

— Mas ele era muçulmano, não hindu. — Sita reclamou.

— A poesia não se importa com isso.

À medida que as horas passavam, o vagão ia ficando mais e mais cheio de gente. A temperatura no interior do vagão-dormitório deixava o ar sufocante. Ahalya podia ver as linhas de suor na fronte de sua irmã, e seu *churidaar* estava molhado e pegajoso. Para tornar as coisas ainda piores, elas estavam famintas. Em cada estação que o trem parava, vendedores ambulantes lotavam as plataformas, oferecendo comida e bebida, e mesmo quando Vetri comprou para si almoço e jantar, ele deu às meninas apenas bananas.

O Sol se pôs às 19 horas, e o ar fresco que chegou com a noite trouxe um alívio bem-vindo. Sita bocejava e olhava para a irmã. Ahalya podia ver a dúvida em seus olhos. Observando os corpos apertados uns contra os outros, alguns espremidos nos bancos, uns sentados no chão e outros de pé, oscilando com o movimento do trem, ela imaginava como seria possível alguém dormir naquelas condições.

Mas dormiram. Com o tempo, as crianças se esticaram embaixo dos bancos, espremendo os corpos entre as bagagens. As mulheres se encostaram umas nas outras até que se sentissem protegidas o suficiente para fechar os olhos. E os homens se comprimiram em qualquer espaço que houvesse, forçando seus braços e pernas até o limite do impossível.

Ahalya tomou Sita em seus braços e sussurrou uma prece que Ambini lhes tinha ensinado. Era uma oração para Lakshmi, pedindo sorte, saúde e coragem. Ela sabia que precisariam de cada uma das três bênçãos, para onde quer que fossem.

* * *

À medida que a noite avançava, corpos se misturavam, bebês gritavam e crianças se lamuriavam. Mesmo assim, Ahalya e Sita conseguiram dormir. Em algum momento da madrugada, a exaustão finalmente as consumiu.

Quando Ahalya abriu os olhos novamente, ela percebeu que o trem estava diminuindo a velocidade. O vagão estava menos lotado. Muitas pessoas das quais ela se recordava tinham ido embora. As luzes do lado de fora eram poucas, a princípio, mas logo começaram a surgir prédios. O pavor, que ela havia conseguido reprimir durante a viagem, voltava agora. A maioria dos passageiros que estava no trem ainda dormia, mas alguns já começavam a se espreguiçar e a se mexer. Era sinal de que o trem estava chegando ao seu destino final.

Ahalya tornou a olhar para a janela e percebeu que Sita estava acordada, olhando a cidade que se aproximava.

— É bem maior que Chennai — ela disse suavemente.

— É mesmo — concordou Ahalya, apertando-a contra si.

O trem desacelerou e surgiu uma plataforma. Placas colocadas acima dos bancos indicavam: Dadar. O ar ficou preso na garganta de Ahalya. Ela já tinha ouvido falar da estação Dadar.

Elas estavam em Mumbai[5].

* * *

À medida que o trem ia parando, os passageiros começavam a se amontoar na direção da porta traseira, carregando malas e crianças. Amar entrou no vagão pela porta da frente e foi passando com dificuldade no meio daquele mar de corpos.

— Venham comigo — ele disse sem maiores explicações.

A estação de Dadar parecia um hospício na penumbra que antecede o nascer do Sol. Lâmpadas fluorescentes no teto imprimiam à plataforma uma luz de um azulado pálido. Uma fila enorme de *táxi-wallas*[6] se dirigia a Amar

---

[5] Mumbai ou Bombaim, na Costa Oeste da Índia, é sua maior cidade, com população aproximada de 20 milhões de pessoas. (N. E.)

[6] *Walla* é um termo hindu genérico indicativo de função exercida; nesse caso, motorista de táxi. (N. T.)

em uma língua estrangeira. Ahalya olhou em volta, procurando por um policial, mas não viu nenhum. Se corresse, poderia desaparecer no meio da multidão. Mas ela não tinha como avisar Sita nem como garantir sua segurança.

Amar enfiou a mão no bolso da frente da sua *kurta* e tirou o que pareciam ser bilhetes.

— Temos que nos apressar — disse ele, apontando para outra plataforma. — O trem local vai chegar a qualquer minuto.

Eles subiram até uma passarela sobre os trilhos e desceram em outra plataforma. Poucos segundos depois, um trem de passageiros parou na estação, vindo do norte. O vagão estava lotado de gente. Homens estavam em pé diante de portas abertas e, outros, pendurados do lado de fora do trem. Parecia não haver mais espaço no vagão para a multidão que aguardava na plataforma.

Amar se dirigiu rapidamente a elas:

— Fiquem com Vetri. Vocês vão ter que empurrar as pessoas para conseguir entrar no trem.

Quando o trem parou, a multidão se atirou para as portas. Ahalya agarrou a mão de Sita e se deixou levar no meio da confusão. À medida que as meninas se aproximavam da entrada do vagão, a pressão ia aumentando, até que elas estavam quase correndo. A possibilidade de embarcar no vagão parecia irreal, mas, de repente, uma brecha se abriu e elas deslizaram por ali. Elas seguiram Vetri até o centro do vagão e se agarraram nas barras de metal acima de suas cabeças, enquanto corpos se ajeitavam e se comprimiam ao seu redor.

O trem viajava a uma rápida velocidade, passando por diversas estações. Depois de dez minutos, Vetri abriu caminho até elas e lhes disse que saltariam na Estação Central de Mumbai.

A estação surgiu numa mistura de luzes e movimento. As meninas seguiram Vetri até a plataforma. Amar se reuniu a eles e os conduziu para fora da estação, por uma porta dupla, até um táxi. Ele murmurou palavras ininteligíveis para o *táxi-walla* e, então, partiram.

* * *

A cidade brilhava sob a luz do Sol nascente. Eles estavam em uma zona urbana densamente povoada. Táxis amarelos e pretos enchiam as ruas como um enxame de abelhas, e pedestres se arriscavam no meio do trânsito. O táxi seguiu pela rua principal por algumas quadras e, então, entrou em uma rua empoeirada cortada por estreitas vielas. Algumas mulheres andavam por ali barganhando com vendedores, mas, no geral, a vizinhança era estranhamente quieta.

O táxi parou junto ao meio-fio e Ahalya viu um homem, vestido com uma camisa cinza e jeans preto, caminhar em direção a eles. Ele tinha mais ou menos a mesma idade que seu pai, mas seus cabelos já estavam quase totalmente brancos. Amar desceu do carro e cumprimentou o homem com um aperto de mão. Vetri disse às meninas para saltarem. Eles permaneceram na calçada ao lado do homem de cabelos brancos.

— Pacote fechado? — o homem perguntou.

— Sim — respondeu Amar.

— Quarenta mil — disse o homem com voz autoritária.

— Setenta e cinco — retrucou Amar.

O homem franziu as sobrancelhas.

— Sessenta mil. E nada mais.

— Está bem — Amar concordou. — Você vai recuperar o dinheiro rapidamente.

O homem olhou para as meninas e disse:

— Venham.

Deixando Amar e Vetri, elas seguiram o homem por uma porta e subiram uma escada em caracol. Os degraus eram altos e, a passagem, estreita. No topo da escada, havia uma porta aberta. Ao lado da porta, havia um jovem vestindo uma camisa escura e jeans.

— Leve-as lá para cima — disse o homem.

O jovem assentiu.

— Por aqui — disse ele às meninas.

O espaço além da porta era vazio, exceto por um sofá em "L" e um espelho na parede oposta. A sala era pintada de amarelo, tinha cortinas nas janelas e uma segunda porta. O homem conduziu as meninas até essa segunda porta. Eles entraram em um corredor com cerca de seis metros de comprimento e portas manchadas, cada uma delas fechada. Ahalya ouviu o som de vozes falando baixo e pés se arrastando por trás das portas, mas não apareceu ninguém para cumprimentá-las.

Elas seguiram o homem até uma grande estante de madeira no final do corredor. O homem tateou o lado esquerdo da estante e puxou. A estante se moveu silenciosamente sobre dobradiças bem engraxadas, e revelou uma escada secreta. O jovem passou pela abertura e acenou com a cabeça para que as meninas o seguissem. Ahalya apertou o braço de sua irmã, que tremia, mas elas não saíram do lugar.

— Não vou a lugar nenhum até que você me diga onde estamos — ela disse em híndi, procurando falar com a firmeza que lhe restava.

O jovem franziu o semblante.

— Vocês não estão em posição de exigir nada.

O coração de Ahalya bateu mais forte, mas mesmo assim ela o desafiou.
— Vocês não podem dispor de nós como quiserem. Somos suas hóspedes. Onde está sua educação?
O jovem soltou um palavrão que a deixou chocada.
— *Kutti*! Vaca! — Ele voltou ao corredor e esbofeteou seu rosto. O golpe a jogou contra a parede e começou a escorrer sangue de seus lábios.
— Se você se rebelar, vai ter que aguentar as consequências — ele disse entredentes. — Agora, vocês nos pertencem. Suchir pagou sessenta mil rúpias por vocês duas. Vocês farão tudo o que mandarmos para pagar suas dívidas. As coisas funcionam assim em Golpitha.
Sita implorou a Ahalya:
— Não discuta. Faça o que ele diz.
Ahalya tocou seu rosto, que latejava. Pegando Sita pela mão, ela seguiu o homem pela escada mal iluminada. As paredes eram praticamente negras de tanta fuligem e bolor. O homem as conduziu até um quarto pequeno, cuja mobília era apenas uma cama e uma penteadeira, e havia também uma latrina e uma pia. Ele acendeu uma luz, que pendia de uma viga de madeira no teto.
— É aqui que vocês vão viver até que Suchir decida o contrário. A comida será servida regularmente. Se houver uma emergência, podem bater no chão. Alguém vai ouvi-las.
— De que forma pagaremos nossa dívida? — Ahalya perguntou gentilmente.
O homem esboçou um sorriso.
— *Bajaana*. Vocês vão dormir com homens, é claro — ele riu. — Vocês não chegaram a pensar que isso aqui era um hotel, não é? Vocês estão em Kamathipura.
Dizendo isso, ele se virou e fechou a porta atrás de si.
Sita desmoronou no chão e começou a chorar baixinho. Ahalya colocou os braços em volta dela, atordoada pelas palavras do homem. Depois de tudo pelo que passaram e sofreram, era simplesmente inconcebível que o homem de cabelos brancos, Suchir, pretendesse vendê-las por sexo. Sita era só uma criança. E nenhuma das duas jamais havia se deitado com um homem. O horror do que isso significava estava além da sua compreensão.
Ahalya ouviu uma batida na porta. Ela olhou para cima e viu entrar uma mulher de meia-idade. Sua larga silhueta estava embrulhada em um sári púrpura e, seu cabelo negro, enrolado em um coque. Ela trazia uma bacia com água em uma das mãos e delicadas guirlandas de flores *malati* na outra.
— Você fala híndi? — ela perguntou.
Ahalya fez que sim com a cabeça.

— Que bom. Meu nome é Sumeera, mas as outras garotas me chamam de *Badi ma*.

Sumeera se sentou diante delas, pegou um pedaço de pano da bacia, torceu o pano e o ofereceu a Ahalya.

— Você deve estar cansada da viagem.

Ahalya pegou o pano, com os olhos cheios de desconfiança, entregou-o à irmã e ficou observando enquanto Sita limpava o rosto e pressionava o pano contra a fronte.

— Eu trouxe guirlandas para enfeitar os seus cabelos — disse Sumeera, olhando para Ahalya. — Posso?

Ahalya não respondeu. Uma torrente de emoções conflitantes lutava dentro dela.

Todo ano, no dia do seu aniversário, a mãe enfeitava seus cabelos com uma guirlanda feita com flores *malati* e rosa-da-índia[7]. Ela fez o mesmo para Sita. Uma guirlanda era um símbolo de festa e votos de felicidade. Esta era uma casa do pecado. Como podia essa mulher estranha pedir a elas que festejassem?

Sumeera percebeu o mal-estar das meninas e fixou em Ahalya um olhar resignado.

— Eu já fui como você — ela disse. — Eu também fui tirada de casa e trazida para cá por homens que eu não conhecia. A vida na *adda* é dura, mas você tem que aceitar. Nao adianta lutar contra o seu carma. Aceite a provação que Deus impôs e talvez você renasça em um lugar melhor.

Dobrando a guirlanda sobre a borda da bacia, ela se ergueu pesadamente e desapareceu escada abaixo.

Quando estavam novamente a sós, Sita mergulhou o pano na água e o entregou para Ahalya.

— Você acha que ela tem razão? — Sita perguntou num sussurro. — Esse é o nosso carma?

Ahalya pegou o pedaço de tecido e baixou os olhos, cheios de lágrimas.

— Eu não sei — ela disse.

E era verdade.

---

[7] No original, *marigold*, também conhecida no Brasil como cravo-de-defunto. (N. T.)

Capítulo 4

> "A mais alta lei moral é que devemos trabalhar insistentemente pelo bem da humanidade."
>
> Mahatma Gandhi

Washington, D. C., Estados Unidos

Thomas Clarke tomou seu lugar na sala de reuniões no décimo andar da Clayton/Swift e olhou pela janela o escritório da Marquise & LeClair, que ficava do outro lado da rua. A grande mesa de madeira escura em frente dele podia acomodar vinte e quatro pessoas. Havia dezoito pessoas nessa reunião — doze advogados, quatro paralegais e dois estagiários. O Grupo Wharton, como eram chamados, era a maior equipe de litígio na história da empresa.

O assunto da discussão daquele dia era a apelação de Wharton. Dos doze advogados presentes, cinco conduziam a discussão. Os outros, Thomas inclusive, permaneciam calados, com seus smartphones contabilizando cada segundo que se passava por meio de um sofisticado software, que, ao final do dia, sincronizava automaticamente os dados de todos os notebooks. Essa reunião era essencial para o caso. Os executivos da empresa carvoeira se sentiram ultrajados pelo veredito do júri e queriam ir até as últimas consequências.

Ninguém acreditava que se tivesse chegado a isso. Os advogados da Clayton estavam manipulando o sistema judicial havia mais de três anos, tentando encontrar um meio de se livrar da indenização de um bilhão de dólares por negligência, para conquistar um acordo judicial de valor muito inferior. Em cada um dos pontos, as evidências foram contra a defesa. A explosão que ocorreu na mina de carvão das instalações da empresa em Virgínia Ocidental havia sido prevista por ativistas. O empreiteiro, que declarou que as paredes dos túneis no interior da mina foram contidas de forma segura, estava sob investigação oficial. Além disso, havia o problema das crianças. Noventa e um alunos afogados em suas carteiras por duzentos milhões de litros de água suja que inundaram a encosta da montanha onde ficava a escola de Ensino Fundamental. O grupo Wharton tinha uma única estratégia para derrotar as famílias das vítimas, que era impedi-los de contar sua história diante de um júri.

E a estratégia quase funcionou. A pressão de lutar contra uma empresa de carvão com recursos quase ilimitados levou os pleiteantes à beira de uma guerra civil e eles quase aceitaram o acordo de última hora oferecido pela Wharton. Contudo, no final, eles mantiveram o curso, e, quando o caso foi levado a júri popular, já era fato consumado. A única pendência era a quantia que o veredito alcançaria. Depois de três semanas estafantes, o juiz Hirschel mandou o júri deliberar. Eles voltaram uma hora depois com um veredito que deixou estarrecidos até os veteranos mais curtidos em cortes como essa: 300 milhões por danos morais e 600 milhões como indenização punitiva[8]. Nove décimos de um bilhão de dólares. Não foi apenas um recado. Foi uma decisão sem precedentes.

As repercussões foram imediatas e devastadoras. Da noite para o dia, as ações da Wharton perderam metade do seu valor de mercado. Mas a estratégia dos advogados da Clayton ainda não estava completa. Em pé, nas escadarias do fórum, o executivo-chefe da Wharton defendeu a inocência da sua empresa e prometeu lutar contra o veredito até na Corte Suprema dos Estados Unidos, se fosse necessário. Na verdade, ele estava apenas empurrando o problema com a barriga. Mesmo se, no final, o veredito fosse confirmado, os pleiteantes ainda teriam que esperar cinco anos pelo dinheiro. Até lá, quem poderia dizer quantos deles não teriam aceitado um acordo?

Apesar da importância daquela reunião, Thomas teve que lutar para se concentrar na apelação. Seus pensamentos flutuavam entre o sequestro que ele presenciara em Fayetteville e Tera Atwood, sentada diante dele, passando pelas fotos da escola que os advogados dos pleiteantes mostraram ao júri. O que ele havia dito a seu pai na noite anterior era verdade: é difícil apreciar uma empresa que destrói uma escola e mata as crianças que estavam em seu interior. Por outro lado, gostar da Wharton era irrelevante para a representação. O trabalho de um advogado é defender os interesses de seu cliente e deixar nas mãos de outras pessoas a decisão sobre o que é certo e o que é errado.

Ele se concentrou na conversa quando Maximillian Junger se levantou de seu lugar na cabeceira da mesa. Junger era o sócio que gerenciava a divisão de litígios e o líder do Grupo Wharton. Ele era também amigo pessoal do pai de Thomas.

— A equipe de apelação será liderada por Mark Blake — disse Junger com sua voz de oráculo que encantou jurados por mais de trinta anos. — Ele será assessorado por Hans Kristof e um grupo de associados na preparação da argumentação para o pedido de apelação.

Junger utilizava um controle remoto para acessar uma televisão de tela plana colocada na parede por trás de dois painéis removíveis de madeira. Ele ligou o aparelho e o nome dos que fariam parte da equipe de apelação foram

---

[8] No original, *punitive damages*. (N. T.)

mostrados. O coração de Thomas parou; ele não estava na lista. Ele olhou para Tera. Diferentemente dele, ela havia sido selecionada para a tarefa. Ela sorriu para ele, mas seus olhos mostravam tristeza. Seus dias de trabalho juntos no caso haviam acabado.

Thomas tornou a olhar para Junger.

— Para os outros — ele dizia —, me permitam agradecer em nome da empresa seus esforços nos últimos quatro meses. O veredito foi uma decepção, mas, como já discutimos, existe muito terreno para apelação. Se você não faz parte da equipe de apelação, converse com seu supervisor. Temos diversos casos pendentes que precisam de atenção.

Junger olhou para o relógio de parede. Os trinta minutos reservados para a reunião haviam se esgotado.

— Obrigado pela atenção — disse ele. — A reunião está encerrada.

Thomas se levantou rapidamente e se dirigiu para a porta, esperando poder escapar antes que tivesse que encarar algum outro associado, especialmente Tera.

Max Junger alcançou-o no corredor e foi com ele até o elevador. Lá dentro, Junger apertou o botão do décimo segundo andar. Thomas se preparava para apertar o botão do décimo sétimo, mas Junger o interrompeu.

— Faz tempo que não nos encontramos — disse ele. — Por que não vamos até meu escritório conversar um pouco?

Thomas assentiu, mas sua mente disparou com as implicações daquele convite. Um encontro privado com Max Junger não era um bom sinal. Boas notícias sempre chegavam pela cadeia de comando.

— Como está seu pai? — perguntou Junger, para puxar assunto.

— Ele vai bem — disse Thomas, tentando manter a calma. — Ele fala sempre do senhor.

— Com certeza fazendo troça de mim — disse Junger, com um sorriso irônico. — Ele faz isso desde que estávamos na faculdade de Direito.

Antes de ser promovido a juiz, o pai de Thomas foi um dos advogados da Clayton e colega de trabalho de Junger. E, anos antes disso, os dois haviam sido colegas de classe na faculdade de Direito de Virgínia.

A porta do elevador se abriu, Junger o conduziu ao saguão bem decorado do décimo segundo andar e, depois, ao seu escritório. A sala era ampla o suficiente para acomodar, no mínimo, quinze baias iguais às que associados como Thomas usavam.

As paredes eram cobertas por painéis de cerejeira e decoradas com estantes de livros e obras de arte originais. Em dias bons, era um cenário intimidador; nos maus, era sufocante.

— Acomode-se, por favor — disse Junger, indicando uma área com um sofá e algumas poltronas. Thomas se sentou em uma das poltronas e, Junger, no sofá. Ele cruzou as pernas, se inclinou e olhou para Thomas com seus olhos castanhos penetrantes.

— Como vai você? — perguntou ele. — Foi em setembro, não foi, que você perdeu sua filhinha?

Thomas respirou fundo e fez que sim com a cabeça.

— Tenho dias bons e dias ruins. Exatamente como seria de se esperar.

— Hummm — fez uma pausa reflexiva. — Quando Margie e eu perdemos Morgan, eu me sentia como se estivesse debaixo d'água e não tivesse ideia de onde estava a superfície.

Thomas conhecia a história por causa de seu pai. A filha de 16 anos de Junger morrera em uma colisão frontal com uma carreta, havia dez anos.

— É uma descrição apropriada — respondeu Thomas, desejando que Junger fosse em frente.

— Você quer saber o que me trouxe de volta, o que deu sentido novamente a minha vida?

Thomas negou com a cabeça.

— Foi Margie quem teve a ideia. Ela me disse que eu deveria tirar umas férias da empresa. Eu me lembro que ri da ideia dela. Quando você chegar a sócio, vai entender: não existe uma boa hora para você se afastar. Mas, no final, ela não me deu muita escolha. Então, telefonei para o Bobby Patterson, que na época era o reitor da Universidade de Virgínia, e perguntei se ele teria uma vaga para um velho cão de guerra nas salas de aula, por um ano. Lecionar foi a melhor decisão que tomei. A oportunidade me deu vida nova.

Junger ficou em silêncio e Thomas ficou esperando a queda do machado. Dava para ouvir o som de um relógio por perto. E esse era o único som audível naquele escritório, além das batidas fortes de seu coração.

— Eu tive uma conversa com Mark Blake — disse Junger, confirmando as suspeitas de Thomas. — Ele me contou sobre o caso Samuelson.

Thomas cerrou os lábios, mas, inicialmente, não tentou se defender.

— Para mim, a reação de Mark pareceu exagerada, mas você deve entender a pressão sobre ele, que liderava os esforços no tribunal. Wharton Coal pagou a essa empresa mais de 20 milhões de dólares ao longo do processo de representação, um valor bem alto. Jack Barrows, o principal executivo da Wharton, insistiu fortemente que impedíssemos o júri de assistir à mórbida simulação da explosão. Todas aquelas figuras de crianças geradas por computador correndo desesperadas para salvar a própria vida. A lama os alcançando. As pequenas marcas onde cada um dos corpos foi encontrado, vermelho para meninos, azul para meninas. Foi incendiário, pernicioso e estabeleceu a base para diversas hipóteses sem comprovação. Você conhece o argumento. Você o escreveu.

Thomas aquiesceu.

— O caso Samuelson foi o ponto central do argumento de Mark. Quem pode culpá-lo? O juiz que escreveu o parecer era amigo do juiz Hirschel. Possuía toda aquela bela linguagem sobre os perigos de evidências não científicas destinadas a explorar o lado emocional dos jurados. Como você pode imaginar, Mark se sentiu humilhado quando o juiz Hirschel disse a ele que a Corte de Apelação derrubou a decisão. E Jack Barrows ficou enfurecido. Acho que a reação de Jack também foi exagerada. Eu acredito que, de qualquer maneira, o juiz permitiria a apresentação da simulação ao júri. Mas Barrows culpou Mark pela apresentação ter se tornado pública.

Junger olhou Thomas no fundo dos olhos.

— Eu acredito que nada disso seja novidade para você.

Thomas sacudiu a cabeça.

— Mas ainda tem mais, e isso é confidencial. Depois de proclamado o veredito, Barrows ameaçou processar a empresa por negligência. E isso ainda está em discussão. A esta altura dos acontecimentos, somente algumas pessoas estão sabendo disso. Temos esperança que a apelação resolverá essa questão.

Thomas empalideceu. Ele não tinha ideia de que a empresa carvoeira tivesse ido tão longe.

— De qualquer forma — Junger continuou —, tenho certeza de que sua visão de tudo o que aconteceu é diferente da de Mark. Mas nada disso interessa. Mark ficou no prejuízo e o cliente precisa retomar a confiança na empresa. Alguns sócios sugeriram medidas drásticas, mas eu intervim e disse a eles que não era culpa sua. Que a responsabilidade era da empresa. Que nós cometemos o erro juntos.

Junger fez uma pausa e mudou o rumo da conversa.

— Thomas, você sabe por que eu gosto tanto do seu pai?

— Não, senhor.

— Sim, ele é um homem brilhante, e é leal e um excelente advogado e juiz. Porém, mais que isso, ele é persistente. Ele não se dá por vencido até que seu trabalho esteja perfeito. Eu vejo essa mesma qualidade em você. Eu sei o quanto se dedicou ao caso Wharton. Admiro sua tenacidade e sua perícia. Mas acho justo dizer que circunstâncias relacionadas a sua vida pessoal tiveram um grande impacto no resultado do seu trabalho. Você não concorda?

Thomas não achava nada disso. Ele havia dito a Mark Blake que haviam apelado no caso Samuelson. Também havia dito que a Corte de Apelação daria sua decisão a qualquer momento. Aconselhou com veemência que Mark compartilhasse a informação com o juiz Hirschel. No fim das contas, Mark foi humilhado por ser teimoso demais para escutá-lo. Mas Thomas não podia dizer tudo isso. Não para o sócio-gerente. Não com um veredito de 900 milhões e a ameaça de um processo por negligência pairando sobre suas cabeças.

Por mais que isso o incomodasse, ele aceitou a avaliação de Junger:

— Acredito que o senhor tem razão.

Junger fez que sim com a cabeça.

— Eu não coloco a culpa em você pelo que aconteceu. O fundamental aqui é que você precisa de um tempo. Por isso estou lhe oferecendo duas opções. A primeira é que tire férias. Eu já verifiquei. Você tem oito semanas pendentes. Faça uma viagem para as Bermudas ou para Bali. Fique bebericando *mai tais* na beira da praia. Fique na cama à toa com Priya. Encontre novamente o seu rumo.

Thomas estava espumando de raiva, mas conteve sua língua.

— E a segunda opção? — ele perguntou, na esperança de que o castigo pudesse ser cumprido sem que tivesse que desaparecer da face da Terra.

Junger sorriu.

— A segunda opção pode agradá-lo mais. Um pai nunca supera a morte de um filho. Mas existem meios de prosseguir com a vida. Você tem que colocar a mente em alguma coisa que valha a pena.

Junger fez uma pausa e colocou as mãos sobre os joelhos.

— Como você sabe, todo ano a empresa concede uma bolsa de estudos *pro bono* para um de nossos associados. Uma viagem com tudo pago para qualquer lugar do mundo. Os associados que recebem a bolsa fazem um intercâmbio com as Nações Unidas, com a União Europeia ou com as principais ONGs internacionais. O processo de seleção para o próximo ano já se encerrou, mas os sócios concordaram em criar uma bolsa honorária para você. Se você aceitar, naturalmente.

Thomas estava estupefato. Ele quase podia ver o sorriso irônico no rosto de Priya. Um ano sabático inteiro trabalhando em causas sem fins lucrativos? Ele se sentiu como um leproso.

— Aprecio sua sinceridade, senhor — ele disse —, mas isso se parece muito com ser exilado na Sibéria.

Junger deu de ombros.

— Chame como quiser. A escolha é sua.

Thomas respirou fundo e foi em frente.

— Tudo bem, vamos dizer que eu aceite o seu conselho e viaje por algum tempo. Como vai explicar minha saída? As pessoas vão querer saber.

Assim que perguntou, Thomas percebeu que já sabia a resposta.

— Nós diremos que você tirou uma licença por razões pessoais — disse Junger. — Todos sabem o que aconteceu com sua filha.

Cada movimento de Junger foi planejado com perfeição. Xeque e xeque-mate.

— O que vai acontecer quando eu retornar? — Thomas perguntou, desanimado.

Junger garantiu:

— Eu vou providenciar para que você seja designado para a melhor posição que a empresa puder lhe oferecer. Não demora muito e todos esquecerão que você tirou licença.

Thomas olhou pela janela e tentou juntar os cacos de seu orgulho destruído.

— Vou pensar a respeito e depois falo com o senhor.

A expressão de Junger não se alterou, mas seus ombros relaxaram.

— É tudo que eu peço.

Naquele mesmo dia, às 18 horas, Thomas deixou os escritórios da Clayton/Swift sem intenção de retornar por um bom tempo. Caía uma chuva gelada e as calçadas estavam escorregadias por causa da fina camada de gelo. Ele evitou o grupo de associados que foram para o happy hour no Hudson Restaurant & Lounge e tomou o metrô na praça McPherson, desceu na estação Foggy Bottom e pegou um táxi até Georgetown. Os primeiros flocos de neve começaram a cair assim que chegou em casa.

Ele deixou os sapatos molhados no hall e foi para o andar de cima trocar de roupa. Ele estava descendo para preparar o jantar quando seu smartphone bipou, indicando que havia recebido um e-mail. A mensagem era de Andrew Porter, um velho colega de faculdade e advogado do Departamento de Justiça.

Porter escreveu: "E aí, cara, nosso jogo de tênis de hoje à noite ainda está de pé? Sete horas no EPTC?".

Thomas resmungou algo. Ele tinha marcado esse jogo um mês atrás, mas pensara em cancelar. Entretanto, jogar tênis era muito melhor que ficar em casa à toa.

Depois de engolir um sanduíche de atum e uma maçã, ele trancou a casa e atravessou a rua coberta de neve em direção a seu carro. A ida até o parque East Potomac demorou mais do que ele esperava, graças ao clima horroroso. Porter já esperava por ele nos vestiários. Seu amigo era ligeiramente mais baixo e um pouco mais encorpado do que ele, mas era viciado em exercícios e seu corpo parecia esculpido em mármore.

Porter o cumprimentou e propôs um desafio amigável.

— Está pronto para ser detonado? Espere até ver meu novo saque.

— É bom ver você também — Thomas respondeu. — Mas antes que você acabe comigo, eu preciso me aquecer um pouco. Há quanto tempo a gente não se encontra? Dois meses?

— Dois meses para você. Uma semana para mim. Clayton não deixa você ter uma vida, cara.

— Você não sabe nem a metade.

Thomas colocou seu uniforme de tênis, e ele e Porter foram para a quadra. O East Potomac Tennis Center era um espaço enorme, com dezenove quadras ao ar livre e cinco quadras cobertas por uma tenda inflável carinhosamente chamada de "A Bolha". Apesar de estar nevando lá fora, a temperatura dentro da Bolha era de agradáveis 17 ºC.

Eles deram umas voltas em torno da quadra para aquecer os músculos e depois foram para o alongamento.

— E então, como vão os herdeiros de Larry Flynt? — Thomas perguntou.

Porter riu.

— Flynt é um coroinha comparado ao pessoal barra-pesada com quem eu lido.

Porter iniciou sua carreira no Departamento de Justiça como promotor em casos de fraude de seguro. O trabalho, no entanto, estava sendo bem menos interessante do que ele imaginava e seus superiores logo perceberam que, se quisessem mantê-lo, deveriam dar a ele desafios maiores. Por isso transferiram-no para a seção de Obscenidade e Abuso Infantil, CEOS[9], e lhe entregaram o assunto hediondo, os casos de pornografia que envolvem menores. Era o tipo de trabalho de que a maioria dos promotores mais refinados nem chegaria perto. Porter, ao contrário, parecia motivado.

— Começou o jogo — disse Porter segurando sua raquete. Ele foi até a linha de fundo e deu uns saques só para aquecer antes de sacar com força bem no canto da quadra.

Thomas soltou um assobio de aprovação.

— Bom saque. — Acho que ele também se aqueceu dando uns saques e, então, foi para a linha do fundo. — Vem me mostrar — disse ele. Jogando o peso do corpo de uma perna para a outra e com a raquete balançando nas mãos, ele sentiu que sua vida era quase normal novamente.

Quase.

Eles jogaram dois sets e Porter ganhou apenas uns poucos games. Thomas percebeu que a derrota deixou Porter irritado, mas seu espírito esportivo nunca faltava. Depois, eles se encontraram na rede.

— Você é bom demais — disse Porter, apertando a mão de Thomas. — Nunca vi você batendo a bola com tanta força. Tem certeza de que não está tomando esteroides?

Thomas riu.

— Eu precisava colocar minha agressividade para fora.

Porter ficou sério de repente.

— Como vão as coisas com Priya?

Thomas ponderou suas opções e decidiu confiar no amigo. Fez, então,

---

[9] No original, Child Exploitation and Obscenity Section. (N. T.)

um resumo sobre a partida de Priya e a conversa com Max Junger. Porter sacudiu a cabeça.

— Sinto muito sobre a Priya. Vocês dois pareciam ter algo especial. Existe alguma chance de que voltem a ficar juntos?

— Acho que não — respondeu Thomas.

— A coisa toda lá na Clayton me dá nojo — disse Porter, mudando de assunto. — Não dá para acreditar que eles te puseram para fora desse jeito. Wharton mereceu o veredito. Para falar a verdade, acho que foi pouco. E eles pensarem em processo por negligência é uma piada.

— Pode ser, mas eles estão financiando o salário de um ano de metade da divisão de litígios.

— E o que você vai fazer?

Thomas deu de ombros.

— Não tenho a menor ideia. Algum conselho?

— Se fosse comigo, eu saía da cidade. Essa época do ano é horrível. E também consideraria a oferta do ano sabático. A Clayton exauriu você. Dá para ver nos seus olhos.

A avaliação de Porter foi de uma precisão cirúrgica e Thomas não tinha contra o que argumentar. Eles guardaram suas raquetes e caminharam até o vestiário.

— Você já ouviu falar de um grupo chamado Aces? — Thomas perguntou.

— Acho que eles têm algum tipo de ligação com o Departamento de Justiça.

Porter assentiu.

— Aliança Contra a Exploração Sexual, trabalham com questões relacionadas ao tráfico humano e violência sexual em países em desenvolvimento. O cara que fundou a organização era um figurão da Divisão de Direitos Humanos. Por quê?

— Eles fazem parte da lista de serviços *pro bono* da Clayton.

Porter ergueu a sobrancelha.

— Você está pensando em um estágio?

— Isso surpreende você?

Porter abriu a porta do vestiário.

— Vamos dizer que os bordéis do Camboja fiquem bem distantes da rua K.

Thomas sabia que o amigo tinha razão. Até uma semana antes ele não teria dado muita importância à Aces. O comércio de seres humanos constituía uma tragédia global, porém, do mesmo modo que o trabalho infantil e a epidemia de aids, era um assunto sem relevância no seu mundo. O incidente em Fayetteville mudara isso. Abby Davis tornou a questão pessoal. Thomas se sentou em um banco.

— Aconteceu uma coisa comigo ontem — ele disse para se explicar. — Eu presenciei um sequestro.

Porter parou de amarrar os sapatos e olhou para cima.

— Você está brincando?

Thomas balançou a cabeça.

— A menina tinha 11 anos de idade.

Ele contou a Porter sobre o incidente e também sobre sua conversa com o pai durante o jantar da noite anterior.

Quando ele terminou, Porter ficou calado por uns instantes.

— Seu pai pode estar certo a respeito da conexão com o tráfico. Este pode ser o palpite de qualquer um. Mas eu diria que existe uma chance real de que ela seja vendida.

— O detetive de Fayetteville mencionou que a polícia federal pode vir a se envolver no caso — disse Thomas.

Porter apertou os olhos.

— É possível.

— O seu departamento também seria envolvido?

Porter pareceu desconfortável.

— Talvez. Temos trabalhado em diferentes esferas no sudeste — ele fez uma pausa. — A propósito, isso é confidencial.

Thomas assentiu, compreendendo a posição do amigo.

— Eu não preciso de detalhes, mas me faça um favor: se você ficar sabendo de alguma coisa sobre o caso dela, por favor, me conte.

Porter concordou com a cabeça.

— Com certeza. Mas eu não teria muita esperança. Não vejo muitos finais felizes no tipo de trabalho que faço.

* * *

Thomas se despediu de Porter no estacionamento do centro de tênis e voltou para Georgetown. Quando estacionou o carro, viu que sua casa estava toda acesa. Ele saíra com tanta pressa que se esquecera de apagar as luzes. A neve caía mais forte agora. Já havia acumulado mais de dois centímetros desde que ele partira.

Ele trancou o carro e caminhou até a porta, mas não a ouviu até que ela se aproximou dele, colocando a mão em seu braço.

— Olá — disse Tera.

Ele foi pego totalmente de surpresa e ficou olhando para ela por um bom tempo, tentando controlar os nervos. Ela calçava botas de couro pretas, um casaco branco e preto que chegava à altura dos joelhos e um cachecol vermelho. Suas orelhas estavam adornadas por pingentes de diamante. Ela era a mulher mais ligada em moda que ele já havia encontrado.

— O que você está fazendo aqui? — ele perguntou.

— Eu tentei ligar, mas você não estava. Queria muito ver você — ela tinha a fala macia, deliberadamente, e seus olhos não desviavam dos dele. Ela segurou sua mão. — Senti saudade. — Thomas ficou de pé, parado, até perceber que não estava sendo educado.

— Por que não entra e toma um drinque?

Eles entraram e Tera tirou o casaco e o cachecol. Sob o casaco usava um suéter vermelho de gola alta, uma saia cinza com meias escuras e um colar de pérolas.

Ela entrou na cozinha e olhou em torno. Ela nunca havia entrado ali.

— Adoro essas casas antigas com fachada em arenito — disse. — E você aproveitou bem o espaço.

Thomas foi até a estante de vinhos e selecionou um *burgundy*. Tirou o saca-rolha da gaveta e abriu a garrafa. Seus movimentos eram mecânicos, seu interior estava em guerra. Ele não conseguia resistir à atração que sentia por ela.

Colocou o vinho em duas taças e entregou uma para ela. Eles se sentaram perto da janela da sala de estar e ficaram observando a neve cair.

— Você parece distante – ela disse. — Está tudo bem?

Ele sorveu aquele vinho encorpado, saboreando seu efeito calmante. — Acho que sim.

— Fiquei chateada porque você não foi escalado para trabalhar na apelação.

Ele ficou pensando se faria bem em contar para ela sobre a conversa que teve com Junger, mas decidiu que não. Ele deu de ombros.

— Os sócios podem fazer o que quiserem. *C'est la vie.*

Ela olhou para ele de um modo estranho. — Aconteceu alguma coisa. Dá para notar.

"Alguma coisa é pouco para o que houve", pensou.

— Eu estou bem — disse, preferindo uma mentira à alternativa de contar tudo a ela.

— Quer conversar sobre isso?

— Na verdade, não.

Ela pareceu frustrada e bebeu um pouco do vinho, com os brincos brilhando sob a luz do abajur.

— Por que você está fazendo isso? — ela perguntou.

— Fazendo o quê?

— Por que está aqui comigo?

A resposta parecia óbvia: porque ela ficara esperando por ele do lado de fora da sua casa. Mas ele conseguiu perceber que a pergunta tinha um significado mais profundo.

— Não tenho certeza — disse ele. — Gosto da sua companhia.

Os olhos dela brilharam, mas ele não soube dizer se era tristeza ou raiva.

— Você quer que eu vá embora? — ela perguntou baixinho.

Pronto, finalmente a questão da vez, a questão sem uma resposta específica. Sim, ele queria que ela fosse embora. Não, ele não queria que ela fosse embora. Ele só queria sua vida de volta, mas ela não voltaria. Ele queria se libertar das sensações que o assombravam naquela casa. Ele queria sentir o aconchego de um corpo junto ao outro, sentir a unidade do amor transfigurada em paixão. Mas a mulher com quem sonhava não era ela. Era Priya, como sempre foi. Aquela garota que roubara seu coração no salão de conferências de Cambridge enquanto seu pai, o professor, dissertava sobre Física Quântica. A mulher que concebera e dera à luz sua filha.

Tera colocou a taça sobre uma mesa lateral e chegou mais perto dele. Ela se sentou em seu colo, seu rosto a centímetros do dele.

— Eu não quero ir — ela sussurrou.

Então, ela o beijou e ele não resistiu. Ele se esqueceu do ultimato dado por Junger, se esqueceu dos fantasmas de sua mulher e de sua filha. Sua mente se esvaziou, seu coração se aquietou por desejo e por desespero. Restou apenas o seu corpo em ação.

Por um momento, porém, isso era suficiente.

* * *

Ele ficou deitado na penumbra, com Tera adormecida a seu lado. Acima deles, o ventilador de teto girava, mal movendo o ar. Lembrava-se de ter batido no interruptor acidentalmente quando Tera o empurrara para dentro do quarto. Também se lembrava do restante, de tudo, com uma nitidez extraordinária, mas não conseguia pensar sobre aquilo. Sua consciência havia retornado, xingando-o de nomes que ele merecia ouvir.

Saiu com cuidado da cama, colocou uma blusa, uma calça de flanela e foi para o andar de baixo. As luzes permaneciam acesas na cozinha e na sala de estar. Ele foi apagando uma de cada vez. A única claridade vinha de uma luminária da rua que refletia um brilho pálido no assoalho de madeira. Havia parado de nevar, mas o chão estava coberto de branco e ele calculou que deviam ter se acumulado uns oito centímetros de neve. Olhou para seu relógio. O visor luminoso mostrava que passava da meia-noite. Permaneceu completamente imóvel prestando atenção nos sons da rua. Então, foi até a porta que dava acesso ao porão e desceu as escadas. Ele sabia onde estava a caixa que procurava. Ele mesmo a havia escondido depois que ela se fora. Voltou para a sala de estar e se sentou em uma cadeira perto da janela. Ainda podia sentir o perfume de Tera no ar. Ele colocou a caixa sobre os joelhos e abriu a tampa. As fotografias estavam todas misturadas. Seu objetivo era apagar as memórias, não organizá-las.

A primeira foto mostrava Priya em seu vestido de noiva. Ela estava em um jardim, ao lado de um banco e cercada de flores. Havia uma naturalidade em sua postura, um jeito de estar confortável em sua própria pele que ele sempre achou atraente. Seus olhos castanhos, sua pele cor de oliva contrastando com o vestido branco. Ela sorria para algo ao longe. Ele se lembrou que havia crianças brincando no gramado ali perto. Ela sempre gostara de crianças.

Eles se casaram em River Farm, uma propriedade que se estendia às margens do rio Potomac, ao sul de Alexandria. A cerimônia foi um espetáculo multicultural que não agradou ninguém, além dos noivos. Após os ritos cristãos tradicionais, eles completaram seus votos com o *saptapadi*, ou Sete Passos, em volta de uma chama cerimonial. Priya recitou as bênçãos em híndi e se entregou a sua nova vida. Ela se casara com Thomas contra a vontade do pai. Ele imaginava, agora, se a decisão de casar, de algum modo, colocara sobre eles uma maldição.

Ele separou a fotografia e pegou a próxima na caixa. A dor voltou como se nunca tivesse ido embora. A foto mostrava Priya segurando Mohini aos três meses de idade no parque Rock Creek. A mãe e a filhinha sorriam uma para a outra. Sempre fora, para os dois, a fotografia favorita de seu bebê. Sua pele manchada e macia nos primeiros dois meses de vida havia clareado. Seus olhos cor de chocolate estavam abertos, e ela cintilava de vida.

As lágrimas começaram a rolar, mas ele não procurou secá-las. Ele se lembrou, novamente, daquela terrível manhã de setembro quando a encontraram. Lembrava-se do som agudo do grito de Priya, lembrava-se de ter subido correndo as escadas e da luta para tirar Mohini de seus braços. Ele se lembrava da frieza macilenta do rosto da criança e da intensidade do medo que sentiu quando ela não respondeu à RCP[10].

Ele ainda podia ouvir a sirene da ambulância parando junto à calçada; ainda podia sentir o cheiro de antisséptico da sala de emergência; ainda podia sentir a raiva contra a eficiência inútil dos médicos enquanto apalpavam e espetavam o pequeno corpo de Mohini, procurando a explicação que nunca encontrariam. O relatório do legista chamou de SMSL, ou síndrome da morte súbita em lactentes. Mohini morreu enquanto eles dormiam. De causa desconhecida.

---

[10] Sigla para reanimação cardiopulmonar. (N. T.)

O médico residente permitiu que eles ficassem quinze minutos com o bebê antes que ela fosse levada para o necrotério. Sozinha em uma sala fria, Priya pegou sua menininha nos braços e cantou para ela em híndi. Ouvir sua esposa cantar baixinho uma canção sobre o corpo da filha morta aumentou ainda mais a sensação de perda de Thomas. Depois de um tempo, Priya deitou Mohini sobre um lençol branco e a beijou uma última vez. Então, ela se virou e não olhou para trás.

Thomas fechou a caixa de fotografias. Passado um tempo, ele subiu as escadas e abriu a porta do quarto de Mohini. O berço estava lá, vazio, encostado à parede, com a mobília colorida, no silêncio. Não houve nada de diferente quando a puseram no berço, na noite anterior a sua morte.

Ele caminhou até o berço, que havia construído para que Priya tivesse uma boa impressão dele, e passou os dedos sobre as grades de madeira. Quando começara a construir o berço, queria provar que se importava. Mais do que querer fazer, era importante mostrar que as longas horas que passava trabalhando no escritório não significavam que ele não se interessava pela filha. Ele se lembrou do sorriso de Priya quando terminou. Naquela noite, eles fizeram amor pela primeira vez em muitas semanas. Sua barriga atrapalhou um pouco, mas eles deram um jeito. O alívio foi libertador. Um ato de purificação. Como era diferente com Tera. Toda vez que a tocava, ele sentia um nó apertando sua garganta.

Ajoelhou-se diante do berço e colocou a fronte sobre a beirada. Nessa posição de súplica, ele cantou o refrão da canção *You Are My Sunshine*, como fez para Mohini em cada noite de sua curta vida. Enquanto cantava, ele percebeu que a canção era, na verdade, uma prece, uma prece para o Deus das crianças, uma oração pedindo paz e segurança. No caso de Mohini, a prece não foi atendida. Novas lágrimas encheram seus olhos e ele sussurrou as palavras que significavam o que nunca deixara de sentir.

— Eu sinto muito, querida. Sinto que não tenha vindo em seu socorro. Eu não sabia.

Ele saiu do quarto de Mohini e foi para o escritório. Ligou o notebook e abriu seu navegador de internet. Ele pensou sobre as duas opções oferecidas por Junger. Fez uma pesquisa no Google a respeito de uma ilha nas Bahamas que vira em uma revista. As fotos eram muito inspiradoras. Praias com coqueiros, água límpida varrendo a areia branca. Ele se imaginou bebendo uma *piña colada* e assistindo ao pôr do sol. Então, tentou imaginar o restante. Ele estaria sozinho. Não dava para passar o dia todo lendo. Ele iria se cansar rapidamente da vida em um resort. Por mais que detestasse, tinha de admitir que Junger estava certo. As férias iriam se transformar em um buraco negro. Ele precisava de um motivo para sair da cama todas as manhãs.

Fechou a janela do Google e percebeu que havia recebido dois novos e-mails. O primeiro era de sua mãe. Ela havia mandado poucas horas antes. O assunto estava em branco, mas isso não era nenhuma surpresa. Elena nunca conseguira entender direito como lidar com computadores.

Ela havia escrito:

> Thomas, tive uma ideia hoje que você pode achar boa ou ruim. Você disse que Priya não ia mais voltar, mas não mencionou divórcio. Se eu estiver enganada, ignore esta mensagem. Senão, pense nisso: e se você fosse atrás dela na Índia? E se desse uma última oportunidade ao seu casamento? Eu sei que parece loucura. Pode ser que ela rejeite você. Você pode voltar para casa se sentindo um fracasso. No mínimo, porém, você terá o desfecho que não consegui ouvir em sua voz. Você sempre terá tempo de construir uma carreira. E o amor é algo muito mais raro. Seu pai provavelmente não concordaria comigo, mas não me importo. Foi muito bom vê-lo ontem à noite.

Thomas ficou estarrecido. Nunca lhe ocorrera a ideia de ir atrás de Priya, e, agora que pensava sobre o assunto, ele só conseguia enxergar o potencial do desastre. De fato, Priya não falara em divórcio, mas sua ida fora tão premeditada, tão fria e sem sentimento, que ele nem chegou a questionar suas intenções. Na verdade, foi essa sensação de que nada mais restava que o levou para os braços de Tera. E havia outro problema. Ainda que Priya, por qualquer razão, tivesse tido a intenção de deixar uma porta aberta para a reconciliação, não haveria como desfazer seus atos depois de sua partida. Ele fora infiel. Tera estava dormindo na cama deles. A quebra dos votos matrimoniais era uma evidência contra ele.

Ele fechou o e-mail da mãe e abriu o seguinte. Era de Andrew Porter.

> Oi, cara, devo dizer que ainda estou chateado por ter sido arrasado por você, mas eu mereço. Sempre sei que vou perder, mas eu tento de novo assim mesmo. Olha, espero que você não se incomode, mas liguei para uma amiga minha na Aces, que é a representante eleita como diretora de operações, e perguntei a ela se eles teriam uma vaga para estagiário de Direito. Você não vai acreditar no que ela me disse! Acabou de surgir uma vaga no escritório deles em Mumbai. Muito louco, né? Não sei se te interessa, por causa da Priya estar lá, mas pensei que devia te contar. Entre em contato comigo se estiver interessado.

Thomas se recostou na cadeira e olhou através da janela para o céu noturno resplandecente por causa da poluição luminosa. Mumbai! Era uma ideia absurda. O programa *pro bono* da Clayton se estendia pelo mundo todo. Europa, América do Sul, China, África — suas opções eram ilimitadas. E mesmo que ele quisesse trabalhar com a Aces, a organização possuía escritórios em quatorze países. Pode ser que tivesse que esperar por uma oportunidade, mas algo apareceria. Mumbai! É o último lugar na Terra onde ele poderia encontrar sua paz de espírito.

Ele deixou o notebook aberto e ficou andando pela casa. Abriu a geladeira sem saber o que procurava; reorganizou a adega de vinhos de acordo com a região de origem; assistiu, na televisão, um pedaço de um filme antigo de John Waine. Depois de um tempo, ele voltou a se sentar na cadeira e pegou novamente sua caixa de memórias.

Remexeu as fotografias e encontrou a que estava procurando quase no fundo da caixa. Ele havia cortado as bordas para que coubesse em sua carteira. A foto mostrava Priya na entrada do Fellows Garden. Eles se encontraram lá diversas vezes, durante o verão que ele passara em Cambridge, sempre em segredo, longe das vistas de seu pai. Priya sorriu para ele ao longo dos anos, com seu olhar travesso e alegre. O amor chegou de surpresa para os dois. E logo floresceu e se firmou. Seria realmente possível que pudessem renovar essa emoção?

Em algum momento durante as primeiras horas da manhã, Thomas finalmente cedeu. Caminhou lentamente até a escada, imbuído de um propósito que ainda não compreendia totalmente; retornou ao computador e enviou dois e-mails.

Para Porter escreveu:

"Pode marcar o encontro. Estou livre a qualquer hora".

E para Max Junger:

"Resolvi seguir seu conselho. Estou pensando em ir para a Índia trabalhar na Aces. Espero que Mark Blake e Clayton fiquem satisfeitos".

Ele entrou no quarto e viu Tera adormecida no mesmo lado da cama em que Priya dormia. Ela estava de costas para ele. Essa fora a última vez, decidiu. Aquela farsa já havia durado o suficiente. Ela ficaria com raiva, mas sobreviveria. Ele, por outro lado, estava pronto para se comprometer. Índia? A luta contra a moderna escravidão? Tornar a encontrar sua mulher? Como é que ele explicaria tudo isso a seu pai?

Capítulo 5

"A noite — escura e colorida — caiu sobre mim.
Ó luz da manhã, cancela-a como a uma dívida."[11]

Rig Veda

Mumbai, Índia

Depois de alguns dias vivendo no bordel de Suchir, Ahalya e Sita começaram a perder a noção do tempo. Cada dia possuía o mesmo ritmo das estações do ano da Índia, definidas pela presença ou ausência do sol. O dia era bom e preenchido com toda sorte de ocupações domésticas: as conversas das meninas que ficavam no andar de baixo, os diferentes sons do comércio em atividade na rua. A noite, ao contrário, era malévola; o barulho incessante de passos, pessoas bebendo e falando alto, gritos de sedução e lamentos constantes.

As meninas tinham poucos visitantes durante seus primeiros dias. Sumeera vinha todos os dias ver se estavam bem e lhes trazer comida. Ahalya tentou odiá-la, mas era difícil sustentar a animosidade. Sumeera tinha uma voz suave, sem qualquer traço de comando, e as tratava como filhas.

Certa manhã, ela trouxe um médico para examiná-las. No princípio, Ahalya tentou resistir ao exame ginecológico, mas Sumeera disse que aquilo era rotina. Todas as meninas de Mumbai faziam o exame. Ahalya pensou em Suchir e concordou em fazer o exame para não atiçar sua ira. No entanto, sua irmã Sita não hesitou, embora o exame, obviamente, lhe causasse vergonha e dor.

Após terem sido palpadas e reviradas, Sumeera conversou em voz baixa com o médico.

— Vocês duas estão bem de saúde — disse ela, batendo palmas. — E queremos que permaneçam assim. O doutor virá visitá-las uma vez por mês. Tratem-no bem.

Quando Sumeera não estava presente, as irmãs vasculhavam o sótão, procurando uma forma de escapar. Era um cômodo quadrado, que media quatro por quatro metros. Não possuía janelas, apenas duas pequenas saídas de ar. A única porta que havia era trancada por fora. Passando a porta, havia a escada em caracol, cuja única saída era pela porta escondida atrás da estante de livros. Ahalya tinha certeza de que a porta secreta só podia ser acionada pelo lado de fora.

---

[11] Tradução livre do *Rig Veda* (Livro dos Hinos), 10:127:7. (N. T.)

Depois de muitas tentativas frustradas, ela se sentou no chão ao lado de Sita e mexeu nos cabelos.

— Tem que haver uma saída — disse ela.

— Mas para onde nós iríamos? — Sita disse baixinho. — Somos como estrangeiras em Mumbai.

Ahalya não tinha resposta para isso. Toda noite ela se deitava, mas permanecia acordada, escutando os sons que vazavam do andar de cima. Sua imaginação a transformou em uma pessoa insone. Ela ficava só pensando nas garotas e nos homens que as visitavam. Ela era virgem, mas não era ingênua; já entendia os mecanismos do sexo e sabia o que os homens queriam. O que ela não conseguia compreender era por que um homem pagaria por uma prostituta, ou *beshya*, por sexo.

Com os dias passando, Ahalya começou a imaginar se Suchir, em algum momento, viria buscá-las. Era sexta-feira, três dias após sua chegada, e nenhum homem tinha sido levado a seu quarto. A única explicação que Ahalya encontrou foi que o dono do bordel devia estar armando algo para elas. Só de pensar nisso, ela ficou amedrontada. Algumas vezes, só de ouvir a voz de Suchir através das tábuas do assoalho, sentia vertigens. O único remédio para esses momentos era se deitar de costas no chão. Sita ficava preocupada, mas Ahalya culpava o calor. Por dentro, no entanto, seu coração estava sendo consumido pelo pavor.

Então, a hora chegou, quando Ahalya menos esperava. Foi na madrugada da noite de Ano-Novo, e ela não estava conseguindo conciliar o sono, dormia e acordava muitas vezes porque o barulho das festividades na rua e os lamentos que vinham do andar de cima estavam por toda parte. A maçaneta da porta girou sem nenhum ruído, mas ela acordou sobressaltada com o ranger das tábuas. A luz foi acesa de repente, e Sumeera estava ao pé da cama segurando um saco de juta. Suchir, estava a seu lado, com o rosto feito uma máscara.

— Acorde, criança — disse Sumeera, com a voz trêmula. — É hora de se aprontar.

O coração de Ahalya disparou, mas ela sabia que era melhor não fazer nenhuma pergunta, ainda podia sentir a dor da bofetada que o jovem lhe dera no rosto, no dia de sua chegada. Sumeera trazia um lindo *churidaar* carmesim e dourado que entregou a Ahalya para que o vestisse. Ela deu a Sita um sári colorido como as penas de um pavão. Depois, vieram as pulseiras e tornozeleiras. Sumeera penteou os cabelos das meninas e enfeitou-os com guirlandas; aplicou uma fina camada de base e um delineador de olhos preto. Dando um passo para trás, ela as elogiou e Suchir grunhiu qualquer coisa em aprovação.

— Venham — disse ele. — Shankar está esperando.

As irmãs desceram os degraus atrás de Sumeera e Suchir, e entraram no corredor. Havia umas vinte garotas naquele espaço apertado. Algumas estavam encostadas na parede; outras, sentadas na soleira de portas abertas. Algumas cochicharam e deram risinhos quando elas apareciam; a maioria, porém, era mais cuidadosa. A maioria das *beshyas* não tinha nada de especial. Apenas duas ou três podiam ser consideradas atraentes e somente uma menina era verdadeiramente bela.

Ahalya pôde ouvir uns cochichos enquanto passava.

— Cinquenta mil — foi o palpite de uma moça alta.

— Mais — disse a do lado.

Suchir fez com que todas se calassem apenas com o olhar. Ele mandou que Sita esperasse na porta e, então, conduziu Sumeera e Ahalya para o saguão do bordel. Havia um homem sentado em um dos sofás defronte a um espelho. Ele deveria ter uns 40 e poucos anos, tinha os cabelos negros encaracolados e um relógio de ouro no pulso. Ele pôs os olhos em Ahalya e avaliou sua aparência enquanto Suchir fechava as cortinas das janelas. Depois, Sumeera se sentou em outra poltrona e o saudou arqueando a cabeça.

Suchir ligou um interruptor e uma fileira de lâmpadas instalada acima do espelho encheu a sala de luz. Com muita gentileza, ele instruiu Ahalya para ficar sob a claridade e olhar para o homem.

Por um breve momento, Ahalya obedeceu, mas logo seus olhos se voltaram para o chão.

— Shankar, meu amigo — disse o dono do prostíbulo. — Tenho uma surpresa muito agradável para você esta noite. Duas garotas, as duas ainda com o selo. Esta é a mais velha.

Shankar murmurou, demonstrando seu prazer. Ele se levantou e caminhou até Ahalya, admirou sua pele, tocou seus cabelos e acariciou seu seio esquerdo com as costas da mão.

— *Ravas* — disse ele, suspirando. — Magnífica. Não preciso ver mais nada. Guarde a outra menina para outro dia. Quanto quer por essa aqui? Sem preservativo.

— Só com preservativo — respondeu Suchir. — Você conhece as regras.

Shankar não gostou.

— Regras não valem nada. Quanto é que você quer?

Suchir pareceu hesitar, mas pensou melhor e cedeu rapidamente.

— Por uma menina como essa, quero sessenta mil, e só por essa vez.

— Suchir, você pega pesado — disse Shankar. — Eu trouxe apenas cinquenta mil em dinheiro.

— Você pode sair e tirar dinheiro no caixa eletrônico — Suchir retrucou. — A menina vale cada rúpia.

Shankar voltou atrás.

— Então, sessenta mil. Eu pago o restante depois. — Ele entregou um maço de notas de mil rúpias.

Suchir se virou para Sumeera e disse:

— Leve-os para cima. E mantenha a outra menina na escada. Será bom para ela aprender.

Enquanto os dois homens negociavam, Ahalya se manteve em um estado de quase paralisia. Envolta no rude calor de toda aquela luz, ela se sentiu transportada. Seu coração batia forte no peito e sentia um formigamento que começava na base do pescoço e se espalhava pelo corpo inteiro. Ela não enxergava Shankar como um homem. Pensava nele como um fantasma, um espírito do mundo subterrâneo. Um ser etéreo não conseguiria deflorá-la. Ao mesmo tempo, ela tinha consciência de que esse truque mental era bobagem: sabia que ele era um homem como outro qualquer. Quando ouviu as ordens de Suchir em relação à Sita, ela levantou os olhos, horrorizada, mas incapaz de falar. O medo se esquivou com o que restava da sua resistência. Permitiria que Shankar a possuísse para que Sita aprendesse a não resistir. Porque resistência ela, agora, compreendia, significava dor, e a dor apenas acentuava a miséria da sua existência. Depois dessa noite, ela seria uma *awara*, uma perdida. O caminho da prostituição era uma via de mão única.

— *Bolo na, tumtayorho?* — Sumeera perguntou. — Diga-me, você está pronta?

Ahalya fez que sim com a cabeça e permitiu que Shankar a tomasse pela mão e a conduzisse pelo corredor. Não conseguiu olhar para Sita. Enquanto subia as escadas com Shankar, pensou em seu pai. Ele havia lhe ensinado que era muito forte, que o céu era o limite para ela e todos os seus talentos, e que ela poderia ser o que quisesse. Era uma ideia bonita, mas desafortunada. Ela também pensou em sua mãe, enquanto Sumeera afofava os travesseiros e acendia uma vela. Ambini tinha sido uma mulher digna e gentil, um modelo a ser imitado. Eles estavam mortos, os dois estavam mortos agora. Seus corpos foram levados como troncos de madeira sobre as ruínas de uma linda praia. Tudo que restava era *jooth ki duniya*, um mundo de mentiras.

Sumeera a deixou com Shankar e fechou a porta. Ahalya fixou o olhar em um ponto do assoalho, tremendo. Ela não conseguia olhar para o homem que a havia comprado. Ele se aproximou e ergueu seu queixo até que ela olhasse em seus olhos. Sorriu para ela e desabotoou as calças.

— Essa é sua noite de núpcias — ele disse, jogando-a de costas sobre a cama.

* * *

Sita ficou sentada na escuridão da escada, sofrendo com os sons da violação de sua irmã. Em seus quinze anos de vida, ela ainda não sabia muita coisa sobre desejo carnal, mas compreendia o significado de um estupro. Quando os ruídos de prazer de Shankar finalmente terminaram, ela ouviu sua irmã começar a chorar. Depois de um minuto, Shankar passou, quase encostando nela, com o olhar vidrado e as roupas em desalinho. Ele não disse nada, simplesmente desapareceu.

Sita foi se arrastando até o quarto. Sua irmã jazia na cama, entre os lençóis, seu *churidaar* jogado no chão. A chama da vela projetava sombras estranhas nas paredes. Ahalya tinha os olhos fechados e sua testa queimava ao toque. Sita a beijou e se ajoelhou ao lado da cama. Sumeera logo apareceu para lavá-la e vesti-la com um camisolão bem solto. Depois, a conduziu de volta para a cama.

Sumeera falou com doçura para Ahalya:

— O que você experimentou não foi fácil. É natural sentir vergonha. Todas sentem na primeira vez. Mas você vai sobreviver. E vai aprender a aceitar.

Depois disso, ela as deixou sozinhas.

Sita se despiu e se deitou na cama, trazendo Ahalya para os seus braços. Sua irmã sempre havia sido sua fortaleza, sua proteção. Nas noites solitárias do Colégio St. Mary, Ahalya sempre a consolava. Durante o *tsunami*, ela se colocou entre Sita e as ondas. Agora era a vez de Sita confortá-la e protegê-la. Ela começou a murmurar uma canção que sua mãe costumava cantar para elas e que conhecia de cor. Cantou-a com o ardor de uma prece.

* * *

Ahalya despertou no dia de Ano-Novo como um pássaro de asa quebrada. Ela falou, mas a alegria havia desaparecido de sua voz. Ela tomou o café da manhã sem fazer nenhum comentário sobre a comida. Ela recebeu as visitas de Sumeera sem dizer uma palavra. Durante as horas do dia em que os vendedores apregoavam suas mercadorias nas ruas e as *beshyas* no andar de baixo executavam suas tarefas, ela permanecia deitada na cama, olhando o vazio. Uma vez ela se virou de lado, poucas vezes se sentou.

O bordel perdera a consistência em sua mente; as visões e os sons se transformaram em impulsos sensoriais e impressões vagas. Somente Sita permanecia concentrada. Ahalya se surpreendeu com a estabilidade emocional de sua irmã. Era como se ela houvesse amadurecido anos numa questão de dias. Ela molhou um pano e colocou sobre a fronte de Ahalya, cantou canções que Ambini e Jaya haviam lhes ensinado, e declamou versos das poesias favoritas de Ahalya. Quando recitou um poema de Sarojini Naidu, Ahalya começou a balbuciar as palavras junto com ela,

> *Aqui, ó meu coração, queimaremos os sonhos que estão mortos,*
> *Aqui nesta floresta ergueremos uma pira funerária,*
> *De pétalas brancas e folhas caídas já maduras e vermelhas,*
> *Aqui os queimaremos com as tochas de fogo do sol do meio-dia.*[12]

O restante do fim de semana passou em relativa calma, e Suchir as deixou em paz. Nos locais onde a pele de Ahalya sofreu abrasões por causa das investidas de Shankar, Sumeera colocou unguento como curativo. Ela repetia incessantemente que Ahalya tinha que aceitar o que lhe acontecera. Não havia outro meio de escapar do túnel da vergonha. Ahalya ia se tornando mais ativa a cada nascer do Sol; seus olhos, porém, refletiam sua dor.

No início da semana seguinte, Suchir veio novamente buscar Ahalya. Sumeera providenciou o mesmo *churidaar* vermelho e dourado para ela usar, mas não mandou que Sita também se vestisse. Ahalya fechou os olhos e foi se movimentando em silêncio. As *beshyas* se alinharam nas paredes para vê-la passar, mas dessa vez não ficaram quietas. Enquanto ela passava, duas delas tentavam adivinhar quanto Suchir cobraria por ela.

— Vinte mil — disse uma.

— Dez — disse outra. — Ela já foi usada. O *dhoor* não vai ver o sangue.

Ahalya tentou ignorar suas palavras e manteve os olhos fixos no chão. Ela esperou na porta até que Suchir a chamasse e a colocasse sob as luzes, como uma atração de circo. Dois clientes estavam sentados em um sofá próximo à poltrona de Sumeera. Um deles era um senhor de meia-idade e o outro era um rapaz, não mais velho do que ela. O homem mais velho falou empolgado com o mais novo, e ela compreendeu por suas palavras que o jovem era filho dele. Era aniversário do rapaz. Ahalya era seu presente.

O jovem parecia hesitante ao se aproximar dela. Ele olhou para seu pai buscando confiança, e o homem sinalizou para que fosse em frente. O rapaz tocou seus lábios com as pontas dos dedos e, então, traçou uma linha até o seu peito. Ela estremeceu pensando no que o jovem faria com ela.

O homem regateou o preço com Suchir e concordou em pagar quinze mil rúpias. O rapaz a tomou pela mão e seguiu Suchir até o primeiro quarto ao longo do corredor. Uma garota mais velha e mais gorda do que ela se afastou e a encarou. O cômodo era minúsculo, com área suficiente apenas para acomodar a cama, uma pia e o vaso sanitário. Tinha um propósito exclusivamente funcional. "Esse era o destino de todas que eram *awara*", Ahalya pensou. Era sua sina viver em perpétua vergonha.

---

[12] Tradução livre do poema "In the Forest", de Naidu. (N. T.)

Quando Suchir fechou a porta, o rapaz ficou parado, sem saber direito como agir. Em seus olhos, Ahalya podia ver uma mistura de assombro e apreensão. Ele chegou mais perto e beijou sua boca. Sua excitação aumentou quando ela não resistiu. Ela se deitou de costas na cama e se submeteu aos desejos dele. Ele não era tão bruto como Shankar, mas, mesmo assim, lhe causou dor.

Depois de tudo, ela ficou deitada no colchão fino, com o olhar fixo no teto e se sentindo profundamente suja. Ela se levantou e se lavou na pia. Sentada no vaso sanitário, ela se deu conta da brutalidade da sua existência. Uma *beshya* não podia esperar da vida nada além do ar em seus pulmões, água e comida em seu estômago, um teto sobre sua cabeça e a afeição daquelas como ela. Para sobreviver em um mundo como esse, ela teria que arrancar o coração do corpo. Não havia outra opção. Pensou em Sita, esperando por ela no andar de cima, amedrontada, magoada, mas ainda intocada após uma semana e meia no bordel de Suchir. Sita esperava que Ahalya fosse o escudo contra os horrores que aguardavam por ela.

Ela não podia se permitir sucumbir ao desespero.

Capítulo 6

"A Batalha de Bombaim é a batalha do eu contra a multidão."

Suketu Mehta

Em algum lugar no sudeste da Ásia

Quando Thomas acordou, não tinha a menor ideia de que horas eram. Olhou para o relógio e percebeu que ainda marcava o horário de Washington. A cabine do Boeing 777 estava escura e a maioria dos passageiros da classe executiva estava dormindo. Ele precisava ir ao banheiro, mas o passageiro perto dele dormia profundamente, com o assento completamente estendido, bloqueando a passagem para o corredor.

Thomas levantou o quebra-luz da janela. O Sol se punha sobre as montanhas, colorindo-as em ocre e preto. "Afeganistão", pensou ele. De uma altura de dez mil metros, a terra devastada pela guerra fazia-o lembrar do Colorado. Era de uma beleza de tirar o fôlego, ao mesmo tempo severa e serena.

Pela milésima vez, Thomas se perguntou por que estava fazendo aquilo. A resposta com que ele se acostumara, que ele havia sido forçado a isso devido à culpa e às circunstâncias, não era mais adequada. Ele poderia estar em um voo para Bora-Bora, Amsterdã ou Xangai. Mas, no momento, ele estava a duas horas de aterrissar em Mumbai, com a mala cheia de todo tipo de relatórios do governo, estudos acadêmicos e *clippings* de notícias sobre a crise mundial que envolvia a prostituição forçada.

A preparação da viagem foi feita de supetão; não era de sua natureza adiar as coisas. Almoço no The Hill com Ashley Taliaferro, diretora operacional de campo da Aces, entre encontros que ela agendava com congressistas que apoiavam a causa. O visto obtido em tempo recorde, cortesia de Max Junger. Uma ida ao shopping center para a compra de equipamento de viagem. Atualização das vacinas. Os arranjos com Clayton para que o dinheiro de seu salário *pro bono* fosse depositado em sua conta corrente para cobrir as despesas. A troca de e-mails com Dinesh, seu colega de quarto em Yale, e a aceitação do convite permanente para visitar Mumbai. Além de leituras, leituras, leituras incessantes, no metrô, esperando na fila do *check-out* e em casa, entre sessões de pesquisa na internet.

Ao consultar a literatura sobre tráfico humano, ele penetrou em um mundo tão surpreendente quanto perturbador, um reino subterrâneo habitado por aliciadores e traficantes, funcionários públicos corruptos, advogados idealistas e uma quantidade aparentemente incontável de mulheres e crianças capturadas, brutalizadas e transformadas em escravas. Ele se indagava como Porter conseguia lidar com isso: os rostos, os nomes, as histórias de abuso tão diversas quanto a crueldade humana. E agora, ele estava prestes a ingressar nesse mundo. Entre as cidades conhecidas pela prevalência do tráfico de seres humanos, Mumbai era das piores do mundo.

— Você está indo para fazer o quê? — perguntou a mãe, quando Thomas conseguiu tempo para lhe telefonar. — Mas isso é perigoso, Thomas. Você pode se machucar. Eu disse para você ir atrás de Priya, não para se envolver com o submundo.

A essa altura, seu pai já havia pegado o telefone e perguntado qual era o motivo de tanta confusão. Ele escutou o suficiente para ficar sabendo do ultimato de Max Junger.

— Por que você não me ligou, meu filho? — ele perguntou. — Eu teria colocado tudo em pratos limpos.

— Clayton precisava de um bode expiatório, pai — disse Thomas, se sentindo aquele menino que ainda não terminou de crescer, como sempre foi visto aos olhos de seu pai. — Wharton exigiu que alguém pagasse pelo que aconteceu. Alguém tinha que ser sacrificado e Mark Blake não estava disposto a colocar sua cabeça no altar.

— Mark Blake é um egocêntrico e um tolo — o juiz retrucou com raiva.

— O cara não consegue argumentar nem para tirar a própria cabeça de um saco de papel — ele esbravejou mais um pouco e então se acalmou. — Eu ouvi direito o que sua mãe disse? Você está indo à Índia para trabalhar com a Aces?

— É isso mesmo.

O pai permaneceu em silêncio por um longo tempo.

— Quando voltar, você vai ter que correr atrás de muita coisa.

— Eu sei — disse Thomas. Nessas questões o juiz estava sempre certo.

Colocando a cabeça de volta no presente, Thomas viu uma comissária de bordo vindo pelo corredor em sua direção. Quando percebeu que ele não estava dormindo, ela perguntou se ele queria comer algo antes do pouso. Ele disse que não, mas pediu uma garrafa de água e olhou, outra vez, pela janela. A escuridão já havia caído sobre o terreno escarpado, mas algumas nuvens no topo das montanhas ainda eram tingidas pela luz. E, mais uma vez, ele colocou para si mesmo a questão para qual ele não tinha resposta: "por quê?".

Tera havia sido a primeira a perguntar isso em voz alta. Na manhã seguinte a sua visita surpresa, ele acordou no sofá da sala de estar com uma terrível dor de cabeça e um remorso ainda pior. Depois de um banho quente, ele a encontrou na cozinha, se oferecendo para preparar o café da manhã. Ele olhou para ela de um jeito estranho. Ela nunca havia passado a noite com ele e, mesmo assim, lá estava, batendo ovos ao lado do fogão.

— Eu vou viajar por uns tempos — ele disse.

— Para onde você vai? — ela perguntou com o batedor de ovos ainda nas mãos.

— Não sei direito — respondeu, preferindo mentir a provocar novos questionamentos.

Ela pareceu ofendida.

— E seu emprego na Clayton?

— Vou tirar uma licença.

— Por quanto tempo?

— Acho que por bastante tempo.

— Eu fiz alguma coisa errada? — ela perguntou, colocando o batedor de ovos sobre o balcão.

— É claro que não — ele respondeu e, imediatamente, percebeu que não tinha sido muito delicado. — Olha, eu sei que é repentino, mas não tem nada a ver com você. Sinto muito.

Foi nesse ponto que ela invocou o enigma:

— Por que está fazendo isso?

Ele pensou em diferentes respostas e decidiu pela mais simples.

— Não sei.

Ela o encarou por um momento, com os olhos azuis repletos de dor e perplexidade. Sua boca ficou aberta, mas ela não falou nada. Juntou suas coisas e deixou a casa sem dizer outra palavra.

* * *

— Senhoras e senhores — disse uma voz incorpórea —, estamos iniciando os procedimentos de descida na cidade de Mumbai. Por favor, verifiquem se os assentos estão na posição vertical...

A voz continuou falando, mas Thomas não estava prestando atenção. Olhando pela janela, ele viu a metrópole surgindo do nada, como uma brilhante explosão estelar. A visão o fez lembrar de Los Angeles, mas a comparação acabava aí. Mumbai tinha uma população três vezes maior, que ocupava uma área equivalente a um terço da cidade de Los Angeles.

A ansiedade de Thomas estava no limite enquanto o avião terminava a descida em direção ao aeroporto internacional Chhatrapati Shivaji. Com o passar do tempo, Priya foi instruindo-o sobre a mentalidade indiana e suas peculiaridades e tentou, com pouco sucesso, ensiná-lo a falar híndi. Mas essa educação ocorreu em solo ocidental. A cidade para além do asfalto era a verdadeira Índia, um mundo estrangeiro definido por um conjunto de expectativas culturais radicalmente diferentes. O colonialismo e a globalização construíram algumas pontes sobre esse abismo, mas a separação entre Oriente e Ocidente permanecia imensa.

A aeronave pousou suavemente e taxiou até um dos portões de desembarque. A verdadeira Índia deu a ele as boas-vindas antes mesmo que ele saísse do avião. Da janela ele podia ver enormes favelas, iluminadas apenas por lâmpadas comuns enfileiradas lado a lado como luzes de Natal. Crianças brincavam nas ruas e pessoas se moviam nas sombras. Thomas observou as crianças da favela com fascinação. O Ocidente possuía seus guetos e bairros pobres, mas nada como aquilo.

Depois de recolher sua bagagem, ele encontrou Dinesh no ponto de táxi.

— Thomas! — seu amigo exclamou em um inglês com um leve sotaque, dando nele um forte abraço. — Bem-vindo à Mumbai!

Dinesh pegou uma das malas de Thomas e o conduziu através da multidão de *táxi-wallas* e motoristas de carros de hotéis, que seguravam placas de identificação, até um carro preto de duas portas parado em um estacionamento imundo.

— Espero que não se importe em andar tão apertado.

— Não tem problema — disse Thomas colocando a bagagem no porta-malas e entrando no carro.

O ar noturno era fresco e seco, e Dinesh abriu as janelas.

— Nós passamos dois meses sem ar-condicionado — disse ele com um sorriso. — No resto do ano a gente sua.

Dinesh dirigiu o carro para fora do aeroporto e entrou no congestionamento crônico da cidade. Eles avançavam lentamente pelo engarrafamento, cheio de veículos grandes e pequenos, engasgando com a fumaça dos escapamentos. A certa altura, Dinesh se cansou desse exercício e tentou chegar na faixa central. Pisando fundo no acelerador e debruçado na buzina, entrou na contramão para se desviar de um riquixá motorizado, evitando, por pouco, a colisão com um ônibus. Thomas se segurou como podia, apavorado com a manobra. Dinesh riu.

— Você vai se acostumar. Nos Estados Unidos, vocês dirigem com o volante. Na Índia, a gente dirige com a buzina. — Ele pegou o acesso para uma via expressa, onde o trânsito fluía melhor.

— Essa é a Via Expressa Oeste — ele teve que gritar por causa do vento —, a confusão nas ruas era tão grande que a cidade resolveu construir essa via expressa acima delas.

Dez minutos depois, eles fizeram uma grande curva e prosseguiram em uma via paralela a uma baía. O cheiro de urina e água salobra atingiu Thomas como uma marreta.

— Baía de Mahim — disse Dinesh —, e o cheiro é outra coisa com a qual você vai se acostumar.

— É sempre assim? — Thomas perguntou, lutando para respirar.

— À noite é pior. De manhã melhora um pouco. O esgoto é despejado no oceano. Você não vai querer nadar em lugar nenhum de Mumbai.

A via expressa fazia um giro de cento e oitenta graus e terminava em uma elegante área residencial. Dinesh subiu uma colina e entrou em um acesso pavimentado com paralelepípedos, que dava para uma rua com edifícios altos e vegetação exuberante.

— Este é o Monte Mary — disse ele. — O mar fica a uma quadra a oeste.

Dinesh virou subitamente e entrou no estacionamento de um edifício de estuque com dez andares. Em cada lado do portão havia um segurança, os dois sentados, fumando um cigarro.

Eles estacionaram na garagem e pegaram um antigo elevador com porta pantográfica até o último andar. Pela sujeira que cobria as áreas comuns, parecia que o edifício havia sido construído fazia quarenta anos e nunca tinha passado por reforma.

Em contraste, o apartamento de Dinesh era uma maravilha do estilo moderno. As ferragens eram de bronze polido, a mobília em madeira e couro, o assoalho era lajotado e coberto por tapeçaria e, as paredes, adornadas com quadros. O melhor do apartamento, entretanto, era a vista. As janelas voltadas para oeste permitiam uma visão estonteante do Mar da Arábia, e portas francesas conduziam a uma sacada com grades.

Dinesh mostrou o quarto de hóspedes a Thomas e o convidou para tomar uma cerveja no terraço. Eles se sentaram em cadeiras de madeira e ficaram observando o mar, brilhando à luz do luar. As luzes ao longo da linha costeira se estendiam até o norte da cidade e terminavam em um ponto que parecia se projetar mar adentro.

— Primeiro vem Santa Cruz do Oeste e depois Juhu — disse Dinesh, acompanhando a direção do olhar de Thomas. — Várias celebridades indianas moram ali — ele fez uma pausa. — Mas me conte, o que traz você a Mumbai? Soube por um amigo que Priya está de volta, e então recebi sua mensagem dizendo que precisava de um lugar para ficar por uns tempos.

— É uma longa história — disse Thomas.

— Como são todas as boas histórias.

Thomas hesitou um pouco. Ele sabia que devia uma explicação ao amigo, mas só de pensar em ter que responder a perguntas sobre sua família o deixava cansado.

— A avó de Priya sofreu um derrame — ele começou. — E ela veio para cá para ficar com a avó.

— Eu não fiquei sabendo disso — respondeu Dinesh. — Encontrei o irmão dela em Colaba há uns dois meses, mas ele não me disse nada.

— Aconteceu recentemente. Ninguém esperava por isso.

Ele pensou no dia em que Priya chegara com a notícia. Lembrou-se de como ela parecia exaurida, em pé na cozinha, lhe contando sobre o telefonema de seu irmão. Havia três dias que estava trabalhando sem parar no caso Wharton e seu nível de estresse estava nas alturas. Quando ela lhe mostrara a passagem só de ida da Indian Air, sua reação fora péssima e ele a acusou de o estar abandonando. Recordava-se da fúria estampada nos olhos dela.

— Como você pode dizer uma coisa dessas? — ela perguntou. — Foi você que me abandonou.

Dinesh tomou um gole de sua cerveja.

— Isso explica a vinda de Priya. E você, por que veio?

Thomas respirou fundo.

— Eu precisava de uma folga do trabalho. A empresa me permitiu tirar uma temporada sabática. — Ele percebeu os olhos do amigo se estreitando e o imaginou pensando: *Mas, então, por que você veio ficar na minha casa?*

Ele decidiu temperar a mentira com uma parte da verdade. — No momento, as coisas não vão muito bem entre mim e Priya. Foi por isso que entrei em contato com você.

Dinesh ficou olhando para ele e, depois, deu de ombros.

— Lamento ouvir isso. Você é bem-vindo por quanto tempo for preciso — e, então, mudou de assunto. — Você mencionou em seu e-mail um grupo chamado Aces. Eu nunca havia ouvido falar nele.

Thomas soltou um suspiro de alívio.

— É uma organização de amparo legal. Lutam contra a prostituição forçada em países em desenvolvimento.

Dinesh tomou o último gole da cerveja.

— Acredito que Mumbai os mantenha muito ocupados.

Eles conversaram mais um pouco, com a intimidade de velhos amigos, relembrando os anos que passaram em Yale, desenterrando histórias sobre antigas namoradas e rindo das peças que os dois, especialmente Dinesh, pregavam nos colegas. A graça e o bom humor irresistíveis de Dinesh levantaram o ânimo de Thomas, o que o deixou com uma sensação otimista em relação a estar em Mumbai. Se nada mais de bom resultasse da viagem, já ficaria feliz de dividir novamente uma casa com Dinesh.

Depois de certo tempo, Dinesh bocejou e se espreguiçou.

— Acho que vou entrar — disse, se levantando com a garrafa de cerveja vazia nas mãos. — É ótimo ter você aqui.

Thomas também se levantou.

— Se você não se importar, vou ficar aqui fora mais um pouco. Meu corpo ainda acha que é dia.

Dinesh sorriu.

— Tudo bem. Vejo você pela manhã.

Thomas pegou seu smartphone e enviou e-mails para sua mãe e para Andrew Porter, informando sobre sua chegada. Então, caminhou pelo terraço e olhou para o Norte, na direção da praia de Juhu. Seus pensamentos se desviaram para Priya. Ficou pensando se ela já estava dormindo ou se, como ele, estaria também em um terraço olhando o mar.

Ele respirou profundamente o ar com cheiro de maresia e tentou imaginar como havia sido a vida de Priya na infância. Os privilégios a que ela teve acesso devido a sua condição social nunca pareceram muito reais para ele. Ela havia nascido em uma família de magnatas do ramo imobiliário de Gujarati, que se estabeleceu na cidade quando os britânicos ainda lutavam para recuperar seu território. Seu avô era proprietário de algo como um quarto dos apartamentos na região Sul de Mumbai, em parceria com empresas internacionais.

Com pais diferentes dos seus, Priya poderia ter se tornado uma esnobe arrogante. Seu pai, porém optou por uma vida austera em Cambridge, no lugar do luxo a que tinha direito por nascimento.

O professor Patel se mudou com a família para a Inglaterra quando Priya tinha uns 13 anos e ela passou os anos da adolescência entre os prédios cobertos de hera do *campus* antigo da universidade.

Foi em Cambridge que ela se matriculara no curso de graduação em História da Arte. Foi também em Cambridge, um ano após ter sido graduada com louvor, que Thomas a conheceu, durante um programa de intercâmbio com Yale. Ele se recorda da palestra que o pai dela proferiu no King's College e do guarda-chuva que ela esqueceu lá. Sua falta de atenção deu a ele uma desculpa para se apresentar, e essa apresentação progrediu para uma conversa em uma cafeteria, que alterou o rumo de suas vidas.

Ele retirou a foto dela em Fellows Garden, que havia colocado novamente na carteira antes de sair para o aeroporto, e se lembrou do modo como ela o beijou sob a sombra do carvalho retorcido. Havia sido um beijo tímido, carregado dos tabus de sua herança cultural e da lembrança de seu pai. Mas o fato de haver superado tudo isso revelou a profundidade de seus sentimentos por ele.

Ele pôs de lado a fotografia e terminou de beber sua cerveja.

— *Namastê*, Mumbai — disse ele com o olhar sobre a cidade. Depois, se virou e entrou no apartamento.

* * *

Na manhã seguinte, Thomas foi acordado pelo alarme de seu smartphone. Eram 7h30 e o céu estava amarelado por causa da poluição. Ele verificou sua caixa de mensagens, havia dois e-mails. O primeiro era de Ashley, da Aces, informando que seu currículo havia sido aprovado e apresentando-o a Jeff Greer, o diretor de campo do escritório de Mumbai. O segundo era do próprio Jeff Greer convidando-o para um encontro no Café Leopold, onde tomariam um café às 10 horas.

— Perfeito — disse seu amigo. — Você vai comigo até o meu trabalho e, de lá, vai de táxi. Qualquer *táxi-walla* sabe como chegar ao Leopold.

Às 8 horas, Dinesh chamou um riquixá motorizado para levá-los até a estação de trem de Bandra. O riquixá se parecia com um besouro amarelo sobre rodas. O motor descoberto fazia o mesmo barulho que uma motosserra. Quando o motorista entrou numa fila de riquixás idênticos ao longo da Hill Road, Thomas teve vontade de tapar os ouvidos.

A corrida até a estação foi uma confusão, com a possibilidade constante de uma colisão. O motorista era o homem mais corajoso do mundo ou um completo lunático. Ele usava a buzina com uma persistência fanática, como se todo aquele barulho pudesse protegê-los de sua direção perigosa.

— Esse cara é maluco! — Thomas gritou, para suplantar o barulho do vento e do motor. Dinesh riu.

— Por esse padrão, cada motorista de riquixá em Mumbai também é.

Na estação de trem, compraram bilhetes de primeira classe e seguiram uma longa fila de passageiros até a plataforma. Quando o trem chegou, estava tão cheio e apertado que havia homens pendurados do lado de fora, se segurando apenas com a ponta dos dedos. Mesmo assim, outra multidão entrou no trem, sem desanimar. Dinesh agarrou Thomas e o empurrou para dentro.

— Vai, vai, vai... — disse ele com a voz quase completamente engolida pelo barulho dos passos.

Alcançar o vagão estacionado em frente a eles foi um milagre. Encontrar um espaço lá dentro era uma impossibilidade. Então, de repente, ele estava lá dentro e o trem se movia sob seus pés. As pessoas continuaram correndo pela plataforma e, inacreditavelmente, outras ainda conseguiram subir a bordo. Dinesh se divertia com o desconforto de Thomas.

— Aposto que você achava que a primeira classe seria um pouco mais civilizada — ele gritou.

Thomas tentou rir também, mas seu peito estava tão comprimido que a risada saiu como um grunhido.

— A única diferença entre as classes — explicou Dinesh — é que, na segunda classe, a gente ofende uns aos outros em *marathi*. Na primeira classe, fazemos isso em inglês.

O trem prosseguia em direção ao sul, com destino à estação Churchgate, que era o fim da linha. Quinze minutos depois, chegaram ao terminal localizado no coração do centro comercial da cidade. Antes que o trem estacionasse, a multidão já os empurrava para fora do vagão e ao longo da plataforma, como folhas empurradas pela correnteza de um rio. Thomas seguiu Dinesh até a saída e respirou fundo quando, finalmente, alcançaram a rua.

— Como é que você consegue passar por isso todos os dias? — ele perguntou.

Dinesh deu de ombros e sacudiu a cabeça de um lado para o outro, um gesto que Thomas rapidamente descobriu que podia significar qualquer coisa que um indiano quisesse dizer.

— Só existe uma regra em Mumbai — disse Dinesh. — Você tem que se adaptar.

* * *

Dinesh trabalhava como analista de investimentos na principal filial da Hong Kong e Xangai Banking Corporation, que ficava a poucos metros da estação de trem. Ele comprou, de um vendedor ambulante, um mapa da cidade para Thomas e fez sinal para um táxi. Ele disse algumas palavras em *marathi* e sorriu para Thomas.

— Se você se perder, diga a qualquer pessoa que quer chegar ao Leopold. Mas você não vai se perder.

Thomas subiu no táxi, que se jogou de volta no trânsito. Poucos minutos depois, o *táxi-walla* o deixou em frente da marquise vermelha do Café Leopold. Thomas procurou nos bolsos por dinheiro trocado, verificou o taxímetro e pagou a quantia certa em rúpias.

O ambiente da cafeteria era espaçoso e arejado. Praticamente metade das mesas estava ocupada por senhores, e a maioria parecia de europeus. Ele se sentou próximo à rua. Greer apareceu pouco depois das 10 horas. Ele vestia calças cáqui, uma camisa amarrotada e com as mangas dobradas até o cotovelo, e sapatos de couro que precisavam desesperadamente ser engraxados. Ele caminhava sem pressa e seu corpo não era nem gordo nem magro. Seus olhos castanhos possuíam um brilho inteligente e ele tinha um sorriso fácil.

— Thomas? — ele perguntou estendendo a mão. — Sou Jeff Greer. Prazer em conhecê-lo.

— Igualmente.

Greer se sentou e pediu uma xícara de café quando o garçom apareceu.

— O que tem de bom para se beber aqui? — perguntou Thomas consultando o cardápio.

— Praticamente tudo. Mas se você não precisa de cafeína, minha sugestão é o *lassi*[13].

Thomas aceitou a sugestão e fez o pedido. Então conversaram um pouco. Thomas ficou sabendo que Jeff tinha 35 anos, não era casado, que havia se formado na Harvard Business School e que trabalhava na Aces de Mumbai havia dois anos. Ele era um bom ouvinte, tinha uma conversa agradável e Thomas gostou dele rapidamente.

— E você — disse Jeff —, o que está achando de Mumbai?

— Parece menos uma cidade e mais uma experiência eletrizante.

Greer riu.

— Demora um pouco até a gente se acostumar.

O garçom chegou trazendo as bebidas. Thomas provou o *lassi*. Era um tipo de creme suave, agradável ao paladar.

— Você leu o dossiê que a Ashley lhe entregou? — perguntou Greer.

---

[13] Bebida feita à base de iogurte, frutas e especiarias. (N. T.)

— Duas vezes — respondeu Thomas.

— Então conseguiu entender qual será sua função.

Thomas aquiesceu.

— Os investigadores ficam com todo o trabalho sexy e a papelada fica para nós, advogados.

Greer sorriu.

— Isso diz quase tudo. Nossos advogados não têm permissão para comparecer diante da Corte, mas podem escrever os relatórios a favor das vítimas. É isso que você fará na maior parte do tempo: revisar, esboçar e preencher relatórios.

— Nós deixamos o escritório em algum tipo de situação? — perguntou Thomas.

— Como assim?

— Existe algum tipo de situação em que temos a oportunidade de fazer o mesmo trabalho que os investigadores?

Greer ficou pensando.

— Quais são seus planos para o resto da manhã?

— Eu esperava que você os tivesse para mim.

Greer sorriu.

— Acho que posso dar um jeito nisso.

* * *

Depois de pagar a conta, Greer fez sinal para um táxi e dirigiu algumas palavras ininteligíveis em *marathi* ao *táxi-walla*. O taxista olhou para ele de um modo estranho. Greer repetiu o que havia dito, colocando mais ênfase dessa vez. Balançando a cabeça, o motorista se pôs a caminho.

— Então, para onde estamos indo? — Thomas perguntou.

— Vou deixar você dar uma olhada no motivo pelo qual estamos aqui — respondeu Greer.

O táxi os levou para o norte, depois de Colaba, e passou pelo grande terminal ferroviário Victoria, antes de virar na avenida Mohammed Ali. Thomas esperava que Greer dissesse algo sobre o seu destino, mas o diretor de campo do escritório parecia feliz em viajar em silêncio. Thomas abriu a janela, procurando se aliviar do calor. O ar da cidade era muito poluído e cheirava à borracha queimada, mas a brisa compensava o incômodo.

Vinte minutos depois, o táxi saiu da avenida e virou a oeste ao longo de uma rua comercial cheia de gente. O motorista falou em um acelerado *marathi*, tentando convencer Greer de alguma coisa. Mas Greer levantou a mão e lhe respondeu deliberadamente calmo, entregou ao *táxi-walla* uma nota de cem rúpias e deu instruções precisas sobre o destino. O taxista embolsou o dinheiro e não falou mais nada.

Eles entraram por uma via secundária e fizeram várias conversões, cada rua mais estreita que a anterior. A cidade do mundo desenvolvido, com calçadas largas e placas luminosas, havia desaparecido. Em seu lugar se descortinou um mundo pobre, numa selva de ruelas sem calçamento, com edifícios caindo aos pedaços, carroças, vacas e meninos de rua.

Greer disse algumas palavras ao *táxi-walla* e lhe passou mais dinheiro. O táxi diminuiu a velocidade e entrou em uma rua suja com casas dilapidadas, vários pavimentos e sacadas decadentes. Exceto por algumas bicicletas e homens puxando carroças, quase não havia tráfego na rua. Pedestres e veículos que enchiam as ruelas em torno pareciam evitar essa rua em particular, dando a ela um aspecto de abandono sombrio.

— Aqui é Kamathipura — disse Greer —, a maior área de prostituição de Mumbai.

As palavras de Greer deram a Thomas um novo olhar. Subitamente, os homens velhos escondidos nas sombras não eram mais simples idosos, mas donos de bordéis. Os jovens, fumando nas portas encardidas não eram vagabundos, mas aliciadores. As mulheres que seguravam vassouras e limpavam corredores e cozinhas não eram donas de casa, mas cafetinas.

— Onde ficam as garotas? — Thomas perguntou, estranhando a ausência de mulheres mais jovens.

— Algumas estão dormindo, outras estão ocupadas com suas tarefas. Elas não têm permissão para sair do bordel, exceto na companhia de uma *gharwali*. É como são chamadas as cafetinas. — Greer apontou para os andares superiores dos prédios pelos quais passavam.

— As menores de idade ficam lá em cima, escondidas em sótãos. Elas são invisíveis. Se não fosse por nossos agentes, que conhecem essas vielas de cor, nós nunca as encontraríamos.

O taxista começou a acelerar novamente, mas Greer tocou em seu ombro e lhe passou mais rúpias.

— Ele está nervoso porque somos brancos — explicou Greer. — Os *táxi-wallas* recebem *baksheesh*, propina, dos aliciadores para trazer clientes até aqui, e eles conhecem a Aces. Se os virem conosco, seu negócio pode ser prejudicado.

Perto do fim da viela, Thomas viu um jovem conversando com um homem de cabelos brancos que estava de costas para eles. O jovem deu uma olhada no táxi e seus olhos se estreitaram quando viu os passageiros. Ele olhou de um jeito para o *táxi-walla* que o assustou.

No mesmo momento o taxista perdeu todo o interesse pela corrida. Ele tocou o amuleto *hamsa* pendurado no retrovisor e começou a falar amedrontado. Greer tentou acalmá-lo, mas não conseguiu. Ele deixou Kamathipura rapidamente, abandonando seus passageiros em uma esquina a algumas quadras dali.

— Pegaremos outro táxi — disse Greer, caminhando pela calçada entre ambulantes e vendedores de rua.

Thomas se sentia extremamente constrangido. Os únicos rostos brancos, naquele mar de cores escuras, eram os deles. Três crianças pedintes se aproximaram deles, fazendo com as mãos sinais de que estavam com fome. Quando Thomas não respondeu, eles agarraram seu braço e tentaram tirar dinheiro do seu bolso. Ele os afastou e quase pisou em um homem cego sentado ao lado de uma pilha de lixo que estava sendo queimado.

Greer olhou por cima do ombro e percebeu o incômodo de Thomas.

— Continue andando — disse ele.

Depois de um tempo, Greer conseguiu um táxi e instruiu o motorista a levá-los até a estação central de Mumbai. Sentando-se no banco traseiro, Thomas respirou fundo, visivelmente aliviado.

— Então, agora você viu com o que os investigadores têm que lidar, pelo menos durante o dia.

— É difícil acreditar que tantas meninas vivam escondidas por trás dessas paredes — disse Thomas, pensando naqueles dois homens, possivelmente donos de prostíbulos ou aliciadores, que deixaram o taxista assustado.

— Milhares de meninas — disse Greer —, algumas com apenas 12 ou 13 anos.

Na estação central de Mumbai, eles esperavam tomar um trem que rumasse para o norte. O número de passageiros ao meio-dia era menor do que a multidão atordoante da manhã. Thomas conseguiu um lugar perto da porta, ao lado de um homem idoso, e inclinou o corpo para a frente para sentir a brisa. O trem seguia na direção de Parel e dos subúrbios centrais. Depois de parar em Dadar, passou à margem de Dhavari — a maior favela de Mumbai, de acordo com Greer — e depois atravessou uma área de mangue antes de parar na estação Bandra.

Thomas subiu um lance de escadas atrás de Greer e, depois, o seguiu através de uma passagem de onde se avistava uma favela menor. Mendigos estavam sentados ao longo da passagem, com a palma das mãos para cima e o olhar suplicante. Alguns eram velhos, outros eram mais jovens, com crianças. Um grande número tinha os membros engessados, muletas e amputações. Ninguém prestava atenção neles. Thomas ficou com pena de uma menina de 10 anos de idade com um bebê no colo e deu a ela uma moeda de cinco rúpias. Então, seguiu atrás de Greer para baixo até a rua.

Os riquixás se amontoavam do lado de fora, com motoristas esperando por fregueses.

Um jovem se aproximou deles:

— Para onde? Bandra? Juhu? Santa Cruz?

— Pali Hill — respondeu Greer. E se virou para Thomas: — Hoje o escritório fecha ao meio-dia, mas acho que você poderia dar uma passada por lá e conhecer a equipe.

Ele entrou no riquixá e Thomas se espremeu a seu lado. O motorista deu partida no motor e entrou naquela enxurrada de veículos.

* * *

Eles permaneceram em silêncio por alguns instantes, aproveitando a brisa cálida. O sol do meio-dia resplandecia sobre eles, mas o ar invernal mantinha certa umidade e a temperatura ainda era confortável. O céu estava mais azul do que mais cedo pela manhã. Parecia que parte da poluição havia se dissipado.

Quinze minutos mais tarde, Greer tocou o ombro do motorista e disse:

— Bas. Bas.

O homem encostou o riquixá na beira da calçada e Greer lhe pagou pela corrida menos de uma rúpia — um costume de Mumbai que ele revelou a Thomas sem maiores explicações. Eles desceram em uma região a poucas quadras a oeste da região comercial ao longo da avenida Linking. O escritório da Aces ficava localizado em um edifício sem identificação e sem nenhuma placa anunciando sua presença.

Greer o conduziu por um lance de escadas até uma porta protegida por um sistema de alarme com números. Por trás da porta, uma sala moderna e com ar-condicionado. Greer explicou que a Aces possuía 29 funcionários em Mumbai. Aproximadamente um terço era de estagiários, contratados por curtos períodos, vindos dos Estados Unidos, da Austrália e do Reino Unido. Dois dos funcionários contratados em período integral eram ocidentais; os outros eram indianos vindos de toda parte do subcontinente. Thomas ficou imediatamente impressionado com a disposição da equipe da Aces. O escritório estava em plena atividade, mesmo sendo véspera de Ano-Novo.

Greer levou Thomas para conhecer a equipe executiva. A diretora jurídica, Samantha Penderhook, era uma loira de Chicago. Miúda e bonitinha, era o retrato da eficiência diligente. Ela cumprimentou Thomas e o convidou a se sentar.

— Estou certa de que Jeff pintou um quadro bem realista do que fazemos aqui — começou ela —, mas eu sou mais durona do que ele. Mumbai não é Washington. O sistema judicial daqui é sobrecarregado até o limite e cheio de peculiaridades, que vão deixar você maluco mesmo depois que se acostumar com ele. Em compensação, oferecemos dois benefícios: a oportunidade de fazer a diferença na vida de algumas meninas do mundo real e de beber o *chai* [14] que Sarah prepara — Samantha fez uma pausa e olhou para a porta. — Bem na hora!

Uma jovem indiana entrou na sala carregando uma bandeja com canecas fumegantes. Ela sorriu e as distribuiu.

Thomas se virou para Samantha.

— Bem, de *chai* eu gosto. Com o resto sei que consigo lidar.

Samantha lançou-lhe um sorriso triste.

— Se puder dizer a mesma coisa daqui a dois meses, ficarei feliz.

Depois, Jeff apresentou Thomas a Nigel McPhee, diretor de operações, um homem falante e grande como um urso. Nascido em Lockerbie, Escócia, ele foi integrante de um grupo de forças especiais britânico e agente de campo do MI5[15] antes de ver a luz, como ele mesmo colocou, e se unir a Aces.

— É um longo caminho de Lockerbie até Mumbai — comentou Thomas.

— Como se fosse chegar até a Lua — disparou Nigel. — Na maior parte do ano, esse lugar é um poço de malária. Mas não estou aqui em férias. Em Mumbai, tem muita gente desonesta: ladrões de rua, traficantes de droga e de seres humanos, aliciadores e donos de prostíbulos. O tipo de gente ruim que me atrai. Eles são previsíveis. A polícia é outro problema. Provavelmente o grupo mais corrupto e incompetente que já vi. Com exceção de uns poucos.

— O escritório não deveria ficar em algum lugar mais ao sul de Mumbai? — perguntou Thomas. — Fica muito longe de onde tudo acontece.

— Eu o levei até aquela viela em Kamathipura. — Greer esclareceu.

Nigel deu risada.

— Meu rapaz, Kamathipura é só o começo. Existem pessoas que chamam a cidade inteira de Golpitha, o distrito dos bordéis. É só arranhar a superfície que você fica doente.

— Minha mulher é de Malabar Hill. Ela nunca disse isso. — Thomas falou.

— Não é uma coisa que gente mais abastada goste de discutir. — Nigel consultou o relógio. — Desculpa eu cortar a conversa de repente, mas tenho que finalizar um relatório. Venha me ver quando quiser alguma coisa para mantê-lo acordado durante a noite. Minhas histórias funcionam melhor que café.

Rachel Pandolkar, diretora de reabilitação, foi a última da lista de Jeff.

---

[14] Bebida à base de chá-preto temperado com especiarias, mel e leite. (N. T.)

[15] Grupo de segurança do serviço de inteligência britânico. (N. T.)

Era uma mulher indiana pequena de cerca de 35 anos, de feições gentis e grandes olhos. Ela estava ao telefone quando Jeff bateu à porta. Eles permaneceram um instante à porta de sua sala, esperando que ela encerrasse a ligação.

— Que bom ver você, Jeff — disse ela depois de desligar o telefone.

— Eu digo o mesmo, Rachel. Este é Thomas Clarke, o novo estagiário da área jurídica.

— Bem-vindo — disse ela. — Como posso lhe ajudar?

— Dê a ele uma visão geral dos casos pendentes — disse Jeff.

Rachel juntou as mãos.

— Atualmente temos 25 meninas, dez em casas de abrigo do governo e quinze em lares privados. Todas menores de idade. Nosso pessoal as visita semanalmente. Trabalhamos junto ao Comitê para o Bem-Estar Infantil para assegurar que tenham acesso a uma educação adequada, cuidados de saúde, supervisão e atenção.

— Eu não quero parecer cínico — interrompeu Thomas —, mas existem milhares de prostitutas menores de idade nesta cidade. Duas dúzias não parecem muita coisa.

Os olhos de Rachel brilharam.

— É um ponto de vista. Você tem uma ideia melhor?

— Não foi isso que eu quis dizer — Thomas se desculpou. — É que o problema parece avassalador.

Rachel concordou com a cabeça.

— Uma vez, alguém perguntou à Madre Teresa como ela lidava com a pobreza mundial. Sabe o que ela respondeu? "Você lida com o que está na sua frente." Isso se aplica aqui também. Os acadêmicos falam em estatísticas. Nós contamos histórias. O que desperta maior interesse?

Rachel deixou a questão no ar e olhou o relógio em sua mesa.

— É meio-dia, Jeff. Acho que podemos ir finalizando.

— Já é meio-dia? — Greer exclamou, pondo-se em pé. — Perdi a noção da hora.

Agradecendo a Rachel, ele conduziu Thomas de volta à área comum.

— Então, esse é o nosso trabalho — disse ele. — As coisas que eles colocam em brochuras são apenas um fragmento daquilo com que temos que lidar. — Ele dirigiu a Thomas um olhar avaliador. — Eu sei com o que você se comprometeu, mas preciso ter certeza de uma coisa: de que você é o tipo de pessoa em quem posso confiar. Se houver a menor dúvida em sua mente, considere a possibilidade de voltar atrás agora mesmo.

Thomas deu uma olhada em volta, nas pessoas arrumando suas mesas antes de ir embora para o feriado. Ele sentiu, ao mesmo tempo, atração e rejeição pelo que a Aces podia lhe oferecer. O lugar era cheio de camaradagem e desafios, mas totalmente despojado dos privilégios que ele esperara encontrar em sua carreira como advogado. A maioria dos profissionais de Direito, que trabalhava na Clayton, arrumaria uma desculpa para desistir. Mas ele já estava ali e tinha que ocupar um ano de sua vida. Não havia volta.

— Estou nessa — ele respondeu no seu tom mais sério. — Estarei aqui na segunda-feira.

Greer aquiesceu.

— Bem-vindo à equipe.

Capítulo 7

*"Alimentada por todos os lados, a fogueira
da natureza continua queimando."*
Gerard Manley Hopkins

Mumbai, Índia

Para Ahalya e Sita, o sótão no bordel de Suchir era uma prisão que lhes infligia tédio e medo, na mesma proporção. Nas longas horas de monotonia, o medo vinha quase como um alento, pois significava contato humano. Mas o alívio durava pouco. Cada vez que os degraus da escada rangiam e a maçaneta da porta girava, as irmãs trocavam um olhar que significava: o que querem de nós dessa vez?

Durante os dias que se arrastavam, quando o sol queimava acima da cabeça e as *beshyas* no andar de baixo dormiam, comiam, conversavam e discutiam, Ahalya tinha que lutar para manter vivas as esperanças da irmã. Ela contava à Sita histórias do passado, histórias que seus pais haviam lhe contado e também outras, sobre a Índia antiga, escrita por sábios. As narrações eram a única arma contra o desespero que as ameaçava. A cadência de sua voz fazia as irmãs viajarem para longe de Golpitha, pelo menos até que as escadas rangessem e a maçaneta girasse outra vez.

As histórias favoritas de Sita eram as do bangalô na beira do mar. Parecia que ela nunca se cansava de ouvir Ahalya evocar a voz de sua mãe, corrigindo sua gramática, ralhando com elas, para que mantivessem o quarto arrumado, e chamando as duas para ajudar com o jantar; ou a voz de seu pai, lhes ensinando os segredos do mar, das marés e da flora costeira, e lendo para elas trechos do *Ramayana*[16].

Toda manhã, a pedido de Sita, Ahalya recriava uma das formas *kolam* que Jaya costumava desenhar, usando grãos de arroz que guardavam da refeição da noite anterior. Os desenhos de Jaya eram de flores e símbolos indianos, cada um com um significado particular para ela. Os que Sita mais gostava eram os desenhos de flores, e Ahalya os traçava meticulosamente apenas com grãos de arroz.

Todas as noites, Sumeera trazia para elas um prato com arroz e *chutney*. Ela via os desenhos, mas nunca as repreendeu por desperdiçarem a comida, como fariam Suchir ou seu jovem tenente; agora as meninas o conheciam como Prasad. Ao contrário, muitas vezes ela ficava mais um pouco no quarto e lhes contava a história de sua vida.

Quando Sumeera saía, as irmãs comiam seu *dal* com as mãos, deixando apenas a quantidade de arroz necessária para o desenho *kolam* do dia seguinte. Sumeera voltava meia hora depois para recolher os pratos. Quando isso acontecia, a noite já havia caído sobre Kamathipura. Os primeiros clientes do bordel começavam a chegar poucos minutos depois de Sumeera lhes dar boa-noite. Elas reconheciam os homens pelos sons que escapavam dos quartos onde o sexo era praticado.

No período entre o jantar e a hora de dormir, as irmãs se sentavam no chão, de frente uma para a outra, e Ahalya contava histórias para Sita. E, a cada noite, quando percebia que os olhos da irmã estavam pesados de sono, Ahalya a acompanhava até a pia e elas lavavam as mãos e o rosto juntas. Depois disso, caíam na cama e adormeciam abraçadas, como faziam em casa. Sita parecia não ter dificuldade para pegar no sono, apesar do barulho do bordel. Mas a insônia mantinha Ahalya acordada.

Durante o dia, ela se distraía cuidando das necessidades de Sita. À noite, o desespero voltava e a vergonha se espalhava por todo o seu ser. Ela ficava deitada sobre o fino colchão se lembrando de Shankar e do jovem aniversariante, e ponderando os limites de sua coragem. Ela era forte, mas até quando poderia resistir? Chegaria o dia em que não teria mais histórias para contar.

* * *

Uma noite, algo tocou Ahalya. Ela abriu os olhos e tentou enxergar na penumbra. Olhou na direção da porta e sua vista começou a se ajustar. Havia

---

[16] Poema épico originalmente escrito em sânscrito, atribuído ao poeta Valmiki. Rico em alegorias, traz o conhecimento dos antigos sábios da Índia. (N. E.)

alguém em pé, ao lado de sua cama. Ela sufocou a vontade de gritar. Sita dormia a seu lado, sem perceber a presença do intruso.

O vulto se mexeu e ela sentiu um hálito quente em seu pescoço. Uma voz masculina sussurrou no seu ouvido, em híndi:

— Faça o que eu mandar sem nenhum ruído.

O homem procurou sua mão e a fez sair da cama. Ela tropeçou, mas ele a segurou, impedindo que caísse. Ele a conduziu até o andar de baixo. Ainda não totalmente desperta, mal se deu conta de que os gemidos haviam cessado e que tudo estava silencioso. Mesmo os costumeiros sons da rua pareciam emudecidos. Parecia que toda Mumbai estava adormecida.

Eles deixaram a escada, passaram pela porta secreta e o homem a empurrou para um dos quartos. Sua pele era áspera e suas mãos a agarravam com força. Ela bateu na beirada da cama e machucou o dedo do pé, mas conteve o choro porque o terror a dominava.

Ele a jogou sobre a cama e fechou a porta atrás de si. Tirou apressadamente a roupa e foi para cima dela, explorando seu corpo com as mãos. Ela se contorcia debaixo dele, tentando afastá-lo, mas ele era forte e conseguiu segurá-la pelo tempo necessário para conseguir o que queria. Quando um pequeno gemido escapou de seus lábios, ele tapou sua boca com a mão. Ele gemia como todos os outros, mas ela sabia que não se tratava de um cliente. Nenhum cliente podia passar a noite nem tinha acesso ao sótão. O homem era jovem e baixo. Não poderia ser Suchir.

Tinha que ser Prasad.

Quando terminou, ele ficou deitado a seu lado, respirando pesadamente. Ela cobriu novamente o corpo com seu sári e chorou em silêncio. O ato, em toda sua violência súbita e inexplicável, a deixou entorpecida pela vergonha.

Então, ele começou a falar, sussurrando palavras de amor e devoção, palavras roubadas dos poetas. Na sua boca, contudo, elas soavam nojentas. Ela resistiu ao desejo de bater nele, de enfiar as unhas em seus olhos e deixá-lo cego; sabia que isso não resolveria nada. Ela e Sita eram completamente indefesas contra Suchir.

No final, Prasad ficou em silêncio. Ele se virou para Ahalya e a beijou no rosto. Então, a tomou de novo pela mão e a conduziu de volta ao sótão. Prasad estava impressionado, isso era óbvio, mas essa paixão tola havia sido distorcida pela licenciosidade do bordel. Em Golpitha, amor era sexo e sexo era estupro. Ela compreendeu que ele não conhecia outra maneira de demonstrar afeição, então caminhou até o pé da cama e viu que a irmã continuava dormindo. Sabia que esta inocência de Sita não iria durar. Sita ainda não fora corrompida, mas era apenas uma questão de tempo.

Prasad se inclinou sobre ela e sussurrou:
— Este será nosso segredo. Não conte a ninguém.

Ahalya concordou, pelo seu próprio bem e pelo bem do estuprador, escorregou para debaixo das cobertas e observou Prasad sair do quarto sem fazer barulho, fechando a porta atrás de si. Os ruídos vindos da rua, agora, pareciam mais altos. Ouviu a buzina de um riquixá e a passagem barulhenta de um ônibus. A cidade estava despertando. O amanhecer se aproximava.

E, com ele, um outro dia.

* * *

Prasad procurou novamente por ela na noite seguinte e na noite depois dessa, enquanto as outras *beshyas* descansavam. Durante o dia, Ahalya manteve a rotina que ela e Sita haviam estabelecido. Ela sangrou um pouco, mas não excessivamente, e conseguiu disfarçar os machucados. Por dentro, no entanto, ela se sentia vazia. Quando contava as histórias para Sita, sua voz muitas vezes soava neutra e ela se esforçava para sorrir. Ficava indiferente enquanto desenhava os *kolam* de Jaya e não ria quando Sita contava uma das piadas de sua mãe.

Sumeera deve ter notado a tristeza de Ahalya porque, certa noite, depois de levar o jantar, se sentou no chão com as meninas e compartilhou uma lição religiosa que recordava de sua infância. Contou o que tinha ouvido de um brâmane andarilho, que se tornou sua salvação naquela casa.

— O desejo é meu inimigo — ela disse. — O desejo pelo passado, pelo futuro, por um amor, por uma família. Por tudo. Uma *beshya* tem que se desapegar de todos os sentimentos e aceitar seu carma. Você nunca será feliz aqui, mas não precisa ser triste.

Nessa noite, quando Sita adormeceu, Ahalya ficou olhando para ela com uma pontada de inveja. Ela se parecia com um daqueles anjos dos vitrais de St. Mary, com sua paz de espírito intocada. Ahalya se recostou no travesseiro e fixou o olhar no teto, certa do que a noite lhe traria. Ela não conseguia dormir porque sabia que ele viria novamente.

A noite se transformou em madrugada e os sons no bordel diminuíram. Ahalya permaneceu deitada, mas acordada, olhando para a porta. Ele veio como sempre. Os dois eram as únicas pessoas acordadas no bordel. Ele tocou seu braço e ela se levantou sem nenhum ruído. Não adiantava lutar, nem tentar resistir. A alcova estava lá, esperando por eles, a cama suficiente apenas para acomodar os dois corpos. Ela fez tudo o que ele pediu. Era vergonhoso e nojento, mas comprovou o que Sumeera havia dito. O desapego é a única saída.

Quando Prasad se sentiu saciado, ele saiu de cima dela e se virou para conversar. Ele a surpreendeu falando sobre sua família.

— Suchir é meu pai, sabia disso? Ele é pai de muitas crianças, mas eu fui o primeiro. Minha mãe era *beshya* e morreu quando eu ainda era garoto. Eu cresci nesta casa.

Prasad continuava a falar e Ahalya soube que Suchir o introduzira à masculinidade no seu aniversário de 13 anos. A menina tinha sido uma das aquisições mais jovens do *malik*. Seu nome era Manasi e Prasad, que esteve com ela no sótão diversas vezes, considerava que a garota fora seu primeiro amor. Ela permaneceu com eles até seus 19 anos, quando testou positivo para uma doença venérea.

— Não me lembro qual delas — disse ele —, mas não era HIV.

Quando Sumeera deu a notícia a Suchir, ele colocou Manasi na rua. Ela perambulou em torno da casa por semanas, implorando por comida, até que Suchir pagou um policial para levá-la para a cadeia. Prasad nunca mais soube dela.

Ahalya escutou atônita a confissão de Prasad e se sentiu revoltada. Para ela, ele era um demônio no corpo de um homem. Era profundamente perturbador o fato de ele parecer tão humano. E o pior — muito pior, na verdade — é que ela sentiu uma pontada de dor e pena quando ele lhe contou que a vida no bordel era tudo o que ele conhecia. Foi um momento de fraqueza, e ela logo descartou o sentimento. A dor entre as suas pernas era a lembrança de que os pecados que ele cometera não teriam perdão. Sua infância sofrida não era uma desculpa.

E nada poderia ser.

Quando Prasad terminou de falar, ficou deitado ao lado dela em silêncio, sem demonstrar que a levaria de volta ao sótão. Ele procurou sua mão e a apertou. A intimidade desse gesto lhe causou ânsia de vômito. Ela engoliu a bile que chegou até sua garganta e pensou em sua irmã. "O que vai acontecer quando Sita acordar e perceber que não estou ali?" Então, teve uma ideia. Era arriscado, mas ela precisava saber, e Prasad podia lhe dizer. Foi a primeira vez que ela se dirigiu a ele diretamente.

— O que Suchir pretende fazer com minha irmã? — perguntou ela.

— Sita é como você, é especial — disse ele. — Mas Suchir também vai aproveitá-la.

Ahalya controlou sua raiva.

— Quando?

— Breve — ele respondeu de forma enigmática e, então, a levou de volta para o sótão.

* * *

O dia seguinte era um domingo, o único dia da semana em que Golpitha parecia descansar. Com o café da manhã, Sumeera trouxera, também, uma caixa cheia de contas coloridas e cordões, e as irmãs passaram o dia fazendo bijuterias. Apesar do calor, Sita estava se divertindo, concentrada, quase alegre. Ahalya praticava a arte do desapego. A dor no baixo ventre era parte de sua existência, como as paredes em torno dela e o chão sob seus pés. Ela podia lamentar o seu carma ou podia considerar a dor um sinal de que sua vida ainda possuía um significado. Dependia apenas de uma escolha da mente.

Quando chegou o momento de contar a história da noite, Ahalya começou a narrar novamente um conto do *Mahabharata*[17], o grande épico do amor e da guerra. Sita, contudo, interrompeu e fez um pedido. Ela queria ouvir a história da heroína em homenagem a quem foi batizada. Ahalya respirou fundo. O conto era longo, e ela tinha dormido muito pouco nas últimas três noites.

— Tem certeza de que não quer ouvir a história sobre a grande vitória de Arjuna? — ela perguntou.

Sita meneou a cabeça.

— Você contou essa história ontem à noite. Quero ouvir sobre a vida da princesa de Mithila.

Ahalya suspirou. Ela nunca soube como resistir ao entusiasmo da irmã.

— Sita de Mithila — ela começou — era uma mulher de grandes virtudes. Contudo, em sua bondade, ela foi imprudente. Sem saber, ela confiou em Ravana, o senhor do mundo inferior, e ele a levou à força para a ilha de Lanka, onde permaneceu exilada, esperando ser resgatada pelo Senhor Rama e Hanuman.

— Fale-me sobre Hanuman — disse Sita, com os olhos brilhando de interesse.

— O deus-macaco recebera uma benção ao nascer — prosseguiu Ahalya. — Ele podia assumir o tamanho que desejasse, grande ou pequeno. E quando ficou sabendo que Ravana havia conduzido Sita pelo céu até a ilha de Lanka, Hanumam aumentou de tamanho e ficou tão grande que atravessou o mar a pé. Ele levou consigo o selo real de Rama e o entregou a ela. — Ahalya parou de falar quando ouviu o rangido da escada fora do sótão. As irmãs se voltaram para olhar a maçaneta. Ahalya esperava ver Sumeera realizando uma de suas tarefas domésticas, mas foi Suchir que elas viram entrar. Ele permaneceu em pé na soleira da porta, avaliando Sita, em silêncio. Seu rosto cheio de rugas permanecia impassível, mas seus olhos calculistas

---

[17] Épico indiano atribuído a Krishna Dvapayana Vyasaque, que normatiza o desenvolvimento espiritual no hinduísmo moderno. (N. T.)

fizeram a pele de Ahalya arrepiar. As palavras de Prasad retornaram a sua mente. "Sita é especial. Suchir também vai aproveitá-la."

Finalmente, o dono do prostíbulo falou para Sita.

— Venha.

Ahalya ficou desesperada, tentando intervir.

— Leve a mim. Deixe-a em paz.

Suchir se voltou para Ahalya e franziu o cenho.

— Você fica aqui — ele disse numa voz dura. Então, entrou no quarto e pegou Sita pelo braço. Sita olhou amedrontada para a irmã e seguiu Suchir até o andar de baixo.

O clique da porta secreta soou como um disparo de arma de fogo para Ahalya. Ela enterrou o rosto nas mãos e chorou. O sangue lhe subiu à cabeça e ela teve a sensação de que as paredes do quarto se fechavam sobre ela. A ideia de sua irmã deitada sob o corpo de um homem se contorcendo de luxúria tornou absurdo seu esforço para alcançar o desapego. Ela tremia, à beira de um colapso, tentando imaginar onde encontraria forças para consolar Sita depois do que acontecesse.

* * *

Suchir conduziu Sita através de um grupo de *beshyas* que tagarelava até o salão do bordel. Os negócios eram fracos aos domingos. Os homens ficavam em casa com a família, assistindo a jogos de futebol e críquete, e dormindo com as esposas.

Seguindo as instruções de Suchir, Sita ficou em pé sob as luzes, mantendo as mãos entrelaçadas para impedir que tremessem. Ela viu um homem de uns 35 anos sentado no sofá, vestido com roupas caras e um relógio de prata no pulso. O homem a avaliou abertamente, mas se manteve sentado.

— Suchir me contou que você é órfã — o homem falou em híndi. — Isso é verdade? — Sita fez que sim com a cabeça, se sentindo confusa.

— Ele disse também que você é saudável e que não está grávida.

Sita concordou novamente.

O homem se voltou para Suchir e eles trocaram algumas palavras em uma língua indecifrável. Finalmente, o homem concordou e apertou as mãos de Suchir. Deu uma última olhada em Sita e deixou o bordel. Durante a negociação, ele não fez nenhuma tentativa de se aproximar dela.

Sita se sentiu aliviada — extremamente aliviada — e, ainda assim, inquieta. Tanto o comportamento do homem quanto o de Suchir eram um mistério. Ela se lembrou da noite de Ano-Novo quando Shankar havia comprado a virgindade de Ahalya. Sumeera as tinha vestido com os mais finos *saris*, com joias e uma guirlanda de flores. As roupas eram um chamariz para o comprador, uma isca para seu dinheiro. Nessa noite, Suchir simplesmente apareceu e a levou do jeito que ela estava.

Sita seguiu Suchir escada acima até o sótão. Da porta do quarto ela pôde ver que Ahalya chorava. Ela correu até a irmã, arrumou o tecido de seu sári e chorou, mesmo não tendo sido violentada. Ela chorava pela morte de seus pais. E chorava porque sua irmã estava chorando.

Passado um tempo, se afastou da irmã e respondeu à pergunta não formulada por Ahalya.

— Nada aconteceu — murmurou. — Havia um homem no salão, mas ele não me tocou.

— Ele disse alguma coisa a você?

— Ele quis saber se eu era realmente órfã e se não estava grávida.

— E Suchir, o que ele disse?

— Não consegui entender. Eles não estavam falando em híndi.

De repente, os braços de Ahalya estavam em torno dela, abraçando-a e puxando-a para si.

— Rama olhou por você, florzinha — disse ela. — Ele a protegeu do perigo.

— Não foi Rama — Sita corrigiu —, foi o baba. Ele prometeu que sempre me protegeria.

Sita fechou os olhos e pensou no rosto de seu pai. O queixo largo, os cabelos grisalhos já falhando no alto da cabeça, os olhos com pontos dourados, cheios de sabedoria e bondade. Ele havia feito a promessa quando ela completara 5 anos de idade. E ela nunca duvidou dele.

— Você está certa — concordou Ahalya, alisando seus cabelos. — Foi o baba.

Capítulo 8

"Se você nunca viu o diabo, olhe para si mesmo."

Jalal-uddin Rumi

Mumbai, Índia

A primeira semana de Thomas na Aces foi de imersão nos estudos. Os dias começavam às 8h30 com uma reunião coletiva conduzida por Jeff Greer. Os três diretores de departamento faziam as atualizações de campo sobre as investigações que estavam sendo conduzidas, metas a serem perseguidas, casos prontos para irem a julgamento e a progressão ou regressão de meninas resgatadas. Não havia socos sobre a mesa, nem pintavam as coisas de cor-de-rosa. Com notícias boas ou ruins, os diretores da Aces não tinham paciência para atitudes sensacionalistas ou protelatórias.

Thomas percebeu nos primeiros dias na Aces que o trabalho era muito distante do que ele e seus colegas da Clayton tinham como estereótipo de causas sem fins lucrativos. As jornadas eram longas, o padrão de profissionalismo exigido era alto e, os casos, intelectualmente cansativos. Adicione-se a isso o perigo envolvido nesse tipo de atividade.

A Aces tinha poucos amigos em Mumbai e muitos inimigos poderosos. A maioria dos membros permanentes da equipe já havia sido ameaçada ou interpelada por um aliciador ou traficante, alguns deles mais de uma vez.

Sob alguns aspectos, a vida no departamento judiciário da Aces tinha pouca diferença daquela levada nas trincheiras da Clayton. Contudo, as semelhanças terminavam onde começava a aplicação da lei. As particularidades da jurisprudência indiana eram estranhas a Thomas, e o vernáculo da lei sofria com uma profusão de frases esquisitas e terminologia arcaica mantidas desde os tempos do *Raj*[18].

Thomas sempre tinha caneta e papel na mão para ir tomando notas, que, no final, o deixavam mais confuso do que esclareciam suas dúvidas.

Seu treinamento deu um salto quando Samantha Penderhook o convidou a revisar um relatório legal redigido por um dos advogados da Aces, de origem indiana. O caso envolvia um explorador de mulheres que operava um bordel improvisado na favela de Jogeshwari. Ele tinha um amigo que trabalhava no tráfico de meninas que vinham de pequenos vilarejos localizados bem ao norte da Índia. Ele as aliciava com a falsa promessa de lhes conseguir emprego como garçonetes ou babás, em Mumbai. O cafetão tinha cinco meninas trabalhando para ele quando a polícia, com a ajuda da Aces, acabou com sua operação. Todas as meninas eram menores de idade. Duas delas ainda nem haviam completado 13 anos. As evidências contra o homem eram pesadas. E, mesmo assim, o caso permaneceu pendente na Corte por quatro anos, e o cafetão ainda estava nas ruas.

O caso de Jogeshwari deixava clara a situação de crise no sistema judicial de Mumbai. O homem admitiu os crimes para a polícia, mas a confissão não foi aceita como prova porque havia a presunção de corrupção entre os policiais. O trabalho da polícia também havia comprometido o Relatório de

---

[18] Palavra em híndi que significa lei ou regra. É empregada para se referir à lei britânica que predominou durante a colonização. (N. T.)

Informação Primário (RIP) que eles prepararam na cena do crime. O RIP entrou em contradição com o testemunho dado por *pancha*, testemunho de terceiros que forneceu ao advogado do explorador de mulheres uma brecha para atacar a credibilidade do RIP e dos agentes da polícia.

Além disso, o julgamento havia sido um modelo de ineficiência. As vítimas foram chamadas a depor seis meses depois da invasão da polícia, mas o promotor teve que aguardar mais de dois anos até poder interrogar o cafetão. Depois de todo esse tempo, nem o juiz nem os advogados se recordavam ao certo do que as vítimas haviam dito. O único registro sobre o testemunho das vítimas era a palavra "depoimentos", digitada pela secretária do juiz em seu velho computador. Desafortunadamente, os "depoimentos" das vítimas entravam em contradição com as anotações feitas pelos advogados da Aces que assessoravam a promotoria.

E, no final, ainda havia o problema do idioma. As meninas vinham da região de Uttar Pradesh, próxima ao Nepal, e falavam um dialeto chamado *awadi*. Demorou dois meses para que a Aces localizasse um tradutor de *awadi*. Quando finalmente as meninas foram colocadas sob juramento, o tradutor admitiu ter problemas de audição. Embora estivesse bem ao lado delas, ele as interrompia incessantemente para pedir que repetissem o que haviam acabado de dizer.

Resumindo, o caso Jogeshwari fora um completo desastre. Depois de ler as anotações, Thomas foi até a sala de Samantha. Ela estava ao telefone, mas assim mesmo acenou para que ele entrasse.

Quando ela desligou o telefone, ele mostrou o relatório e perguntou:

— Isso é uma piada?

Ela sorriu.

— Não, não é piada. Eu avisei a você que trabalhar como advogado em Mumbai o deixaria louco.

Ele colocou sua revolta em palavras.

— Há quatro anos, esse cafetão estava vendendo meninas novinhas para seus amigos na favela e hoje seu advogado está argumentando que o caso deveria ser arquivado porque a polícia não conseguiu escrever uma frase que fizesse sentido no RIP, o tradutor não conseguia escutar o que as meninas diziam e a confissão do homem foi indevidamente influenciada por policiais, embora houvesse cinco testemunhas e dois testemunhos de terceiros, os *panchas*, que confirmaram que o cara simplesmente abriu o bico. Afinal, que tipo de trabalho essa corte de bobos realiza?

— É um circo — Samantha admitiu —, e é por isso que conseguimos um número tão pequeno de condenações. Mesmo quando as evidências são sólidas, o acusado se evade ou a vítima se recusa a testemunhar, ou o advogado move os pauzinhos com o juiz e prorroga o julgamento por tanto tempo que o processo começa a mofar.

— Se o sistema está quebrado, então por que fazemos isso?

Samantha fez um gesto para que ele se sentasse na cadeira em frente a sua mesa.

— Sente-se — depois que ele se sentou, ela continuou. — Tenho certeza de que você já ouviu a máxima de Edmund Burke que diz que o mal prevalece onde as pessoas de bem não fazem nada. É um grande clichê, do tipo que os políticos adoram usar em seus discursos e que os ativistas reproduzem em adesivos para carros. Mas Burke estava certo. Mumbai é um antro de criminosos porque as pessoas ficam sentadas e deixam as coisas chegarem a esse ponto. Quando a Aces abriu esse escritório, todo mundo dizia que fecharíamos as portas em um ano.

Ela fez uma pausa e passou a mão nos cabelos.

— Bem, ainda estamos aqui e, por Deus, nós fazemos a diferença. Os exploradores sexuais têm medo de nós. Os policiais começaram a pensar duas vezes antes de aceitar propina. Meninas que eram estupradas em cubículos até quinze vezes por dia, hoje estão se recuperando em nossos abrigos particulares. Ainda é pouco, mas é um começo. A pergunta que você deve responder é muito simples: você quer fazer parte disso?

Ela se inclinou para frente e colocou as mãos sobre a mesa.

— Imagino que Jeff fez para você o discurso sobre ir ficando pelo tempo que durar. Ele faz isso com todo mundo. Mas esse é meu departamento. Se você chegar ao ponto de querer desistir, eu posso interferir junto à sede. Não preciso lembrá-lo de que você não está sendo pago.

Samantha disse isso em tom de piada, mas Thomas não gostou. Se não fosse pelo covarde do Mark Blake e a exigência feita pela Wharton Coal, ele estaria em Washington, cobrando 325 dólares por uma hora de seu tempo. O trabalho da Aces era louvável, mas ele não embarcara nessa por razões morais. Ele era diferente dos outros voluntários. O submundo do tráfico humano o deixava enojado, com certeza, mas ele estabeleceu um caminho para sua carreira com um objetivo definido: a Corte Federal. Ele ficaria ali até o fim porque essa era a única maneira de cair nas graças da empresa outra vez.

— Não se preocupe — ele disse, já se levantando —, estou no mesmo barco que vocês.

— Foi o que eu pensei — Samantha sorriu —, então esse é o seu teste. Faça o relatório Jogeshwari cantar. Torne-o convincente a ponto de o juiz ter pressa em mandar aquele ordinário para a cadeia em Arthur Road.

* * *

No sábado à noite, Dinesh convidou Thomas para um jantar em Bandra com mais dois amigos. Os amigos de Dinesh eram solteiros e cheios de dinheiro, do tipo que foram estudar na Inglaterra. Eles se sentaram para comer na varanda do Soul Fry, um restaurante da moda que servia comida tradicional com um toque moderno.

Os amigos de Dinesh não demonstraram absolutamente nenhum interesse no trabalho de Thomas na Aces e passaram a maior parte do tempo fazendo perguntas sobre as mulheres norte-americanas. Thomas evitou o tema "Priya", imaginando que algum deles poderia conhecer sua família. Mas ninguém fez perguntas sobre ela, e Dinesh teve o bom-senso de não puxar o assunto.

Depois do jantar, os quatro subiram em dois riquixás e fizeram a viagem de vinte minutos até o clube favorito de Dinesh, um lugar chamado White Orchid. O clube ficava no terceiro andar de um prédio comercial, que abrigava também uma butique de roupas e uma agência de viagens.

À medida que o elevador subia, ele começou a ouvir um som abafado de compassos ritmados e vozes metálicas. Eles foram recepcionados em um saguão por três seguranças, que vestiam camisas brancas e calças pretas. Um dos amigos de Dinesh trocou um aperto de mãos com um dos seguranças e sussurrou qualquer coisa em seu ouvido. O homem fez que sim com a cabeça e indicou a entrada com um gesto. Ele conduziu o grupo até uma segunda porta.

Assim que entrou no White Orchid, Thomas percebeu que a principal atração não era a bebida nem a confraternização. O clube era circular e seu perímetro decorado com sofás de veludo e mesinhas quadradas. Homens de todas as idades se acomodavam nos sofás, bebericando drinques. No centro do salão, havia um palco de madeira com duas barras metálicas que iam do chão ao teto. Entre as barras, circulavam oito mulheres jovens enfeitadas como princesas, com ouro, joias e conjuntos elegantes. Diferentemente das dançarinas nos clubes de striptease norte-americanos, as jovens dali estavam completamente cobertas por roupas. Ainda assim, havia uma sensualidade inconfundível na maneira como se portavam, como olhavam para os homens e como dançavam.

As garotas se revezavam no centro do palco, e uma delas dançava de cada vez. As outras ficavam em pé cobrindo o salão apenas com o olhar. Se um homem gostasse de uma delas, ele lhe oferecia uma gorjeta. A garota então desfilava em torno do homem, pegava a nota com um sorriso e retornava para a fila nas barras. De vez em quando, um homem segurava um maço de rúpias nas mãos e piscava para uma garota. Atraída pela oferta mais generosa, a garota dançava apenas para ele. Em nenhum momento, contudo, a dançarina e seu admirador se tocavam.

Para fazer valer a regra, vários garçons musculosos ficavam em volta, observando qualquer sinal de impropriedade. Os garçons anotavam os pedidos e serviam as bebidas, mas sua principal tarefa era bastante óbvia. Thomas se sentou ao lado de Dinesh e tentou não parecer tão constrangido quanto se sentia. As garotas olhavam para ele, procurando algum sinal de interesse em seus olhos ou de dinheiro em suas mãos. As opções dele eram limitadas. Ele poderia ser rude com o amigo e ir embora do clube ou ficar e se comportar como os outros. Ele olhou para Dinesh. Seu amigo parecia relaxado e à vontade. Ele e os outros pediram drinques e mastigavam amendoins, oferta da casa. Thomas fez sinal para o garçom e pediu uma cerveja. Ele preferia que Dinesh o tivesse preparado para o que devia esperar da visita ao clube. Mas, se Dinesh tivesse feito isso, provavelmente ele não teria ido.

Thomas ficou observando enquanto uma garota vestida com um *salwaskameez* verde-esmeralda dançava sozinha. Ela era graciosa, com olhos em forma de nalini e a pele amendoada. Ela fechava os olhos e dançava de maneira tão sensual que mexeu com ele. Passado um momento, Thomas se deu conta de seu entusiasmo e virou o rosto, se sentindo culpado. Então, ele ficou pensando em uma maneira educada de pedir licença e sair, mas nada lhe ocorreu. Ele se sentia frustrado em relação a Dinesh e com raiva de si mesmo.

Por volta da meia-noite, um dos amigos de Dinesh se levantou de repente. Ele havia passado a noite gastando notas de quinhentas rúpias com uma das garotas que dançava na barra. Ele olhou para a garota e depois sinalizou para um dos garçons. Ele apertou a mão de Dinesh e se encaminhou para a saída. Enquanto isso, a garota também deixava o palco, saindo pelos fundos do clube.

— Para onde ele foi? — Thomas teve que gritar na orelha de Dinesh.

O amigo abriu as palmas das mãos, sinalizando que não sabia, mas Thomas logo compreendeu. Então, se recostou no sofá e ficou observando Dinesh. Ele se mostrava encantado com uma garota alta de cílios longos. Ele ofereceu a ela, no mínimo, três mil rúpias no decurso da noite, e ela havia dançado para ele algumas vezes. Agora ela estava na barra, girando ao som de uma música que Thomas conhecia vagamente. Dinesh pegou a carteira, retirou oito notas de quinhentas rúpias e mostrou a ela, como o falcoeiro chamando sua ave valiosa.

Os olhos da mulher brilharam e ela deslizou pelo salão até ficar na frente dele. Ela olhou fixamente para Dinesh e começou a dançar: primeiro as mãos, depois os braços e depois os ombros. Ela movimentava os braços na direção do corpo de maneira sensual. Thomas assistia à apresentação que se revelava a cada movimento e, então, viu o que ainda não tinha percebido. Ele estava presenciando um ritual tão antigo como o tempo.

Dinesh se voltou para ele e gritou acima do barulho:
— Você sabe como voltar para casa?
Thomas encontrou seu olhar e assentiu.
— Então, vejo você amanhã de manhã — Dinesh disse se levantando.
O garçom o acompanhou até a saída, ao mesmo tempo em que a garota saía pelos fundos do clube.

Observando os dois, Thomas soube o que aconteceria em seguida. Dinesh e a garota se encontrariam na rua e tomariam um táxi até um hotel qualquer na cidade. Na privacidade do quarto de hotel, Dinesh cairia sobre ela e só sairia quando se sentisse satisfeito. Depois, ela pegaria o dinheiro e iria embora. Outra noite, outro homem.

Ela usaria o dinheiro para alimentar seus filhos ou compraria um novo traje na Linking Road. Então, iria ao clube dançar outra vez. Provavelmente, amanhã mesmo, e no dia seguinte e no outro. Ela continuaria a representar o ritual e Dinesh seria esquecido.

Pelo menos até que pagasse para tê-la outra vez.

* * *

Thomas terminou de beber sua cerveja e deixou uma gorjeta de cem rúpias para o garçom. Dando boa-noite ao amigo de Dinesh que ficara para trás, ele deixou o White Orchid, com vergonha de si mesmo. Ficou imaginando o que as pessoas na Aces pensariam dele por ser condescendente com um lugar como aquele. Ficou imaginando o que Priya pensaria, se é que ela se importaria.

Ele chamou um riquixá e disse ao motorista que o levasse a Bandstand. Tentando não pensar no barulho do motor, ele tornou a considerar a ideia de sua mãe. Por duas vezes, na semana que passara, ele esteve a ponto de discar o número de Priya, mas desistiu no meio da tentativa. Como entender que o simples pensamento de olhá-la outra vez nos olhos deixava seu coração tão atemorizado.

Procurando algo para se distrair, ele pegou seu smartphone e verificou sua caixa de e-mails. Naquela manhã, ele havia enviado uma longa mensagem à mãe, para acalmá-la; ela sempre se preocupava demais, e para dizer ao pai que uma semana na Índia não havia alterado suas metas de longo prazo.

Elena respondeu ao e-mail:

Thomas, estou felicíssima de saber que você está em segurança. Seu pai saiu para ir atrás de sua nova obsessão. Desde que você viajou, ele tem lido sem parar sobre comércio sexual. O carteiro acabou de entregar uma caixa com livros que ele encomendou. Eu teria preferido um tema mais ameno para a conversa na hora do jantar, mas não reclamo. Fico feliz que ele não seja um tolo. Por favor, mantenha contato e volte logo para casa.

As palavras da mãe fizeram Thomas sorrir. Ele continuou a procurar na lista de mensagens não lidas. Entre as diversas entradas de spam, ele viu uma mensagem de Andrew Porter.

E aí, Thomas, eu achei que gostaria de saber que tivemos notícias da polícia de Fayetteville sobre o incidente que você mencionou. Ainda não tem nada de concreto, mas estamos investigando. O clima aqui está terrível, muita chuva e muito granizo. Sinta-se feliz por estar em um lugar quente. Invejo você.

Thomas começou a digitar a resposta:

Obrigado por me manter informado. Nesse momento, estou respirando fumaça de escapamento. Não estou propriamente no paraíso, mas acho que é melhor que o granizo.

Depois de enviar a mensagem, ele rolou a página mais para baixo na caixa de entrada e viu o nome dela. Ele fechou os olhos, se perguntando por que a vida tinha que ser tão complicada. Deveria ter dito a ela, com todas as letras, que estava tudo acabado. Ele até pensou em apagar a mensagem, mas a curiosidade falou mais alto.

Tera havia escrito:

Thomas, sei que sou uma boba, mas não consigo deixar de sentir sua falta. Onde você está? Os sócios não dizem nada além de que você tirou uma licença. Está fazendo muito frio aqui. Sinto saudade do seu calor.

Ele se recostou e ficou observando as luzes da cidade. Ela era uma garota decente e generosa. Ele havia encorajado seus sentimentos e depois a despachara sem nenhuma explicação. Ela era uma boba, verdade. Mas ele também.

Perdido em seus pensamentos, ele não percebeu quando o motorista do riquixá parou em frente ao edifício de Dinesh. O motorista se virou e olhou para Thomas mostrando o taxímetro. Thomas pagou a corrida e entrou no prédio. O elevador esperava por ele. Quando chegou ao apartamento do amigo, ele se serviu de uma dose de *brandy* e foi para a sacada, onde ficou de pé, próximo à grade, inalando o ar com cheiro de maresia e tentando entender o que estava acontecendo em sua vida.

Quando finalmente se cansou daqueles pensamentos, foi para o quarto e se despiu para deitar, ouvindo os sons de Mumbai que chegavam através da janela aberta. Ele se deitou e fechou os olhos. O sono, quando finalmente chegou, veio como um grande alívio.

* * *

Na segunda-feira, Thomas foi ver Nigel McPhee após a reunião da manhã. Um pensamento o estava perturbando desde que deixara o White Orchid e se intensificou depois que Dinesh voltara para casa, no domingo à tarde, com um sorriso tranquilo no rosto. Quando o fim de semana chegou ao fim, Thomas precisava de uma resposta.

Nigel fez um gesto para que Thomas se sentasse.

— Como posso ajudar?

Thomas foi direto ao ponto.

— Um amigo me levou até o White Orchid no sábado à noite.

— Ah — disse Nigel —, e imagino que você não estava preparado para o que viu.

Thomas sacudiu a cabeça.

— Como eu já disse antes, a cidade toda é um grande bordel.

— O que levanta a questão. O White Orchid não se parece com um bordel. E as moças não se parecem com escravas.

Nigel olhou pensativo para ele.

— Para você, que aparência deve ter uma escrava?

— Não tenho a menor ideia. Mas parecia que aquelas garotas queriam estar ali.

— As aparências enganam.

— Então, você está dizendo que elas são produto de tráfico?

— É mais complicado do que isso. A maioria delas já nasceu nesse meio.

— Como assim?

— Elas são meninas *Bedia*. As mulheres de sua casta vêm sendo prostitutas há séculos. Acredito que você tenha percebido que são todas lindas.

Thomas assentiu com a cabeça.

— Sua linhagem é um mistério. Mas suas histórias são sempre iguais. Seus pais as criaram para isso. Eles as trazem para cá quando chegam à adolescência e as colocam para dançar. Elas não são controladas como as garotas dos prostíbulos na zona sul da cidade. Elas têm vida própria. Elas têm dinheiro para gastar. Mas é complicado dizer que elas são livres. Porém, é a única vida que conhecem.

— E os clientes não sabem disso? — Thomas pensou em Dinesh.

Nigel deu risada.

— Os clientes não querem saber. Uma dançarina de barra é uma fantasia sexual. Os caras se convencem de que as meninas são apaixonadas por eles. Eles não estão pagando pelos serviços de uma prostituta. Estão dando uma lembrancinha para a namorada.

Thomas ponderou sobre as palavras de Nigel. Era uma lógica estranha, mas explicava o comportamento de Dinesh.

— Qual é a posição da Aces sobre esses clubes de dança?

Nigel sacudiu a cabeça.

— Lugares como o White Orchid são inalcançáveis. A polícia aceita propina dos donos de clubes e diz que as moças dançam porque querem. E pode ser que tenham razão. Os únicos clubes que conseguimos fechar ficam nos subúrbios, onde os cafetões mantêm as garotas prisioneiras.

— Sabe — disse Thomas —, minha mulher uma vez disse que Mumbai era uma cidade de *maya*. Estou começando a entender o que ela queria dizer.

Nigel concordou.

— Tudo é uma ilusão nesse lugar.

Thomas agradeceu e voltou para sua mesa. Pegou seu notebook e foi para a biblioteca da Aces, onde leu cada uma das decisões publicadas que conseguiu encontrar sobre processos contra o tráfico humano. Encontrou algumas citações que poderiam ser utilizadas no relatório Jogeshwari, mas era pouca coisa.

Por volta do meio-dia, voltou para sua mesa no departamento jurídico, determinado a dar forma às informações que estavam em sua mente. Ele rascunhou os principais pontos e então esboçou as ideias que tivera para os títulos e subtítulos. Meia hora depois, a estrutura lógica do argumento estava pronta. Ele deu uma olhada no relógio e deixou a mesa para ir almoçar.

De repente, ouviu o som de vozes alteradas vindas da área de operações de campo, que ficava do outro lado da sala. Embora os três departamentos — operações de campo, reabilitação e jurídico —compartilhassem uma vasta área comum, a maior parte das conversas era abafada pelo barulho de três grandes aparelhos de ar-condicionado, que ficavam ligados o dia inteiro.

Ele olhou e viu três agentes de campo indianos e uma outra funcionária entrarem na sala de Nigel.

— O que está havendo? — Thomas perguntou a Eloise, uma expatriada do Bronx, em Nova York.

Eloise colocou sobre a mesa o exemplar do *All India Reporter*[19] que estava lendo e olhou para o lado da sala onde se instalava, naquele momento, a divisão de operações de campo.

— O que houve, John?

O funcionário ergueu os olhos de seu computador.

— Rasheed recebeu uma dica. Duas meninas menores de idade em Kamathipura. Uma delas ainda "com selo". Nigel quer uma ação rápida.

O coração de Thomas acelerou.

— Quem vai fazer a incursão?

Eloise sorriu.

— Pergunte ao Greer. Pode ser que ele deixe você ir junto.

Logo depois, Nigel e seu grupo saíram da sala e ele foi conversar com Samantha. Um pouco mais tarde, ela apareceu e deu as notícias à equipe do departamento jurídico.

— Rasheed estava lá embaixo na M. R. Road ontem à noite. Ele encontrou uma garota que havia lhe passado informações antes. Ela contou que o dono do bordel onde trabalha havia comprado duas meninas menores de idade poucos dias antes da noite de Ano-Novo. Nós iremos lá essa noite. Deepak vai ser o falso cliente; por coincidência, ele conhece o dono do bordel.

Depois das atualizações fornecidas por Samantha, Thomas foi até a sala de Greer e o encontrou ao telefone.

— Momento emocionante — disse Greer ao desligar o telefone. — Rasheed está sondando o terreno para confirmar a dica.

— Você se importaria se eu fosse também? — perguntou Thomas.

Greer só precisou de um momento para pensar.

— Hoje é tão bom como outro dia qualquer para sua primeira missão.

* * *

Às 17 horas, depois de uma tarde atribulada de preparações, Greer e Nigel reuniram a equipe de campo que participaria da incursão. Haveria seis deles. Deepak, Rasheed e Rohit eram os agentes de campo que possuíam conhecimento sobre as atividades no interior do prostíbulo. Ravi era o agente de campo, que, em diversas ocasiões, acumulava a função de motorista do utilitário da Aces. Dev Ramachandra era o funcionário interno que investigava os casos. E Anita Chopra era a especialista em reabilitação escolhida para dar o suporte de que as meninas precisariam.

---

[19] Jornal independente, bastante tradicional e respeitado na Índia. (N. T.)

Nigel pediu a Rasheed as últimas informações. Rasheed se inclinou na cadeira.

— O que se sabe nas ruas é que Suchir comprou as meninas há duas semanas. Ninguém sabe de onde elas vêm, mas meu contato disse que ele faturou quase cem mil com a primeira garota. Ninguém sabe se a outra menina também já foi violada.

— Deepak — disse Nigel —, conte-nos sobre o interior do bordel.

— Tem a estrutura típica de um bordel — respondeu o agente de campo. — Que eu saiba, existe apenas uma entrada, que fica na frente. Já ouvi rumores sobre a possível existência de uma rota de fuga, mas nunca vi nada. O salão principal fica no terceiro andar. Os quartos para o sexo ficam atrás do salão. Suchir tem em torno de quinze garotas. O filho dele, Prasad, trabalha com ele. Sei que existe um quarto no sótão, mas não conheço o acesso até lá.

— Que nível de violência devemos esperar? — Nigel perguntou.

Foi Rohit quem respondeu.

— Nunca ouvi falar que Suchir andasse armado. Sua cafetina é bastante submissa. Prasad é o mais complicado. Ele é violento.

Nigel se dirigiu a Greer.

— Certifique-se de que a polícia saiba disso.

— Pode deixar. — Greer fez uma anotação em um bloco de papel. — Você sabe me dizer o quanto podemos confiar nos policiais de Nagpada? — ele perguntou a Dev. — Já faz um tempo desde a nossa última operação por lá.

— O inspetor Khan é incorruptível — respondeu Dev. — Os outros membros do seu esquadrão seguirão o caminho de menor resistência. Todos os policiais aceitam os cafetões, mas como têm medo de Khan, vão seguir suas ordens.

— Suchir é muito desconfiado? — perguntou Greer. — Ele vai verificar se nosso homem carrega uma escuta?

Deepak sacudiu a cabeça.

— Seu bordel nunca foi invadido. O que eu ouço é que ele paga *hafta* para a gangue de Chotta Rajan. Ele se acha imbatível.

* * *

O planejamento continuou até as 18 horas, quando a equipe saiu para jantar. Voltaram ao escritório por volta das 19 horas e se acomodaram em dois veículos para a viagem de quarenta e cinco minutos até a delegacia de Nagpada. Nigel lhes desejou boa sorte e ficou para trás.

Durante a viagem, Greer telefonou para o inspetor Khan. Foi informado de que Khan havia selecionado um grupo de seis policiais, ou *halvadars*, para acompanhá-lo. Para impedir que um dos homens pudesse contar algo a Suchir, o inspetor não lhes contou quem seria o alvo dessa vez. Ele somente o faria a caminho da ação. Khan também conseguiu que dois *panchas* de outra ONG os acompanhasse. A polícia usaria três viaturas e dois camburões. Se fossem muitas meninas, eles teriam que transportá-las até a delegacia.

— Está tudo caminhando bem — disse Greer a Thomas quando desligou o telefone. — Khan está fazendo jus a sua reputação.

A viagem de Khar até Nagpada passa pela parte central do sul de Mumbai, pela favela Dharavi, que brilhava com as pilhas de lixo queimando e uma infinidade de lâmpadas penduradas, por ruas infestadas de táxis de Dadar West e Lower Parel, e pelas estreitas ruas de Nagpada.

Eles estacionaram em uma rua distante uma quadra da delegacia e foram a pé o restante do caminho. O inspetor Khan os recebeu na entrada e os conduziu até uma sala abarrotada de mesas metálicas e estantes de livros que iam de parede a parede. Ele pediu para dar uma olhada no equipamento de Deepak, e o agente de campo abriu uma sacola e retirou uma pequena câmera de vídeo disfarçada de botão de camisa e o cabo de áudio, que ele colaria na barriga. Khan aprovou o equipamento. Então, colocou a mão no bolso e entregou um envelope a Deepak.

— Vinte mil rúpias — disse ele — com os números de série anotados em meu computador.

Deepak passou o envelope para Jeff, que contou as notas.

— Os *panchas* logo estarão aqui — prosseguiu o inspetor. — Meus homens ainda não sabem de nada. Vou trancar a porta que dá acesso a essa sala. Partiremos às 21h45.

Thomas ficou observando enquanto Rasheed ajudava Deepak a colocar a câmera e o cabo de áudio. Os equipamentos eram tão pequenos que se confundiam com a roupa.

Os *panchas* chegaram um pouco depois das 21 horas. Eram indianos nativos e aparentavam ter cerca de 30 anos. Em um inglês aceitável, o homem se apresentou como Kavi e, a mulher, como Mira. Rashid contou sobre os planos falando rapidamente em híndi.

A certa altura, Greer consultou o relógio.

— Está quase na hora — disse ele.

— Geralmente faço uma oração antes de partir. Você se importa?

— Fique à vontade — respondeu Thomas. — Eu fui criado como católico.

Fechando os olhos, Greer fez uma breve prece, pedindo proteção e sucesso na empreitada. Então, ele olhou para a porta, onde já estava o inspetor Khan. Todos caminharam até o saguão, onde Khan os apresentou a sua equipe. Havia seis policiais no grupo destacado para a invasão do prostíbulo. Todos armados com cassetetes de madeira, chamados *lathis*, e dois dos homens carregavam antiquados rifles.

O inspetor ergueu a voz para que todos pudessem escutar.

— Nós ficaremos na Bellasis Road até que Deepak nos mande o sinal. Ninguém deve sair antes disso. Eu vou na primeira viatura. Se alguém se atrever a sair na minha frente, eu lhe arranco o distintivo. Fui claro?

Ouviram-se, então, grunhidos e murmúrios de concordância. Os *halvadars* em seus uniformes cáqui se mostravam nervosos e inquietos, e dois deles olharam para os lados, para Jeff e Thomas, e mal disfarçavam seu desdém.

Khan encarou cada um de seus homens.

— Não me interessa de onde vocês vieram nem o que vocês pensam. Concentrem-se nas meninas que vamos resgatar como se pensassem em suas próprias filhas. Façam seu trabalho. Alguma dúvida?

Ninguém se manifestou.

— Então vamos — disse ele.

Capítulo 9

"Nós ultrapassamos os limites mais longínquos da escuridão; / A Aurora espalha sua luz radiante como uma teia."

Rig Veda

Mumbai, Índia

Eram 22 horas quando a maçaneta da porta do quarto, no sótão, girou. Dessa vez, apenas Sumeera veio buscar Ahalya. Ela se sentou na cama, com os cabelos desalinhados e o rosto coberto de lágrimas. Sita tinha sido levada havia vinte minutos, mas, para Ahalya, pareciam mil anos.

Como sempre, Suchir havia surgido sem aviso e se foi com sua irmã.

Ahalya não ficou surpresa. Ela havia passado o dia aterrorizada, sabendo que o momento se aproximava. As promessas de baba não podiam proteger Sita das regras do bordel.

— Venha — disse Sumeera, pegando Ahalya pelas mãos. — Um cliente precisa de você. E não pode parecer tão triste.

"Então esta noite eu vou ser vendida também", pensou ela. O horror que isso lhe causava a deixou entorpecida.

Ela vestiu seu traje de sedução e foi atrás de Sumeera pelas escadas, colocando os braços em torno de si, como para se proteger do toque das mãos de um estranho. Havia apenas uma *beshya*, a mais velha e menos atraente, olhando para ela no corredor. A maioria dos quartos estava ocupada. Ahalya prestava atenção em cada porta pela qual passava, tentando ouvir a voz de Sita entre os gemidos de prazer dos homens. Ela apertou os punhos. "Como podem fazer isso com ela? É apenas uma criança."

O homem sentado no sofá do salão era jovem e tinha barba. Suchir se manteve encostado na parede, do outro lado do salão, e acendeu as luzes sobre ela. Como das outras vezes, Ahalya ficou tonta com a claridade.

— Uma verdadeira *rampchick* — falou, levantando e caminhando em sua direção.

— Suchir, você é sempre muito exigente.

— Eu a entrego a você por dez mil.

— Tão caro assim, meu amigo? Quantas vezes ela já esteve com um homem?

— Apenas duas vezes. Ela não foi muito usada.

"Então Prasad manteve o segredo", Ahalya pensou com raiva. "Suchir não faz ideia que seu filho esteve comigo a maior parte da semana."

O homem andou em torno de Ahalya e, então, ficou em pé diante dela. Ela não o encarou.

— Vou ficar com ela — disse ele, finalmente. — Mas quero usar o quarto de cima. É mais confortável.

— Certamente — concordou Suchir. Ele olhou para Sumeera e ela saiu em silêncio.

O homem entregou a Suchir um maço de notas e pegou a mão de Ahalya. — Venha, princesa — ele murmurou.

Ahalya estremeceu e seguiu atrás dele. Com exceção de uma, todas as portas do corredor estavam fechadas, e ela não viu sinal de Sita.

Quando chegaram ao quarto do sótão, Sumeera estava ajeitando os lençóis. Ela afofou os travesseiros e se postou ao lado de Suchir. O dono do prostíbulo desejou ao homem de barba bom divertimento e fechou a porta pelo lado de fora.

O homem sinalizou para que Ahalya fosse até a cama e tirou seu telefone celular.

— Só um momento — disse ele, apertando o teclado uma vez. Ele pôs o celular no ouvido e depois interrompeu a ligação. — Não tem ninguém em casa.

Ahalya se sentou na cama e ficou olhando os lençóis. Ela esperava que o homem fosse desabotoar as calças e acariciar seu rosto como Shankar havia feito. E depois pediria a ela que tirasse a roupa. Mas ele não fez nada disso.

— Como você se chama? — perguntou ele, gentilmente.

A pergunta a penetrou como uma faca. Seu nome. O presente de seu pai, seu significado: "sem imperfeição". A mulher, em homenagem a quem tinha sido batizada, era um modelo da beleza feminina, a esposa casta de um nobre brâmane, seduzida pelo deus Indra e amaldiçoada pelo marido devido a sua infidelidade. O paralelo entre sua vida e a de Ahalya do *Ramayana* era surpreendente, ainda que houvesse uma profunda diferença: a Ahalya do conto tinha sido resgatada da pedra que a mantinha cativa.

— Meu nome é Deepak — ele prosseguiu quando ela não respondeu — e não vou machucar você.

Ele permaneceu sentado, sem fazer um movimento em direção a ela, que olhou para ele sem entender.

Segundos depois, começou uma confusão no andar de baixo. Barulho de pancadaria, seguida de gritos e as vozes agitadas dos homens. Ahalya pôde ouvir Sumeera gritando ordens. Passos foram ouvidos subindo as escadas que levavam ao sótão. Deepak correu até a porta e a segurou com o corpo. Alguém girou a maçaneta tentando entrar. Como não conseguiu, o homem — para Ahalya pareceu ser Prasad — gritou um palavrão e jogou o peso do corpo contra a porta.

Deepak fez uma careta, mas se manteve firme.

* * *

Thomas permaneceu ao lado de Greer observando do outro lado da rua enquanto os policiais de Nagpada começavam a invasão. O inspetor Khan algemou Suchir, que não ofereceu resistência e, então, conduziu três de seus homens para o interior do prostíbulo. Após prender Suchir no camburão, o restante do esquadrão de Nagpada entrou no bordel com os *panchas*, para anotar nomes e depoimentos.

Enquanto isso, Greer e Dev conversavam rapidamente com os agentes de campo da Aces e incumbiam Rasheed e Rohit de verificar as vielas em torno, para o caso de uma tentativa de fuga por uma rota alternativa. Eles se separaram e desapareceram na multidão.

O trânsito na M. R. Road ficou mais lento enquanto *táxi-wallas* e curiosos tentavam ver um pouco do que estava acontecendo. Cafetões e proprietários de outros bordéis ficaram na periferia, avaliando a gravidade do perigo. Murmúrios de descontentamento começaram a pipocar entre as pessoas que observavam. Muitos encaravam Thomas e Greer com suspeição e até mesmo hostilidade no olhar. A multidão começou a pressionar, loucos por um enfrentamento. Dev olhou para Greer.

— Acho melhor a gente sair daqui antes que a coisa fique feia.

Greer fez que sim com a cabeça e sinalizou para que Thomas fosse atrás deles.

Anita trouxe a retaguarda.

Quando o contingente da Aces entrou no bordel, o salão já estava lotado de gente: policiais, garotas, clientes, *panchas* e Prasad, que gritava obscenidades. Quando viu os norte-americanos, atirou sua revolta contra eles. Ele abriu caminho entre as pessoas e se plantou diante de Greer. Sua roupa cheirava a cigarro e colônia barata.

— *Bhenchod!* — disse ele, cuspindo sumo de pimenta betel na camisa de Greer.

Greer se afastou quando um dos policiais algemou Prasad e o forçou a se sentar em um canto do salão.

Thomas olhou o jovem tenente do bordel e sacudiu a cabeça.

— O quê? — disse Greer, percebendo o gesto.

— Eu estou reconhecendo aquele ali. Ele estava na rua quando passamos aqui uns dias atrás.

— É verdade — respondeu Greer —, coincidência interessante.

Eles seguiram Dev pelo salão até o corredor em que ficavam os quartos. Dev se dirigiu a Khan, que estava tomando o depoimento de uma *beshya* encolhida na soleira de uma das portas.

— O senhor viu Deepak? — perguntou.

Khan fez que não com a cabeça.

— Ele provavelmente está em algum lugar no andar de cima, mas ainda não tive tempo de procurar a passagem secreta.

— Podemos tentar? — perguntou Dev.

— Por favor — e voltou a falar com a garota, apavorada.

— Vou chamar um dos *panchas* — disse Greer. Olhando para Thomas ele explicou. — Isso é fundamental. Se não fizermos tudo direitinho, amanhã mesmo Suchir já estará operando o bordel novamente.

Depois que Greer retornou com Mira, Dev foi em frente no corredor, abrindo cada uma das portas. Todos os quartos eram idênticos, e parecia improvável que levassem a uma câmara escondida. Ele foi até o final do corredor e examinou a estante. Não encontrou nada. Dev, então, apalpou o lado esquerdo e percebeu uma parte oca na madeira. Ele empurrou para baixo e ouviu um mecanismo desengatar.

— Consegui! — disse ele.

Khan se juntou a eles, enquanto Dev puxava a estante. Esgueiraram-se pela passagem e chegaram à escada escura. Eles ouviram o som abafado da voz de um homem. Dev subiu as escadas, com Mira, Greer e Thomas em seu encalço. Dev bateu na porta no alto da escada.

— Deepak?

Do lado de dentro, Deepak relaxou e soltou a porta. Ele se virou para Ahalya, que permanecia sentada na cama sem se mover.

— Meus amigos chegaram — disse ele. — Logo você estará em segurança.

* * *

Ahalya ficou olhando enquanto um grupo de pessoas estranhas, alguns de uniforme outros em roupas civis, entrou no quarto. Uma mulher indiana veio até ela e se apresentou como Anita. Ela se sentou na cama e prometeu ficar com Ahalya até que ela estivesse segura. Ahalya olhou com intensidade para o policial uniformizado. Pela primeira vez, desde que Suchir veio buscar Sita, ela sentiu uma ponta de esperança.

Um dos policiais se aproximou de Deepak e conversou com ele em uma língua que ela não conseguiu entender. Deepak sacudiu a cabeça. O policial se virou para Ahalya e falou com ela na mesma língua incompreensível. Ela olhou para ele sem entender, e ele começou a falar em híndi.

— Eu sou o inspetor Khan da polícia de Nagpada — disse ele. — Recebemos a informação de que havia duas meninas menores de idade aqui nesse bordel, e não uma. Onde está a outra menina?

Ahalya olhou nos olhos de Khan, pensando que devia haver algum mal-entendido.

— Minha irmã, Sita — disse ela —, que está lá embaixo.

Khan foi até a porta e gritou uma ordem. Depois de alguns segundos, surgiu outro policial. Eles trocaram algumas palavras e Khan se virou novamente para Ahalya.

— Existem quinze meninas lá embaixo, mas nenhuma delas se chama Sita.

As mãos de Ahalya começaram a tremer. Ela olhou para Khan, tentando compreender as implicações do que acabara de dizer, se levantou da cama e se dirigiu para fora do quarto. Khan ficou tão surpreso que não tentou impedi-la. Ela desceu as escadas e revistou cada um dos quartos, buscando algum sinal de sua irmã.

Quando chegou ao salão, ela se espremeu no meio da multidão, procurando, no meio daquele mar de rostos, o olhar de sua irmã. As *beshyas* estavam todas juntas em um canto do salão, mas Sita não estava entre elas. Ahalya abriu caminho até Sumeera, que observava o frenesi com olhos cansados.

— Onde está Sita? — Ahalya quis saber. — O que vocês fizeram com ela?

Sumeera olhou em volta e se virou para Ahalya. — Ela se foi — disse, simplesmente.

Ahalya sacudiu com força a cabeça, tentando não encarar a verdade.

— Não, você está enganada. Suchir veio buscá-la há uma hora. Ela deveria se encontrar com um cliente.

Sumeera baixou os olhos, sem dizer nada.

Um enorme terror tomou conta de Ahalya. Ela caiu de joelhos e começou a balançar o corpo para frente e para trás. Lágrimas escorriam por seu rosto. Ela puxou o sári de Sumeera.

— Para onde ela foi? — ela implorou, soluçando, mas a *gharwali* não respondeu. — Como pôde fazer isso? — ela gritou. — Você não tem coração?

Sumeera soltou os dedos de Ahalya com delicadeza. Então, se ajoelhou e disse calmamente, olhando Ahalya diretamente nos olhos.

— É assim em Golpitha.

PARTE DOIS

Capítulo 10

"Em noite de trevas vivem aqueles para quem somente o mundo exterior é real."[20]

Isha Upanishad

Mumbai, Índia

Quando se encontrou com ele novamente, Sita se lembrou. Era o mesmo homem que havia estado no bordel na noite anterior. Ele vestia as mesmas roupas caras e o mesmo relógio de prata. Estava sentado em um sofá, com uma mochila a seu lado. Ele se levantou e ergueu a mochila, dizendo a Suchir:

— Cem mil. Como sempre, dois terços agora, um terço depois que a menina fizer o serviço. — Ele fez uma pausa. — Pode contar, se quiser.

— Não será necessário. Você já conquistou minha confiança, Navin.

Navin balançou a cabeça concordando e pegou Sita pela mão.

— Hora de ir, Sita — disse ele, pronunciando seu nome com a familiaridade de um primo.

Sita pareceu não entender o que estava acontecendo e, então, disse: — Não posso deixar minha irmã — ela disse, desesperada. — Por favor, não me separe dela.

Navin olhou para Suchir e depois novamente para Sita.

— Quem sabe eu levo sua irmã da próxima vez. Mas hoje eu só comprei você. Se você se comportar, sua vida será boa. Sem cafetão, sem cafetina e sem sexo com estranhos. Mas, se resistir, você vai se arrepender.

Ele a segurou novamente pela mão e saiu para a rua poeirenta envolta pela escuridão da noite. Um veículo preto esperava estacionado. Navin abriu a porta

---

[20] Este texto foi transmitido pela tradição oral antes da criação do alfabeto sânscrito e tem cerca de 3.500 anos. *Isha Upanishad* (O ser infinito). Tradução de Pedro Kupfer. (N. T.)

de trás e sinalizou para que Sita entrasse. Ela sacudiu a cabeça, com os olhos brilhando de terror. Com um suspiro, ele a segurou pelos ombros e a empurrou para dentro do carro. Ela se sentou, ficou imóvel e chorou lágrimas silenciosas.

Na direção, estava um homem grande, que não prestou atenção ao que estava acontecendo. Navin se sentou ao lado do homem e disse:

— Nova Mumbai. George disse 22 horas. Não podemos nos atrasar.

O motorista grunhiu qualquer coisa e saiu acelerando pela viela estreita. Eles viajaram por vários minutos antes de atravessar uma longa ponte sobre a baía e entrar em outra parte da cidade. Em uma esquina sem nada de especial, perdida entre um aglomerado de ruelas, o motorista parou o carro e Navin desceu segurando uma mochila. Pela janela, Sita viu um homem negro desengonçado aguardando nas sombras e segurando um pacote coberto com um pano. Navin se aproximou do homem e conversou rapidamente. Ele entregou ao homem a mochila e recebeu um pacote. Então, voltou para o carro. Ele olhou para Sita.

— Por que você está chorando? — perguntou, parecendo aborrecido.

Sita fechou os olhos, com medo de encará-lo. Parecia que a noite se fechava sobre ela. Quem seria esse homem? Por que ele a havia separado de Ahalya? E as palavras encontraram seu caminho até a boca, antes que ela conseguisse retê-las.

— Por favor, me deixa voltar para junto de minha irmã — ela implorou —, por favor.

Navin balançou a cabeça e falou um palavrão.

— Leve-me para casa — disse ao motorista. O grandão assentiu e tornou a pôr o carro em movimento.

Sita cruzou os braços em volta do peito para suprimir os soluços que estavam prestes a explodir. Ela ficou olhando as luzes da cidade passando rápido como um borrão, e tentou não pensar no pacote que Navin carregava no colo. Mas, quando ele o desembrulhou, a curiosidade venceu. Dentro do pacote havia um saco plástico, e dentro dele um pó marrom. Ele abriu o pacote e aspirou.

— George deve ter sido um brâmane na outra encarnação — exultou ele. — O pó dele é como o suco do deus Soma[21].

"Drogas", pensou Sita, sentindo o medo retornar.

Eles atravessaram novamente a longa ponte e retornaram à parte baixa de Mumbai. Depois de passarem pelo aeroporto internacional, viraram em uma rua imunda que levava a um condomínio de apartamentos. O motorista

---

[21] Soma é um deus hindu relacionado ao suco de plantas que pode embriagar. (N. E.)

estacionou o SUV e Navin puxou Sita do banco de trás. Ela seguiu com ele sem dizer uma palavra. A visão da droga a assombrava.

Eles tomaram o elevador até o último andar do edifício e o motorista abriu a porta de um apartamento modesto. Sita seguiu Navin até um quarto pequeno, mobiliado com um colchão colocado sobre uma estrutura de ferro. Ela se sentou na cama e ficou olhando para as paredes. Ouviu Navin perguntar se precisava usar o banheiro, mas não respondeu. Ele tornou a sacudir a cabeça, claramente irritado, e, então, saiu do quarto, trancando a porta atrás de si.

Ela abraçou o próprio corpo com força, apertando os dentes para lutar contra o medo e o sofrimento que sentia, mas, dessa vez, a pressão foi grande demais. Ela dobrou o corpo e começou a soluçar. Sua família estava morta. Ahalya não estava mais ali. Ela estava sozinha em um apartamento em Mumbai com um homem desconhecido que lidava com drogas.

* * *

Navin a mantinha trancada no quarto, exceto para levar suas refeições e permitir que ela usasse o banheiro. Sita nunca falava quando ele entrava no quarto. Ficava só sentada, com as costas voltadas para a parede, olhando para o vazio através da janela. A monotonia das horas era quase insuportável. A única interrupção, em intervalos regulares, vinha dos aviões decolando e aterrissando no aeroporto. Ela se pegou contando o tempo entre partidas e chegadas. De vez em quando, ela ficava imaginando o rosto dos passageiros e pensando de onde ou para onde estavam indo.

Depois de três dias nessa rotina, Navin entrou no quarto com uma cadeira e se sentou de frente para ela. Ele trazia também um cacho de grandes uvas e um pote com óleo de coco.

— Nós viajaremos amanhã à noite — começou ele. — Você tem que fazer exatamente o que eu mandar. Se você me obedecer, eu a levarei para um lugar melhor. Se não, você pode morrer.

Sita não conseguiu processar suas palavras de imediato. As horas de confinamento haviam sido tão longas, que ela parecia incapaz de perceber alguma coisa. Ela olhou para as uvas quando compreendeu o que ele havia dito. E, subitamente, o tédio foi substituído pelo medo. "Viajar"?, pensou ela. "O que será que ele quer dizer com eu poderia morrer?" Ela finalmente olhou para ele e percebeu que estava zangado.

— Sua irmã está perdida — disse ele com irritação na voz —, ela é uma *beshya*. Você não é mais. Então, pare com esses resmungos ridículos.

Ela olhou novamente para as uvas.

— Para onde estamos indo? — murmurou ela.

Navin tentou se recompor.

— Você logo saberá. — Ele fez uma pausa. — Você já tentou engolir uma uva inteira?

Sita arregalou os olhos e balançou a cabeça energicamente.

— Então, terá que praticar. Você tem vinte e quatro horas para aprender. Pode usar esse óleo como lubrificante. Ficará mais fácil.

Ela ficou olhando enquanto ele puxou uma uva do cacho e a mergulhou no óleo de coco até ficar com a casca brilhante. Ele ofereceu a ela. Mas ela não pegou.

— Por que tenho que fazer isso? — ela perguntou, olhando com pavor para aquela uva melada.

Ignorando a pergunta, ele levou o corpo para frente, abriu a mão dela e colocou a uva.

— Você vai ter a sensação de que está sufocando, mas tem que superar a vontade de vomitar. Conseguir engolir a uva é uma questão de concentração mental.

Sita sentiu a uva em sua mão. Estava escorregadia e estranhamente pesada. Ela pensou em Ahalya e ficou imaginando como ela reagiria a essa imposição. E decidiu que Ahalya se mostraria forte. Faria o que fosse necessário. E assim sobreviveria. Sita colocou a uva na boca, sentindo o gosto oleoso em sua língua.

— Não, não — interrompeu Navin. — Primeiro você inclina a cabeça para trás, como se fosse olhar para o teto. Isso ajuda a abrir a garganta.

Seguindo as instruções dele, ela sentiu a uva deslizar mais fundo em sua boca. Ela engasgou violentamente e sua garganta parecia queimar. Navin esperou que ela recuperasse o fôlego e mergulhou outra uva no pote com óleo.

— Você vai aprender — disse para encorajá-la. — As outras conseguiram.

Com as mãos trêmulas, Sita tentou pela segunda vez e quase conseguiu, até que o reflexo a fez engasgar novamente e ela ficou tendo espasmos. Ela escorregou da cama e caiu sobre os joelhos, com ânsia de vômito.

— Não consigo — choramingou.

— Consegue sim.

Ela tentou novamente e, dessa vez, a uva deslizou lentamente até a garganta e conseguiu engolir. Então, respirou fundo e fechou os olhos, aliviada, apesar de horrorizada.

— Muito bem — cumprimentou Navin —, você aprendeu rápido. Eu vou voltar a cada três horas e trazer mais uma uva, até que você consiga engolir como se tivesse feito isso desde que nasceu.

O estômago de Sita fazia uns barulhos estranhos e sua garganta doía, por causa do esforço, mas ela conseguiu fazer como ele havia ordenado que fizesse. Ela não tornou a perguntar sobre seus motivos. Finalmente, compreendeu que ele era seu dono e podia fazer com ela o que quisesse.

* * *

Na quinta-feira, Navin entregou a Sita o almoço e lhe disse que essa seria sua última refeição por mais de vinte e quatro horas.

— Mas não se preocupe — disse ele —, farei com que você seja bem alimentada quando chegarmos ao restaurante do meu tio.

Naquela noite, aproximadamente duas horas depois do pôr do sol, ele permitiu que ela tomasse banho e lhe entregou um moderno *churidaar* azul e um par de sandálias. Quando ela estava limpa e vestida, ele a colocou em frente a um espelho e lhe entregou um estojo de maquiagem.

— Você deve se pintar como se fosse uma atriz de cinema. Precisa ficar com a aparência de quem tem 18 anos. Você consegue fazer isso?

Sita refletiu por um momento e assentiu com a cabeça. Ela aplicou uma base, *blush*, delineador e rímel nos olhos, até ficar com o rosto de uma mulher jovem.

Quando ela terminou a maquiagem, Navin verificou a imagem dela no espelho.

— Você fez um trabalho excelente — ele disse. — Agora, venha comigo.

* * *

Sita seguiu Navin até a sala de estar. Na televisão, passava um jogo de críquete entre a seleção da Índia e a da Inglaterra. Ela obedeceu quando ele mandou que se sentasse no sofá, e então ele se sentou a seu lado. Na mesa de centro havia diferentes objetos — três caixas de preservativos, o saco com o pó marrom que ele havia trazido das ruas, uma tesoura, uma colher bem pequena, um pote com óleo de coco, um carretel com linha fina e uma fita adesiva.

Sita olhava aquelas coisas com uma sensação crescente de desconforto, enquanto Navin pegava um preservativo e cortava uns oito centímetros a partir da extremidade. Ele descartou a parte de cima, encheu a colherinha com um pouco de pó e derramou com cuidado dentro do que restava do preservativo. Quando o preservativo ficou cheio pela metade, ele o comprimiu com os dedos e fechou a ponta com fita adesiva. Cortou dois pedaços de elástico e usou primeiro para amarrar a extremidade aberta do preservativo, entre a heroína e a fita adesiva. Depois de retirar o elástico, ele puxou o látex para trás, tornando a envolver a heroína, e fez outro nó nessa ponta com um pedaço de linha. Aparou o que sobrou de látex com a tesoura e colocou o pacotinho feito com o preservativo sobre a mesa. Ficou parecido com uma cápsula com quase três centímetros de comprimento e dois de largura. Desse modo, ele fez trinta cápsulas.

Quando ele acabou de montar as cápsulas, só havia vestígios do pó na embalagem. Depois, ele saiu da sala e retornou segurando um grande copo-d'água e um comprimido. O remédio, disse ele, era um antilaxante, que reduziria a velocidade da digestão. Ele disse a Sita para bebê-lo, junto com toda a água. Então, ele pegou a primeira cápsula e a mergulhou no óleo de coco.

— Você vai engolir todas essas — disse, apontando para as cápsulas.
— Essa quantidade caberá em seu estômago.

Sita estremeceu ao pensar em toda aquela droga dentro dela. Ela respirou fundo. — Isso é *khas-khas*? — ela perguntou, pensando nos campos de papoula do Afeganistão.

— Não é ópio — respondeu ele —, é heroína. A melhor que existe na Índia.

As mãos de Sita começaram a tremer.

— E se estourarem em meu estômago?

Navin respondeu com uma honestidade brutal.

— Se um dos preservativos se romper, seu corpo entra em choque por causa da heroína e você pode morrer. Para evitar que isso aconteça, você tem que se mexer o mínimo possível, além de não comer nem beber até que alcancemos nosso destino. Não faça movimentos bruscos. Não faça compressão sobre o estômago. Faça tudo exatamente como eu mandar, que tudo ficará bem para você.

Sita teve que se esforçar para conseguir respirar. Ela olhou para os preservativos cheios de heroína, enfileirou cada um deles e se lembrou de Ahalya, aprisionada no bordel de Suchir, em alguma parte da cidade. Então, tomou sua decisão. Ela sobreviveria a essa provação. Ahalya esperaria por ela. Podia ser que demorasse anos, mas Sita a encontraria novamente.

Ela pegou a primeira cápsula das mãos de Navin e engoliu com esforço. Machucou sua garganta, mas ela não se permitiu engasgar. Ela foi pegando os preservativos, um por um, até engolir o último. Ela se sentiu pesada por dentro, como se houvesse se fartado em um banquete e tivesse comido mais e mais, ainda que o bom-senso lhe dissesse o contrário.

O relógio na parede mostrava que eram 23 horas. Navin fez uma curta ligação de seu celular e depois pegou a mão de Sita.

— Temos que ir, eu explico melhor no caminho.

O motorista de Navin foi encontrá-los na garagem do edifício. Sita caminhava devagar, sentindo a pressão da massa em seu estômago a cada passo que dava. Ela tentava não pensar no que aconteceria se um dos preservativos estourasse. Ela fez uma prece silenciosa à Lakshmi, pedindo proteção, e subiu na SUV.

A caminho do aeroporto, Navin se virou para ela.

— Até agora você está se comportando muito bem — disse ele — e eu fico satisfeito com isso. Mas a próxima etapa é a mais difícil. Nosso voo para Paris parte às 2 horas da madrugada. E existem quatro obstáculos que temos que vencer: o atendente da empresa aérea, a segurança do aeroporto, os comissários de bordo e os agentes de alfândega franceses. Passar pelo atendente da empresa aérea e pela segurança é fácil. Os aparelhos de raios X não conseguem ver dentro do seu estômago. Os comissários de bordo deixarão você em paz se acharem que está dormindo. A alfândega francesa, porém, pode ser um problema.

Navin montou uma pasta com os documentos. Ele mostrou à Sita uma certidão de casamento e passaportes forjados.

— Seu nome agora é Sundari Rai. Você tem 18 anos de idade. Nós nos casamos aqui em Mumbai. Eu trabalho no ramo de seguros. Estamos viajando para Paris em lua de mel. O resto da nossa história fica por sua conta. Se fizerem perguntas sobre sua família, responda a verdade. Se alguém comentar sobre como você anda devagar, diga que está grávida. O mais importante é lembrar que essas pessoas não têm por que suspeitar de você. Nossa documentação é de primeira qualidade. Nós não parecemos criminosos, portanto, não somos criminosos.

Sita encarava Navin, tentando absorver todas as informações. Paris. Um mundo inteiro distante de Mumbai e milhares de quilômetros longe de Ahalya. O medo a fez sentir como se seu coração tivesse dado um nó. Como seria sua vida depois que a droga saísse de seu corpo? Ela chegou a pensar em se aproximar de algum policial no aeroporto, mas descartou a ideia. Quem acreditaria em sua história?

Em sua mente, ela recapitulava as particularidades de sua nova identidade. Ela se tornaria Sundari Rai. Ela participaria daquela farsa. E teria que se esforçar menos do que Navin imaginava. Toda sua vida ela desejou trocar de lugar com Ahalya. Como Sundari, ela poderia se transformar em sua irmã. Ela seria corajosa, destemida e forte. Deixaria para trás a menina que ela era e se tornaria mulher, uma mulher casada. Pelo bem de Ahalya, ela não podia se permitir falhar.

Quando o motorista estacionou o carro no aeroporto, Navin deu as últimas instruções.

— Lembre-se, não beba nada até eu autorizar. Se o ácido em seu estômago for agitado, um dos preservativos pode ser rompido. Além disso, nem pense em chamar a polícia. Eu vou dizer às autoridades que você é minha cúmplice, que está me ajudando. E acredite em mim, você não gostaria de conhecer o interior de uma prisão em Mumbai.

— Eu entendi — disse Sita, se sentindo mais confiante.

— Ótimo. Então, vamos.

* * *

Embora já passasse da meia-noite, o aeroporto fervilhava. Navin entregou à Sita uma bolsa de couro preta e segurou a alça de sua mala de rodinhas. Ele a conduziu até o balcão da Air France. Havia umas quinze pessoas na frente deles, mas a fila caminhava rapidamente. A atendente era uma moça indiana com não mais do que 25 anos e bonita. Ela sorriu para Sita e fez o *check-in* dos dois sem suspeitar de nada.

Eles passaram pela segurança do aeroporto sem nenhum incidente e, então, Navin a conduziu até o portão de embarque. Por trás dos vidros, Sita podia ver uma grande aeronave, pintada de vermelho, branco e azul, as cores da Air France. Navin se sentou para esperar a abertura do portão e se enterrou em uma revista. Sita lutava para encontrar uma posição confortável e alternava entre ficar em pé e sentada.

Quando o embarque foi anunciado, ela seguiu Navin pela rampa de acesso até o avião. Os assentos ficavam na última fila, próximos aos toaletes. Navin deu a Sita o assento da janela e pediu a um dos comissários para providenciar travesseiro e cobertor. Sua esposa estava grávida, explicou ele, e totalmente exausta.

Sita aceitou satisfeita o travesseiro e a manta. O que Navin dissera era, parcialmente, verdade. Ela estava mesmo totalmente exausta. Era 1h30 da manhã. Ela colocou o travesseiro contra a janela e descansou a cabeça sobre ele, fechando os olhos. Abriu os olhos só por um instante, quando o avião levantou voo sobre a praia de Juhu e o Mar Arábico. Navin havia lhe dito que o tempo de voo até Paris era de um pouco mais de nove horas. Ela pretendia passar esse tempo dormindo.

Capítulo 11

"Rega-me, ó Deus de vida, rega as raízes."[22]
Gerard Manley Hopkins

Mumbai, Índia

Ahalya olhou para cima quando Anita retornou da sala de arquivos da delegacia de polícia de Nagpada. Em volta dela havia outras *beshyas* do prostíbulo de Suchir e um guarda tomando conta delas. A especialista em reabilitação da Aces se sentou a seu lado e segurou suas mãos. Ahalya não reagiu ao toque de Anita. Ela olhou novamente para o chão. O que Sumeera havia dito ficava martelando em sua cabeça: "Ela se foi... É assim em Golpitha". Essas palavras eram piores que a morte. Se estivesse morta, pelo menos, não teria sofrido.

Quando Anita ofereceu, ela aceitou apoiar a cabeça em seu ombro, mas era impossível dormir. Finalmente, apareceu outro policial, que a conduziu até o escritório do inspetor Khan. Anita acompanhou-os. O barulho e a atividade na delegacia chegavam esmaecidos até ela. Pelo canto do olho podia ver Prasad olhando em sua direção. Ela ignorou-o e não virou a cabeça para encará-lo.

Khan mostrou uma cadeira em frente de sua mesa e começou a interrogá-la. Ahalya tentou prestar atenção ao que dizia o inspetor, mas suas respostas pareciam desconexas. A certa altura, o inspetor teve que repetir a pergunta. Ele começou a ficar impaciente, mas Anita interveio e segurou novamente a mão de Ahalya. Dessa vez, a sensação de contato humano conseguiu acalmá-la.

Ela sacudiu a cabeça.

— Desculpe-me. Qual foi mesmo a pergunta?

A entrevista durou meia hora. Khan tomou seu depoimento, perguntando por cada detalhe, reabrindo suas feridas e formando um quadro completo da história de exploração sexual que ela sofrera. Quando terminou de escrever seu relatório, leu tudo outra vez, linha por linha, para ter certeza de que as declarações eram precisas. Então, ele o assinou e mandou chamar a *panchas* do sexo feminino.

---

[22] Do poema "Tu és de fato justo". Tradução de Alípio Correia de Franca Neto. (N. T.)

Seguindo as orientações que Anita lhe dera, Ahalya se sentou do lado de fora do escritório do inspetor Khan. Do outro lado da sala, algemado, ela viu Suchir, com um policial entediado tomando conta dele. Em sua mente, ela relembrou a manhã em que ele as havia comprado de Amar por sessenta mil rúpias. Olhando para ele, dessa vez com o jogo virado a seu favor, ela fez a si mesma uma promessa: jurou que empreenderia todos os esforços até que lhe fosse feita justiça. Ainda que tivesse que esperar anos, ainda que consumisse todas as suas forças, ela o veria atrás das grades. Ela o faria pelo bem de Sita e por seu próprio bem.

* * *

Durante o restante da noite nada aconteceu. Ahalya cochilava de vez em quando, com o sono acossado por pesadelos. O estrondo das ondas do *tsunami*, misturado ao ruído ritmado do Expresso Chennai e aos gemidos repulsivos da lascívia de Shankar.

Pela manhã, ela foi transferida, em custódia, para um orfanato governamental, em Sion. A diretora do orfanato a tratou com desinteresse. Mostrou a Ahalya o enorme cômodo onde as meninas dormiam, designou um beliche para ela e explicou como funcionava o horário das refeições. Depois disso, ela foi deixada sozinha.

Ahalya olhou para as janelas com grades e se perguntou por quanto tempo teria que suportar essa nova forma de confinamento. Anita garantiu que a Aces encontraria uma vaga para ela em um lar privado, mas Ahalya não tinha a menor ideia do que isso queria dizer, nem se alteraria de modo significativo as circunstâncias atuais. Seu único desejo era reencontrar Sita. Sua vida havia perdido toda a razão de ser.

* * *

Três dias depois, Anita retornou com boas notícias: o Comitê para o Bem-Estar Infantil havia aprovado a transferência de Ahalya para um *ashram* em Andheri, operado pela congregação das Irmãs da Caridade. Anita a levou até o lar privado em um riquixá.

Durante a viagem, Ahalya perguntou sobre Sita. Anita lhe contou a história que o inspetor Khan havia contado a Jeff Greer. Sob interrogatório, Suchir confessou o nome do homem que havia comprado Sita: era Navin. Mas o dono do bordel não tinha ideia de para onde ela havia sido levada. Suchir esperava o retorno de Navin para que fizesse um pagamento adicional, mas poderia levar um ou dois meses. Enquanto isso, Khan ficaria vigilante.

Quando chegaram ao *ashram*, a diretora, irmã Ruth, foi recepcioná-las no portão. Ela era uma senhora pesadona, com o rosto redondo e vestia o hábito-sári de uma freira indiana. Alegremente, deu as boas-vindas à Ahalya e não se ofendeu quando ela não respondeu.

Ahalya passou pelo portão e seguiu com ela até a propriedade das Irmãs da Caridade. O *ashram* se localizava em um terreno extenso com jardins, caminhos de pedra e edifícios bem conservados. Elas seguiram por uma alameda com árvores muito altas, passando por construções em ambos os lados.

Enquanto caminhavam, irmã Ruth explicava os detalhes da propriedade e falava com tanto entusiasmo que Ahalya achava impossível não prestar atenção. As irmãs operavam uma escola regular, um orfanato e um centro de adoção de bebês, junto com o centro de reabilitação, para as meninas resgatadas da prostituição. As meninas do centro de recuperação assistiam às aulas na escola e também auxiliavam nas tarefas. Todas as meninas deviam completar os estudos do Ensino Fundamental, porém, as que se sobressaíam nos estudos, eram educadas até o Ensino Médio. De vez em quando, era oferecida uma bolsa de estudos para as alunas que se destacavam para que pudessem fazer um curso na Universidade de Mumbai.

As irmãs buscavam alcançar dois objetivos com cada menina resgatada: a cura do corpo e da alma, e a reintegração social. Era um projeto ambicioso, irmã Ruth admitia, mas o *ashram* possuía índices excelentes de sucesso. Apenas vinte e cinco por cento das meninas que se graduavam pelo programa retornavam para a prostituição.

Ahalya caminhou com Anita e irmã Ruth até o centro de recuperação, que ficava no alto de uma colina cercada por árvores, que protegiam o edifício do Sol forte. Soprava uma brisa a noroeste que trazia alívio ao calor do princípio da tarde. Grandes arbustos de buganvília proliferavam por todo o perímetro do prédio. O vento soprava seus ramos e transformava suas flores coloridas em pequenos cata-ventos. Quando se aproximavam do edifício de estuque, Ahalya percebeu que os barulhos da cidade não enchiam mais os seus ouvidos. Não havia mais o som estridente das buzinas dos táxis e riquixás, nem os gritos dos vendedores ambulantes, nem toda a falação que se ouvia pelas ruas. Em seu lugar, ela ouvia o riso de crianças e o som do vento brincando entre os ramos folhosos de uma figueira-da-índia.

Ela subiu alguns degraus e chegou até a entrada de uma pérgola cujo caminho era todo ladeado por flores. Havia violetas, prímulas, jacobínias e cravos cheios de vida no solo argiloso.

— Cada uma das meninas deve escolher uma flor da sua preferência para cuidar — explicou irmã Ruth. — De qual delas gostaria, Ahalya?

— Uma nalini azul — respondeu ela, se lembrando das flores que sua mãe cultivava em um pequeno lago, ao lado do bangalô em que morava com a família. Eram as flores de Sita. Quando criança, sua irmã acreditava que fossem mágicas.

Irmã Ruth olhou para Anita.

— Nós temos um lago perto do orfanato — disse ela. — Acho que uma nalini se adaptaria bem ali.

As palavras da freira levantaram o ânimo de Ahalya. Ela olhou para irmã Ruth e depois para Anita.

— A senhora me deixaria plantar uma nalini? — ela perguntou surpresa.

As sementes de nalini azul eram raras e custavam caro. Além do mais, era difícil conseguir que germinassem, mesmo em condições ideais.

— Eu tenho um vaso que seria perfeito — disse irmã Ruth. — O que você acha Anita?

Anita segurou a mão de Ahalya.

— Eu preciso de uns dias. Vou ver o que consigo fazer sobre as sementes.

Capítulo 12

"O coração será partido, e mesmo partido seguirá vivendo."

Lord Byron

Paris, França

Sita acordou quando o avião pousou no Aeroporto Internacional Charles de Gaulle. Sua boca estava ressecada de tanta sede, mas ela sabia que não podia beber nada até que Navin autorizasse. Ela tentava se distrair olhando pela janela. Eram 7 horas da manhã, horário de Paris, e o céu de inverno ainda estava escuro.

O avião taxiou até a rampa de desembarque. Navin pegou sua valise no compartimento de bagagem e entregou a Sita um sobretudo.

— Está frio lá fora. Vista isso.

Sita, lentamente, ficou em pé e vestiu o casaco, ignorando a pressão que as cápsulas faziam em seu estômago. O sobretudo ficou esquisito sobre o *churidaar*, mas ela se sentia bem com o calor.

— Estamos quase lá — disse ele. — Duas horas, no máximo.

Sita acompanhou Navin pela rampa de desembarque até o terminal internacional.

Junto com os outros passageiros, eles se enfileiraram em corredores até as cabines envidraçadas da alfândega. Em cada cabine ficava um oficial da imigração. Sita tornou a repassar os detalhes de sua nova identidade. "Meu nome é Sundari Rai. Navin vende apólices de seguro. Estamos em Paris para nossa lua de mel. Não se comporte como criminosa porque você não é uma criminosa."

O agente de imigração lançou-lhes um olhar cansado. Ele abriu o passaporte de Sita e mal olhou para a fotografia antes de carimbar o visto. Então, ele pegou o passaporte de Navin e o abriu. No mesmo instante surgiu uma expressão diferente em seu rosto. Ele ergueu o passaporte para conferir a foto mais de perto. Ele encarou Navin com um olhar duro, e todo o cansaço desapareceu de seu rosto. Digitou algo no computador. Franzindo o cenho, ele pegou um rádio-comunicador e fez uma chamada.

Em segundos, dois agentes de segurança se aproximaram, prestando atenção em Navin. O oficial da imigração saiu de sua cabine.

— O senhor precisa nos acompanhar — disse ele. — Temos que lhe fazer umas perguntas.

— Que tipo de pergunta? — protestou Navin. — O que está havendo aqui? — Quando o agente nem piscou, ele prosseguiu. — Eu sou um cidadão francês. Vocês não podem me reter sem um motivo.

O agente sacudiu a cabeça, sem se mostrar impressionado.

— Vamos ter uma conversa em particular. Tenho certeza de que poderemos esclarecer qualquer... Mal-entendido, certo?

— Isso é um ultraje! — exclamou Navin, mas tudo que encontrou foi um olhar vazio.

Ao lado dele, Sita sentiu uma pontada, devido ao acúmulo de gases nos seus intestinos, mas tentou não demonstrar. Ela encarou o agente por um instante, imaginando se ele sabia da verdade. Só de pensar em ser pega tentando contrabandear heroína, ela ficou aterrorizada.

Os agentes de segurança os escoltaram até uma porta disfarçada no final do corredor. Navin segurou a mão de Sita, como que para lhe passar segurança, mas a pressão que aplicou passava uma mensagem inequívoca. O coração de Sita disparou. Seu ventre pesava como chumbo e, subitamente, ela sentiu uma enorme necessidade de se aliviar. E não sabia quanto tempo mais conseguiria aguentar.

Do outro lado da porta havia um corredor com câmeras de vigilância.

O agente de imigração os conduziu até uma segunda porta, não muito longe no corredor, e fez um gesto para que Sita entrasse. Ela olhou para

Navin e o medo tomou conta dela porque nos olhos dele não havia ansiedade, mas ameaça.

Ela entrou na sala indicada e um dos agentes de segurança a seguiu. A sala não tinha nenhum aspecto particular, era mobiliada apenas com uma mesa e duas cadeiras.

O segurança puxou a cadeira para ela, e ela se sentou: queria falar, perguntar o que estava acontecendo, mas sabia que, se fizesse isso, sua voz a denunciaria. O agente de segurança se posicionou ao lado da porta e ficou olhando o vazio. Era óbvio que ele estava esperando a chegada de alguém.

A demora parecia interminável para Sita. Naquele vácuo de silêncio, seus pensamentos giravam desorganizados. Ela pensava em como seria o interior de uma prisão francesa e se imaginava aprisionada atrás de barras de ferro, apenas mais uma detenta entre condenadas perigosas. Cruzou as mãos sobre a mesa e baixou o olhar, lutando para manter a respiração sob controle.

Finalmente, a porta se abriu e entrou uma mulher, usando um uniforme de agente da imigração. Ela era magra e seus cabelos loiros eram cortados bem curtos. Ela olhou para o agente de segurança e ele desapareceu sem uma palavra. A mulher se sentou e colocou o passaporte de Sita sobre um bloco de anotações diante dela. Encarou Sita friamente, girando a caneta entre os dedos.

— Seu nome é Sundari Rai? — perguntou ela num inglês claro, com um leve sotaque francês.

Sita, docilmente, fez que sim com a cabeça, blindando sua mente contra o coração que batia acelerado.

— Você não parece ter 18 anos.

Por uma fração de segundo, Sita considerou a hipótese de lhe contar toda a verdade, deixando que o carma tomasse seu curso. Talvez o juiz lhe condenasse a uma pena mais leve se confessasse. Talvez ele pudesse acreditar que ela havia sido coagida por Navin a fazer aquilo. Mas a fração de segundo passou e o medo retornou. Se ela fosse deportada, seria entregue nas mãos da polícia de Mumbai. Com toda certeza, seria processada por contrabando de drogas sob as leis indianas. E ela se lembrou das palavras de Navin na noite anterior: "Acredite em mim, você não gostaria de conhecer o interior de uma prisão em Mumbai".

— Eu tenho 18 anos — ela disse, tentando imprimir à voz a firmeza de uma garota mais velha. — Sempre fui pequena para minha idade.

A mulher batia com a caneta sobre o bloco de papel.

— Sua família, de onde é?

— Chennai — respondeu Sita.

— Onde exatamente fica Chennai?

— Fica na Baía de Bengala, no Sudeste da Índia. Costumava se chamar Madras.

A mulher fez uma anotação.

— O homem com quem você está viajando, quem é ele?

— Ele é meu marido — respondeu Sita, juntando as mãos sobre o colo para evitar que tremessem.

A mulher pareceu desconcertada.

— Você é tão nova para já ser casada.

Sita tentou imaginar o que diria Navin se a ele fosse feita a mesma pergunta.

— Foi um casamento arranjado por nossos pais — disse ela, finalmente.

A mulher refletiu por um momento e, então, levou a conversa para outra direção.

— Você já esteve no Paquistão?

A pergunta pegou Sita de surpresa.

— Não — ela respondeu, simplesmente.

A mulher a encarou com um olhar intenso.

— Seu marido já lhe contou sobre suas frequentes viagens a Lahore?

Os olhos de Sita se estreitaram e ela sacudiu a cabeça lentamente, sem entender para onde estava indo aquela conversa.

— Por acaso ele já mencionou suas conexões com o Lashkar-e-Taiba?

Sita tornou a balançar a cabeça. Seu pai já mencionara o LeT. Era um grupo de radicais islâmicos responsável por diversos atentados terroristas na Índia. Se a mulher estivesse certa, Navin era muito mais perigoso do que parecia.

— Não — respondeu Sita. — Tudo que sei é que meu marido trabalha com seguros.

A mulher olhou para o seu bloco de anotações. — Vocês estão em Paris a lazer? — Sita estava pronta para responder que sim, quando sentiu uma dor lancinante em suas vísceras. E, involuntariamente, seu rosto se contorceu de dor. A onda de gases intestinais persistiu por um longo momento até ceder.

A mulher percebeu seu desconforto.

— Você está se sentindo mal? — perguntou, se inclinando sobre a mesa.

Sita enrubesceu e ficou sem saber o que dizer. Até ali, ela havia conseguido não tropeçar nas palavras, mas a massa no interior do intestino parecia ter vida própria.

— É que eu... — Começou ela, tentando se lembrar do pedaço da história que estava faltando. O que Navin havia dito? Qual era mesmo sua desculpa? E, então, ela se lembrou: — Estou grávida de três meses. Tenho me sentido um pouco nauseada.

A mulher tornou a se recostar na cadeira e ficou olhando para ela. Depois de passar um instante pensativa, suas feições pareceram relaxar. Subitamente, ouviram uma batida na porta.

— Um momento — disse a mulher, e saiu da sala. Quando voltou, seu rosto havia se transformado. No lugar da desconfiança inquisitiva, ela exibia um sorriso de desculpas.

— Houve um mal-entendido. Seu marido se parece muito com um homem procurado por nós, mas é só uma coincidência. Você está livre para ir.

Uma sensação de alívio inundou Sita. Ela tentou se levantar muito depressa e seu rosto, novamente, se contorceu de dor.

— Deixe-me ajudá-la — disse a mulher, sustentando Sita com seu braço.

— Eu me lembro da sensação. Eu tenho dois filhos.

A mulher foi com ela até o final do corredor onde Navin a esperava. Ele sorriu para Sita e encarou a mulher com um olhar de profunda reprovação.

— Se acontecesse algo à minha mulher ou ao meu filho... — disse ele, deixando a ameaça em suspenso. Sua tática foi eficiente. A mulher realmente pareceu assustada.

— Por favor, aceite nossas sinceras desculpas por qualquer inconveniente que lhes tenhamos causado — disse ela, abrindo a porta para o saguão do aeroporto e devolvendo seus passaportes. — Espero que aproveitem sua estadia em Paris.

Navin segurou a mão de Sita e a conduziu até a rampa que dava acesso à esteira de bagagem. Ele não disse nada até que estivessem bem longe.

— Você foi esperta por não contar nada a eles — disse Navin. — Eles nunca teriam acreditado em você.

Sita disfarçou o embaraço e olhou em outra direção. Seus sentimentos estavam confusos. Ela havia escapado das garras da imigração francesa, mas seu intestino estava cheio de cápsulas de heroína e a dor aumentava a cada segundo.

— Vamos tomar um táxi até a cidade — disse ele. — É mais rápido que o metrô.

* * *

Sita seguiu Navin para fora do terminal e caminharam até o ponto de táxi. O frio do inverno parisiense a fez perder o fôlego. Ela começou a tremer e se enfiou mais fundo no sobretudo. Navin entrou no táxi e deu instruções em francês. As únicas palavras que Sita conseguiu entender foram as duas últimas: Passage Brady[23]. O motorista assentiu e saiu com o carro.

Sita segurou o estômago e estremeceu de dor. Ela olhava pela janela, vendo a cidade de Paris se revelar aos poucos: primeiro a massa cinzenta de

---

[23] Rua em Paris conhecida pelos diversos restaurantes de comida indiana e paquistanesa. (N. T.)

subúrbios, depois os parques industriais e os pátios dos trens e, finalmente, a cidade dos bulevares e dos edifícios elegantes.

O motorista de táxi os deixou na entrada de uma passagem de pedestres e Navin pagou quarenta euros pela corrida. Ele a conduziu pela passagem em arco até um conjunto de pesadas portas duplas pintadas de azul. Ele fez uma chamada de seu celular e falou em híndi com um homem que chamou de *tio-ji*[24].

— Nós estamos aqui na porta. Sim, ela está comigo — Navin resmungou e desligou o telefone.

Depois de um minuto, a porta se abriu e um homem os recebeu. Ele era baixo e calvo, com olhos arredondados. Ele apertou a mão de Navin e o cumprimentou com um ligeiro sorriso; então, se virou para Sita e seu olhar se demorou sobre a figura dela.

— Vai servir — disse ele de forma enigmática e gesticulou para que os dois o seguissem.

Por trás das portas, havia um pátio que dava acesso a vários apartamentos. O homem foi na frente até alcançarem um hall escuro.

— Use o lavatório no fim do corredor — disse ele. — Eu vou estar no restaurante.

Navin apontou para uma porta ao final de um curto corredor. Ele entrou no banheiro e acendeu a luz. O cômodo era equipado com um antigo vaso sanitário de porcelana, uma pia suja e uma banheira encardida de manchas.

— Como se sente? — perguntou ele.

— Estou com muita sede — respondeu Sita, com a boca seca como se fosse de algodão.

— Sente-se no vaso. Vou buscar um copo-d'água para você.

Ela se sentou devagar e respirou profundamente. Navin retornou com uma caneca cheia d'água. Ela pegou a caneca e virou o conteúdo de um gole só. Então, olhou para Navin com olhos que suplicavam por um pouco mais de água. Navin pegou a caneca e tornou a encher. Dessa vez, contudo, antes de entregar a ela, colocou em sua mão um comprimido.

— É um laxante — ele disse. — Vai ajudar a expelir as cápsulas. Senão, você teria que esperar um dia ou dois até que o último preservativo fosse expelido de seu corpo.

Ela engoliu o comprimido e bebeu a água até a última gota. Navin abriu a torneira da banheira, de onde começou a jorrar água quente em uma nuvem de vapor.

---

[24] *Ji* é um sufixo utilizado por diversas línguas do subcontinente indiano que se põe após o nome de pessoas a quem se deve respeito, assim como o *san*, em japonês. (N. T.)

— Entre na banheira para soltar o intestino. Quando as cápsulas saírem, elas boiarão. Coloque-as delicadamente dentro da pia. Se os preservativos se romperem agora, eu não vou ficar nada satisfeito.

Navin se virou e saiu, fechando a porta atrás de si.

Sita olhou para o chão do banheiro, enojada com o que teria que fazer. Ela deixou que a banheira enchesse até que o nível da água chegasse a dez centímetros da borda. Ela se despiu e mergulhou o corpo na banheira. A água morna trouxe alívio à dor que sentia em todo o ventre. Ela fechou os olhos e pensou em Ahalya, como ela era antes de toda essa loucura, antes da chegada do *tsunami*. Ela conseguia ouvir a voz de sua irmã, cantando doces canções e recitando poesias. Será que elas voltariam a se encontrar algum dia?

Quais seriam os planos de Navin e seu tio?

* * *

As cápsulas começaram a sair rapidamente. Ela não fazia força com medo de que estourassem. Quando surgiam na água, ela limpava a sujeira e colocava uma de cada vez cuidadosamente na pia. O processo era repugnante e extremamente embaraçoso, mas ela persistiu, com sua pele enrugando como uma uva passa, até que finalmente conseguiu expelir a trigésima cápsula. O látex e a amarração feita por Navin resistiram. Ela soltou um longo suspiro de alívio e sentiu os nós de tensão começarem a se desfazer em seu corpo.

Ela soltou a tampa e esperou que a água imunda escoasse pelo ralo da banheira.

Quando se esvaziou, ela tornou a abrir a torneira, limpou a banheira e se lavou. Então, deixou a água correr novamente até que cobrisse seu corpo e a aquecesse outra vez. Ela ficou no banho por bastante tempo, tentando relaxar.

Mais tarde alguém bateu na porta. Seu coração deu um salto e ela ficou olhando a maçaneta, angustiada, sabendo que Navin viria.

— Sita — disse ele sem abrir a porta —, quantas cápsulas conseguiu recuperar?

— Todas elas — respondeu.

— Perfeito. Você as colocou na pia?

— Sim.

— Do lado de fora da porta, coloquei um prato de comida. Vista-se e coma depressa. Vou apresentar você à *tia-ji*.

Cinco minutos mais tarde, Sita saiu do banheiro vestindo seu *churidaar*. Ela pegou o prato de comida — galinha, arroz e *chutney* — e comeu com muita vontade. Logo depois, Navin reapareceu e a conduziu através dos cômodos da casa até uma porta que ela não tinha percebido antes. A porta dava para um corredor, e, este, para uma cozinha em desordem. Na cozinha, estavam uma mulher indiana com pose de matrona, vestindo um sári, e um menino de uns 10 anos de idade que usava jeans e camiseta no estilo ocidental. A mulher ralhava com o menino em uma língua que Sita não entendia.

Os dois se voltaram para Navin e a mulher começou a falar em híndi.

— Como vai tudo em Mumbai?

— Quente, congestionado e cheio de favelas — respondeu ele. — Cada vez que retorno, gosto menos de lá.

— Não fale assim — ela o repreendeu. — Mumbai será sempre nosso lar.

Navin conversou um pouco com ela. Enquanto isso, o menino, que ignorava apresença de Navin, apreciava Sita com um olhar ingênuo. Ela olhou para ele e sentiu uma ponta de nostalgia. Ele a fazia se lembrar de um menino do Colégio St. Mary que era louco por ela. Essa agradável lembrança desapareceu quase tão subitamente quanto surgiu.

— Ela sabe cozinhar? — a mulher perguntou a Navin.

Ele se virou para Sita com olhar intrigado, mas ela fez que não com a cabeça.

— Uma *ladki* que não sabe cozinhar? — disse a mulher, grosseiramente. — Para que ela presta, então?

— Ela pode limpar o restaurante — disse o tio de Navin, passando pela porta do outro lado da cozinha. — Navin nos fez um grande favor.

A mulher fez cara feia para o marido e sacudiu a cabeça em desaprovação. — É má sorte a presença dessa menina aqui. O sacerdote disse que um mau presságio está escrito nas estrelas.

— Mulher tola — disse o tio de Navin —, pare de dizer sandices e volte ao trabalho. — Ele se virou para Navin e lhe entregou um envelope. — Cinco mil euros.

— Cinco mil! — exclamou a mulher. — Que desperdício!

O tio de Navin olhou furioso para a mulher e ela se virou, ainda resmungando.

Sita olhou para o envelope e o desespero tomou conta dela. Sita tinha certeza de que outro acordo havia sido firmado.

A mulher entregou à Sita um esfregão.

— Use a pia — disse entre dentes. — Comece pela cozinha. Depois limpe o restaurante. Faça por merecer o seu sustento.

Sita nunca havia segurado um esfregão. Jaya fazia toda a limpeza na residência dos Ghai e as obrigações de Sita no St. Mary se limitavam a cuidar do jardim e de suas roupas. Desajeitada, ela pegou o esfregão e jogou um pouco de água sobre ele.

— Garota estúpida — gritou a mulher. — Encha a pia com água, mergulhe o esfregão, esprema com força e, então, você o usa. Em que canto escondido da Terra Navin encontrou uma garota tão burra quanto você?

Apesar do bombardeio de insultos, Sita não se permitiu chorar. Ela seguiu as instruções da mulher e construiu dentro de si uma blindagem contra o sofrimento. Instintivamente, ela compreendeu que demonstrar fraqueza serviria apenas para promover novos abusos.

* * *

Ela passou a tarde limpando, varrendo e esfregando superfícies com camadas grossas de gordura por toda a cozinha. A mulher comandava com crueldade; nada do que Sita fazia estava certo. Ela esfregou a tampa do fogão com tanta força que seus dedos ficaram amortecidos. Suas unhas lascaram de bater em quinas e os panos de limpeza e a água fervente queimavam suas mãos. Quando o restaurante abriu as portas às 18 horas, ela estava completamente esgotada e faminta. A mulher mandou Sita de volta ao apartamento e lhe entregou uma vassoura e um espanador de pó.

— Eu não quero encontrar nem um cisco de poeira no chão ou você não comerá nada no jantar — disse ela.

A mulher comandava o fogão com a ajuda de uma moça indiana. Eles serviam comida *tandoori* para muitas pessoas na vizinhança. Era noite de sexta-feira, mas o movimento estava devagar. A féria baixa tornou a mulher ainda mais irritadiça. Quando o tio de Navin fechou o restaurante, a mulher mandou chamar Sita no apartamento e tornou a entregar o esfregão à ela.

— Faça esse chão brilhar — disse ela. Então, apontou para um prato com arroz e *chutney* sobre o balcão. — Você pode comer quando acabar o serviço.

Sita limpou o chão até meia-noite e desabou sobre um amontoado de panos velhos jogados em um canto, para comer. Ela comeu a porção miserável de comida que recebeu e ainda estava com fome quando pôs de volta o prato sobre o balcão. Ela pensou em dormir sobre um dos bancos do restaurante, mas ficou com medo de que, se a mulher descobrisse, batesse nela. Então, retornou ao canto onde havia se sentado para comer.

Quando começava a cochilar, o menino apareceu do outro lado da cozinha. Depois de olhar para ela por um longo tempo, ele fez um movimento hesitante em sua direção.

— Como é seu nome? — ele perguntou em híndi.

— Sita.

— Eu sou Shyam — disse ele se ajoelhando na frente dela. — Será que podemos ser amigos?

Sita ergueu os ombros, mas Shyam insistiu.

— Eu tenho 10 anos. Quantos anos você tem?

Sita não respondeu. Ela mal conseguia manter as pálpebras abertas.

— Eu lhe trouxe um presente — disse o menino. Ele retirou uma pequena estatueta do bolso e colocou nas mãos dela. — É Hanuman. Ele vai lhe fazer companhia.

De repente, ele se virou e olhou para a porta com medo. Sua mãe gritava seu nome.

— Preciso ir — disse ele.

Ele se levantou e apagou as luzes. Poucos segundos depois, Sita ouviu a porta sendo fechada e travada.

No escuro, ela passou a ponta dos dedos sobre a estatueta, reconhecendo a silhueta. Ela podia sentir a grande coroa de Hanuman e seu cetro. Ela o apertou contra o peito e se lembrou da voz de Ahalya quando lhe contou a história do grande deus-macaco na noite em que Navin veio pela primeira vez. Ela cruzou os braços em torno de si e tentou dormir, em vão.

De madrugada, ela começou a tremer de frio. A cozinha era mal aquecida e perdia rapidamente o calor depois que o fogão era desligado. Fez um esforço enorme para se levantar e ir até a despensa procurar alguma coisa com que se cobrir. Encontrou um saco cheio de toalhas de mesa sujas; esticando uma delas sobre o chão, ela se deitou na despensa por baixo da prateleira, onde eram armazenados os produtos de limpeza. Jogou uma segunda toalha de mesa sobre o corpo e embrulhou os pés no tecido leve. Ainda sentia frio, mas agora, ao menos, a temperatura era suportável.

Ela deitou a cabeça sobre o saco de toalhas e apertou nas mãos a estatueta de Hanuman, se livrando dos tentáculos hostis do isolamento e do medo. E, finalmente, adormeceu.

Capítulo 13

"A alma, diz-se, está envolta em ossos, onde deve estar o amor humano."
Thiruvalluvar

Mumbai, Índia

Thomas fez a ligação no dia seguinte à invasão do prostíbulo. O resgate o havia afetado profundamente e ele não tinha mais como justificar sua hesitação. Ou ele ligava para ela ou a deixava ir de vez. Seu coração bateu mais forte quando a chamada foi completada, mas o que ele ouviu foi a mensagem de voz: "Alô. Aqui é Priya. Deixe seu número que eu retornarei a ligação. Tchau".

Thomas procurou as palavras e disse após o sinal:

— Priya, estou em Mumbai. Sei que é uma surpresa para você, mas gostaria de encontrá-la. Por favor, me ligue. — Ele deixou o número de seu novo telefone celular e desligou.

Eram 14 horas, e ele estava na Linking Road, em Bandra. Depois daquela longa noite, Jeff Greer lhe dera o dia seguinte de folga. Thomas aproveitou a manhã para ficar à toa no apartamento de Dinesh, lendo e assistindo à televisão. Depois do almoço, ele decidiu explorar o bairro.

Saiu em direção ao norte e caminhou vagarosamente pela área comercial. As lojas eram tão variadas quanto as de um shopping center norte-americano, e as calçadas fervilhavam de atividade. Os vendedores lhe faziam todo tipo de oferta:

— Senhor, senhor, eu tenho calças jeans, bem no seu tamanho.

Ambulantes se aproximavam dele agressivamente, oferecendo camisetas, lanches como *bhel puri* e coloridos mapas-múndi.

— Não, não — dizia ele tentando afastá-los.

— Mas senhor, esses mapas são muito bons — disse um deles.

Thomas continuou andando. O ambulante, contudo, o seguia:

— Você parece um astro de cinema. Em que filmes trabalhou?

Thomas riu.

— Eu nunca fui artista de cinema e não quero comprar um mapa. Obrigado.

Por fim, o ambulante desistiu e o deixou ir. Ele olhou vitrines por um tempo, experimentou sapatos em uma elegante loja de artigos masculinos e voltou a caminhar nas ruas, esperando que seu telefone tocasse.

Finalmente, cinquenta minutos mais tarde, o celular vibrou. Ele pegou o aparelho e viu que havia recebido uma mensagem. O endereço de e-mail era o de Priya. Ele deixou a calçada quando encontrou um lugar mais tranquilo, ao lado de uma loja de malas para viagem. Respirou fundo e abriu a mensagem.

Thomas, é realmente um choque para mim. Não sei ao certo em que pensar. Mas também não posso ignorar o fato de que você está aqui. Existe um parque em Malabar Hill. Pegue o trem até Churchgate e depois diga a um táxi-walla para levá-lo ao Hanging Garden. Encontro você às 16h30 no mirante com vista para o mar.

Thomas imediatamente foi procurar um riquixá e pediu ao motorista que o deixasse na estação Bandra. Seguindo as instruções de Priya, ele pegou o trem até Churchgate e um táxi até Malabar Hill. Parecia que ele tinha um nó no estômago. Não fazia ideia do que diria a ela. Dava a impressão de que ainda nem eram casados, como se estivessem de volta a Cambridge, um rapaz e uma moça de mundos diferentes, explorando intensamente os pontos de intersecção. Mas isso não era verdade. Eles tinham um passado em comum, anos de intimidade, felicidade e sofrimento compartilhados. E nada disso poderia ser apagado, e nem ele queria que fosse. Ele queria... O quê? Começar de novo? Cortejá-la para que voltasse com ele a Washington? Ganhar a batalha contra o pai dela? A complexidade da situação o deixava confuso.

O táxi passou pela praia de Chowpatty e entrou na elegante vizinhança de Malabar Hill. O terreno escarpado e os altos edifícios o faziam se lembrar de São Francisco. O motorista fez uma conversão à direita e serpenteou por uma rua até o topo da colina mais alta. Os edifícios deram lugar a uma área com muito verde.

O *táxi-walla* deixou-o na entrada do Hanging Garden. Ele subiu alguns degraus e admirou a extensa área cuidada com muito esmero. Árvores com copas largas cercavam os campos gramados, onde cresciam arbustos bem tosados e muitas flores.

Um menino se aproximou dele, carregando abanadores feitos com penas de pavão.

— Quer abanador, senhor?

Thomas fez que não com a cabeça.

— Muito bom, senhor, para esposa ou namorada? São só cinquenta rúpias, senhor.

— Eu não quero o abanador, mas lhe darei as cinquenta rúpias se me disser como chegar ao mirante que dá vista para o mar.

O menino apontou na direção contrária a que Thomas havia percorrido.

— Atravessa rua e vai ao parque do outro lado. O mirante fica pra lá.

Thomas pegou a carteira e entregou o dinheiro ao menino.

— Fica com o abanador, senhor — disse o menino colocando-o em sua mão. — Informação é de graça — ele sorriu e foi embora.

Thomas segurou o abanador, desajeitado, mas depois começou a rir. Ele atravessou a rua e avistou ao longe o azul brilhante da Back Bay, por entre as árvores do parque. Ele seguiu por uma trilha de pedras decorada com canteiros de flores e, ainda distante, conseguiu avistar o mirante.

Havia pessoas sentadas em bancos aqui e ali, mas nenhum sinal de Priya. Ele consultou as horas e percebeu que chegara dez minutos adiantado. Sua esposa, provavelmente, se atrasaria. Ela sempre tivera um jeito despreocupado em relação aos horários. Ele foi até a grade e ficou observando a baía, na direção de Marine Drive e Nariman Point. Sem perceber, seus pensamentos se voltaram para o bordel de Suchir. Ele achava difícil acreditar que a sujeira e os abusos da zona de prostituição ficassem a poucos quilômetros de Malabar Hill.

Logo depois, Priya se aproximou silenciosamente da murada.

— Thomas — ela disse simplesmente.

Ele se voltou para ela e se viu sem palavras, acuado pelo terror que havia sentido desde que pisara o solo da Índia.

Ela o ajudou e falou primeiro.

— Vejo que o menino dos abanadores encontrou você.

Ele olhou para a buginganga em sua mão e ela se transformou em sua tábua de salvação.

— Ele foi muito persistente — disse ele, afinal, sentindo a pressão em sua cabeça diminuir um pouco.

— Então, você está aqui. Não posso acreditar — ela falava com calma, avaliando o terreno.

— Eu estou aqui — ele respondeu.

— Você veio me procurar? — Ela sempre ia direto ao assunto.

— Não — ele admitiu —, vim trabalhar para uma organização humanitária.

Priya ficou atônita.

— Você saiu da Clayton?

Thomas assentiu.

— Não consigo entender — ela disse, sacudindo a cabeça.

Quando o silêncio se tornou embaraçoso, ele contou uma meia verdade.

— Eu precisava de uma mudança. Não havia nada certo no modo como as coisas estavam.

Ela sacudiu a cabeça novamente, visivelmente perplexa.

— Quatro anos e você nunca cedeu um milímetro. E, agora, de uma hora para a outra, você resolve dar o grande salto? E toda aquela conversa sobre se tornar um dos sócios? E sua obsessão por se tornar um juiz federal?

Ele tentava desesperadamente pensar em uma desculpa que acabasse com aquelas perguntas. Ela possuía vocação natural para interrogar as pessoas e, em alguns casos, se saía melhor que ele.

— Você vai ficar contente de saber que perdemos a causa no caso Wharton — disse ele. — A sentença ficou em novecentos milhões e uns trocados.

Priya piscou, mas só perdeu o foco por um segundo.

— Fico feliz em saber. Mas nossa conversa não é sobre o caso Wharton. É sobre você. E você ainda não respondeu as minhas perguntas.

— As pessoas mudam — disse ele — e você sabe disso tão bem quanto eu.

Priya olhou nos olhos dele com intensidade.

— Isso está me parecendo uma desculpa para não assumir seus erros.

Encurralado pelas palavras dela, ele ergueu as mãos:

— O que você quer que eu diga? Sinto muito por ter meus objetivos? Você sabia disso quando se casou comigo. Mas quero me desculpar pelo que deixei de fazer. Eu não estava lá quando você precisou de mim.

Seu arrependimento pareceu suavizar o ceticismo de Priya.

— O que seu pai achou disso? — ela perguntou depois.

Thomas engoliu em seco:

— Ele não conseguiu entender.

— Mas aceitou?

— O que mais ele poderia fazer? A decisão não cabia a ele. Você deve se lembrar que tem pelo seu pai o mesmo tipo de consideração.

Ela ponderou sobre o que ele disse.

— Para qual ONG você trabalha?

Ele tentou não demonstrar o quanto se sentiu aliviado com a mudança de assunto.

— Estou trabalhando com a Aces, nas zonas de prostituição. — Ele fez um resumo de seu trabalho, enfatizando os pontos que a deixariam mais impressionada. Ele estava advogando em causa própria, mas era sua única vantagem naquele momento.

— É uma causa importante — disse ela —, isso eu posso lhe garantir.

Mas, então, ela virou o jogo novamente.

— E Tera, o que ela disse sobre tudo isso?

Thomas procurou manter o controle. Ele ousara imaginar que ela não colocaria Tera na conversa, mas fora ingenuidade de sua parte. Ele simulou um pouco de indignação e tentou escapar com outra meia verdade. Mas no momento que falou, percebeu que soava falso.

— Por favor, vamos deixar Tera fora disso — ele disse. — Eu já lhe contei, não aconteceu nada. Eu precisava de alguém com quem conversar. Se passei dos limites, foi porque precisava de uma pessoa amiga.

— E eu não servia como amiga?

— Nós já discutimos isso antes. Nenhum de nós dois estava em condições de ajudar o outro. Francamente, deveríamos ter buscado ajuda profissional. Pelo menos cinco pessoas nos aconselharam a procurar um terapeuta. Mas fomos muito teimosos. Então, você veio conversar com sua mãe e eu fui conversar com Tera.

As mãos de Priya começaram a tremer e ela se segurou na grade e olhou para o mar. Ela respirou fundo e pensou sobre o que ele acabara de dizer.

— Vamos supor que eu decida aceitar sua explicação — ela falou finalmente. — Vamos supor que eu acredite quando você diz que está mudado. O que o faz pensar que isso altera qualquer coisa entre nós?

— Estou aqui, não estou? Isso deve dizer alguma coisa — ele sabia que estava manobrando a situação, mas seu estoque de respostas inteligentes estava acabando.

— Eu não vou voltar para os Estados Unidos — ela disse com serenidade. — Pelo menos, não tão cedo. Você precisa ter consciência disso.

— Tudo bem.

— É tudo o que você tem a dizer?

Ele ergueu os ombros.

— Você não parece surpresa.

— A única coisa que me surpreende em tudo isso é o fato de você estar aqui.

Priya permaneceu um momento em silêncio, a brisa balançando seus cabelos negros e brilhantes. Ele tinha vontade de esticar a mão e tocar seu rosto, mas se conteve.

Quando ela tornou a falar, mudou completamente de assunto.

— Meu avô costumava me trazer nesse mirante quando eu era pequena. Ele me mostrava a silhueta da cidade e apontava para cada um dos prédios que lhe pertencia. Meu pai odiava que ele fizesse isso. Ele nunca desejou possuir as coisas de meu avô. Sua paixão sempre foi sua vida intelectual. Quando fiquei mais velha, decidi apoiar as ideias de meu pai.

Thomas esperou em silêncio. Ele sabia que ela tinha mais a contar.

— Você nunca vai entender como foi difícil para mim, fazer o que fiz. Deixar minha família, ir contra os desejos de meu pai, cruzar o oceano e me casar com você. Eu não havia compreendido inteiramente até que retornei a Mumbai. Eu não sei se meu pai vai me perdoar um dia.

Escutando o que ela contava, Thomas ficou impressionado com a clareza de seus pensamentos e com a neutralidade de seu tom de voz. Quando ele a viu pela última vez ela estava devastada: obsessiva, confusa, até delirante. O tempo que passara na Índia parecia ter restaurado seu equilíbrio, embora ele pudesse enxergar o sofrimento escondido bem abaixo da superfície.

— Como está sua avó? — perguntou Thomas, aliviado por pisar em terreno mais firme.

— Ela tem recebido os melhores tratamentos que o dinheiro pode comprar, mas está velha. Meu pai tem se sentido arrependido por ter nos levado para a Inglaterra. Perdemos tanta coisa.

— Imagino que o professor não me tenha em alta conta.

Priya balançou a cabeça.

— Ele não fala de você. Por isso não sei o que ele pensa.

— Eu nunca serei indiano — disse ele — e nada pode mudar esse fato.

— Não importa. Ele tem a opinião dele. Eu tenho a minha.

— Você acha que ele a faria se divorciar de mim?

Priya se retraiu. Ele podia ver que a pergunta a magoara.

— No hinduísmo, quando uma mulher se casa com um homem, ela

o faz por sete vidas. Meu pai não se importa com a religião em diversos aspectos, mas nisso ele acredita. Duvido que ele sugerisse o divórcio.

— Será que ele pensa que nós nunca fomos verdadeiramente casados?

— Pode ser. Mas realizamos o *saptapadi* e fizemos nossos votos. Ele não pode negar nada disso, mesmo que a cerimônia não tenha sido tradicional ou completa.

— A cerimônia foi completa para você?

Priya pensou um pouco antes de responder, e Thomas susteve a respiração, se recriminando por arriscar tanto em tão pouco tempo. Sempre fora assim entre eles. Ela o fazia dizer tantas coisas, sem fazer nenhum esforço para isso, e ele se arrependia do que havia dito.

— Sim — ela respondeu finalmente —, nunca duvidei disso.

Aliviado, Thomas deixou escapar o ar retido em seus pulmões.

— Então, para onde isso nos leva?

— Para uma situação complicada.

Ele esperava que fosse continuar a falar, mas ela ficou só nisso.

— Podemos nos encontrar outra vez? — ele perguntou.

Ela se virou para ele e seus olhos se encontraram.

— Tenho que pensar sobre isso.

Ele aquiesceu. Esta resposta era praticamente a melhor que ele podia esperar.

— Posso pelo menos acompanhar você até a rua?

— Pode — disse ela com um sorriso apagado.

Eles saíram do mirante e caminharam em silêncio sob o jogo de luz e sombra do parque. Thomas prestava atenção ao farfalhar do vento nas folhas e se lembrou das longas caminhadas que faziam, primeiro em Cambridge sob a sombra de carvalhos e ladeados por salgueiros, e depois nos bosques da Virgínia, próximos de Washington. O amor dos dois sempre havia sido uma aventura de risco. Considerando o desafio a que se propuseram, a unificação de duas pessoas de raças, culturas e civilizações diferentes, tinha sido ingenuidade de sua parte achar que o mundo lhes garantiria a felicidade sem testá-los.

Quando alcançaram a rua, Thomas chamou um táxi para Priya e outro para ele.

— Foi muito bom ver você — disse ele, surpreendido com a profundidade dos próprios sentimentos.

Seu sorriso se iluminou, mas ela não disse nada.

— Você vai pensar, não vai? — perguntou enquanto ela entrava no táxi.

— Vou. Vou pensar — respondeu ela.

Ele ficou olhando o táxi partir e acenou uma vez, na esperança de que ela olhasse para trás. Ela não olhou. Ele permaneceu no mesmo lugar até o táxi desaparecer de sua vista. Então, foi até o táxi que esperava por ele.

— Estação Churchgate, por favor — ele disse.

* * *

Na manhã de quarta-feira, Jeff Greer deu a Thomas, e aos demais membros da equipe da Aces, a notícia de que o advogado de Suchir havia mexido os pauzinhos e alterado as sessões da Corte, conseguindo marcar uma audiência para estabelecimento de fiança para as 11 horas. O advogado tinha conexões com a gangue de Rajan e se aperfeiçoou na arte de manipular o sistema judicial. Se ele queria uma audiência para seu cliente, ele conseguiria uma.

— A promotora disse a Adrian que sua recomendação seria contra o estabelecimento de fiança — disse Greer —, mas que ela não tinha muita esperança. Existe a chance de que Suchir e sua gente voltem para as ruas.

— Será que vão tentar fugir da cidade? — perguntou Thomas.

— Improvável — respondeu Nigel. — Tudo o que conhecem é o comércio sexual. As garotas serão multadas em pequenas quantias e reabrirão as portas do bordel rapidamente.

— Mesmo tendo prostituído menores de idade recentemente?

Nigel sorriu.

— É difícil de acreditar, não é mesmo?

Depois da reunião, Thomas procurou Samantha Penderhook, a diretora do departamento jurídico da Aces, e perguntou se ele poderia acompanhar Adrian à audiência de fiança.

Samantha hesitou.

— Não é que eu não queira que você vá. É que um homem branco em um tribunal de Mumbai pode atrapalhar. Estas pessoas são muito sensíveis em relação a qualquer coisa que se assemelhe à interferência de estrangeiros em seu sistema.

— E se eu me sentar no fundo? Posso passar despercebido.

Samantha tamborilou os dedos sobre a mesa.

— Tudo bem. Mas faça exatamente o que Adrian disser. E se o advogado da outra parte ameaçar criar caso, tenha o bom-senso de sair e esperar no corredor.

Thomas agradeceu e foi ao encontro de Adrian. O jovem advogado não ficou muito entusiasmado com a decisão de Samantha, mas concordou.

— Você está pronto? — ele perguntou. — Precisamos sair em dez minutos.

— Sim — respondeu Thomas.

* * *

No caminho, Thomas crivou Adrian de perguntas sobre as práticas dos tribunais de Mumbai. Ele ficou sabendo que a promotora pública indicada para aquela audiência de fiança era uma das melhores da cidade, mas que sua competência era irrelevante para o resultado final. A prisão em Artur Road estava para lá de superlotado, e alguns juízes pareciam não encarar casos de tráfico humano com muita seriedade. Se o advogado de defesa apresentasse um argumento bem fundamentado para o relaxamento da prisão, era bem provável que o juiz aceitasse.

— Suchir vai tentar oferecer propina ao juiz?

Adrian ergueu os ombros.

— Provavelmente não. Os juízes não são tão corruptos quanto os policiais. Mas as gangues ainda detêm muito poder nessa cidade. Pode nem ser necessária a propina para determinar a sentença.

Quando o trem parou na estação, eles rumaram para o tribunal, que, embora construído em grandioso estilo gótico do Raj, era um exemplo da negligência urbana. O interior era parcamente decorado e as paredes e escadarias estavam enegrecidas de tanta sujeira. Adrian e Thomas subiram as escadas até o terceiro andar. Adrian verificou a pauta de casos pendurada do lado de fora da sala de audiências e assentiu.

— Sente-se nos bancos do fundo — disse ele a Thomas. — Tente não chamar atenção. O advogado deles sabe que a Aces estava por trás da invasão. Se ele vir qualquer pessoa branca na sala, vai perceber nossa relação.

Eles entraram juntos e Thomas foi procurar um lugar num canto da sala. Na sala de audiências, havia um estrado mais alto, onde ficavam o juiz e o secretário, e uma longa mesa de frente para o juiz, onde os advogados das duas partes esperavam a vez de se apresentar. Uma senhora de meia-idade, trajando um sári preto e branco, que Thomas imaginou ser a promotora pública, se sentou no canto esquerdo da mesa, próximo a um grupo de policiais, e Adrian se sentou ao lado dela. Do mesmo modo que o restante do tribunal, os dias de glória dessa sala de audiências já haviam passado. O revestimento de madeira estava arranhado e desbotado, a pintura nas paredes era antiga e mal feita. As janelas, com arcos em estilo gótico, tinham grades para impedir a entrada de pássaros. Oito ventiladores de teto funcionavam à força total, criando uma constante corrente de ar descendente.

O juiz era um homem grisalho, sem expressão, com óculos de leitura encarapitados sobre o nariz. Sua aparência indicava que era um homem cronicamente entediado ou que estava prestes a cair no sono. Um advogado corpulento estava arguindo uma testemunha. Thomas ficou pensando se o juiz era capaz de ouvir alguma coisa do testemunho além do ruído abafado dos ventiladores de teto.

Finalmente, o advogado terminou de questionar a testemunha. O juiz dispensou o advogado com um aceno de mão e se voltou para o próximo da fila. Após a apreciação de dois outros casos, Adrian se virou para Thomas, sentado no fundo, e balançou a cabeça, indicando que era sua vez. Ele permaneceu do lado da promotoria, enquanto o advogado de defesa se dirigiu a seu lugar na banca.

A promotora fez uma alegação imparcial ao juiz para que negasse fiança a Suchir, Sumeera e Prasad. Ela ponderou que Ahalya era menor de idade e que para três das garotas, com idade legal, que trabalhavam no prostíbulo, havia um pedido de custódia do Comitê para o Bem-Estar Infantil. Adrian sussurrou mais alguns pontos pertinentes para a promotora, que os repassou ao juiz.

Ao final de sua argumentação, o juiz se voltou para o advogado de defesa. Este era um homem de baixa estatura, com cabelo preto cortado bem curto. Ele se alongou argumentando sobre a ilegalidade da invasão, sobre o envolvimento de "interesses imperialistas por parte dos Estados Unidos" e sobre a incompetência da polícia de Nagpada. Ele ponderou que não foi verificada a idade de nenhuma das meninas e que a evidência de que Ahalya era menor de idade era apenas um indício. Ele também declarou que a confissão de Suchir sobre o desaparecimento de Sita havia sido obtida sob coação. O homem possuía o dom da palavra e expôs e teceu uma rede tão sugestiva de dúvidas e acusações veladas que o juiz olhou para a promotoria com visível irritação.

O coração de Thomas quase parou. Ele logo compreendeu que Suchir seria solto.

E assim foi. O juiz estabeleceu uma fiança de dez mil rúpias para Suchir e de cinco mil rúpias tanto para Sumeera quanto para Prasad.

Adrian sacudiu a cabeça e sinalizou para que Thomas o encontrasse no tumultuado corredor. Eles ficaram juntos, em pé, ao lado de uma janela aberta.

— Eles vão pagar a fiança ainda esta tarde — disse Adrian, desanimado.

— Esse juiz é um homem desprezível. Ele não dá ouvidos aos argumentos da promotoria.

— E qual é o próximo passo? — perguntou Thomas.

Adrian olhou para a janela quando um bando de pombos saiu em revoada.

— Vamos forçar a antecipação de uma audiência para que seja ouvido o testemunho de Ahalya.

— E quanto tempo isso pode levar?
Adrian deu de ombros.
— Com o advogado que conseguiram, pode levar meses.

* * *

No sábado de manhã, Thomas fez seu café da manhã junto com Dinesh no terraço do apartamento, com vista para um mar cinza azulado. Depois de seu encontro com Priya no Hanging Garden, ele havia contado ao amigo a verdade sobre a morte de Mohini e a partida de Priya para Mumbai. Dinesh o escutara com seu típico sangue-frio e deu um abraço em Thomas aceitando suas desculpas.

— Agora compreendo por que você não me escreveu durante todo o outono — disse ele.

— Eu estava desnorteado — respondeu Thomas. E com isso puseram o assunto de lado.

Thomas se esticou para pegar um cacho de uvas da fruteira sobre a mesa, pegou uma uva e começou a comê-la, pensando em quando teria notícias de Priya novamente. Passaram-se três dias e meio sem que nada acontecesse e ele começou a ficar preocupado. A avaliação que ela havia feito da situação era bem precisa. Tudo era muito complicado. O passado não podia ser alterado, a dor que causara era indelével, e Priya esperava o perdão de seu pai. E, além de tudo isso, havia as mentiras que ele contara.

Ele não tinha a menor intenção de passar mais que um ano na Índia nem de abrir mão de seu sonho de conseguir uma cadeira de juiz, mas ele a fez acreditar que sim.

E também havia Tera.

— O que você quer fazer hoje? — perguntou Dinesh, recostando na cadeira.

— Provavelmente vou sair e ler um pouco no parque — respondeu ele. — Depois disso, não sei.

Dinesh ficou observando a expressão do amigo.

— Você ainda não teve notícias dela.

Thomas balançou a cabeça.

— Bem, se anime. Ela disse que ia pensar a respeito. Tenho certeza de que ela anda ocupada.

Thomas ia responder quando ouviu seu telefone tocar. O aparelho estava na cozinha, sobre o balcão. Ele se levantou depressa e foi atender. Uma onda de calor se espalhou sobre o seu corpo quando ele viu o número de Priya na tela.

— É Priya — disse ele, e Dinesh respondeu erguendo o polegar.

Thomas colocou o aparelho no ouvido.

— Alô?

— Thomas — disse ela bem devagar, deixando o som de seu nome se prolongar por uns segundos e, então, começou a falar de modo acelerado, o que não era característico dela. — Estive pensando, como disse que faria, e resolvi encontrar com você outra vez.

Ele abriu um sorriso. Em todos aqueles anos de convivência, ele observara que ela só se alterava quando algo realmente importante estava em jogo.

— Tudo bem — disse ele. — E quando é que você quer fazer isso?

Ele percebeu que ela estava tomando fôlego.

— Um primo de segundo grau se casa amanhã. O *mendhi ki rasam* será esta tarde no bangalô de meu avô. Meu pai provavelmente vai estar de bom humor. E como haverá muitas testemunhas, ele será obrigado a ser gentil com você.

Thomas fechou os olhos e perguntou:

— Você tem certeza de que é uma boa ideia?

Ele estava exultante com o fato de ela querer vê-lo, mas a ideia de encarar o pai dela em uma reunião familiar o deixava aterrorizado.

— Você acha que não?

— Não, não é isso. É que... deixa pra lá. Diga-me como faço para chegar.

— Encontre-me na entrada do Parque Priyadarshini às 17h30. Os *táxi-wallas* em Churchgate conhecem o caminho.

— O que devo vestir?

— Você trouxe um terno?

— Só um.

— Basta um. E... Thomas?

— Sim?

— Não se esqueça de trazer seu senso de humor. Você vai precisar dele.

* * *

Ele chegou ao Parque Priyadarshini cinco minutos antes do combinado. O Sol estava baixo no horizonte e, o céu, tingido de vermelho. Ele ligou para Priya e ela atendeu no primeiro toque. Novamente, ela parecia nervosa.

— Fique onde está. Eu encontro você.

Ele ficou na calçada esperando por ela. Logo depois, ela apareceu em um riquixá e caminhou até ele. Ela vestia um *salwar kameez* da cor do mar tropical. O decote do vestido era baixo, mas de bom gosto, em contraste com sua pele amendoada. Ela usava o mínimo de maquiagem: não precisava disso.

Ela parou a pouco mais de um metro dele e deu um sorriso tímido. Como se ainda fosse uma menina de escola, olhou para ele do mesmo modo que olhara quando se encontraram pela primeira vez em Fellows Garden.

— Você gosta da minha roupa? — ela perguntou. — Não posso usar esse tipo de traje no Ocidente.

— Pior para nós.

— Você também está bem-vestido.

— Eu me sinto esquisito dentro de um terno.

Sua risada foi espontânea.

— Então está tudo bem. Minha família é cheia de gente esquisita.

— Trouxe uma coisa para você — disse ele colocando a mão no bolso para pegar o livro de poesias que sua mãe havia lhe entregado.

— Minha mãe comprou para você no Natal.

Priya olhou surpresa para ele. Pegou o livro e ficou apreciando.

— Como ela sabia que eu adoro Naidu?

— Ela deve ter adivinhado.

— Por favor, agradeça a ela — disse Priya apertando o livro contra o peito. — É um presente precioso — ela fez uma pausa. — Você contou...?

Ele assentiu.

— Eu contei para eles.

— Eu lamento. Eles devem ter sofrido.

Thomas deu de ombros.

— Eles são adultos.

Ela virou o rosto para se recompor.

— Bem, onde será a festa, afinal? — ele perguntou.

* * *

Ela o conduziu até o riquixá e deu instruções ao motorista. Após uma viagem curta, chegaram a um portão de madeira ladeado por plátanos. Dois seguranças uniformizados autorizaram a entrada deles na propriedade. Por trás do portão, se avistava um jardim de impressionante beleza. A luz suave do pôr do sol emoldurava as árvores. No meio do jardim havia um gramado circular e sobre ele havia sido montada uma tenda iluminada por luz de velas. No centro da tenda, estava sentada uma mulher jovem, a noiva, vestida com um sári amarelo e um turbante da mesma cor. Uma mulher mais velha, segurando um tubo com pasta de henna se ocupava pintando as mãos e os pés da noiva com desenhos *mendhi*. Mais afastado, havia um quarteto tocando música hindustani.

Thomas ficou por um longo tempo observando do portão. Ele viu o bangalô a distância, rodeado por um bosque de acácias. O telhado era coberto com telhas de terracota e as janelas estavam todas abertas, num convite à brisa. Ao lado da casa havia um terraço, onde estavam os convidados.

— Nós chamávamos esta propriedade de Vrindavan quando éramos crianças — disse Priya, fazendo referência à floresta encantada onde Krishna havia sido criado.

Ele assentiu.

— Para mim, é difícil imaginá-la crescendo num mundo como esse.

— Agora você pode entender porque fomos embora. Meu pai nunca conseguiria fazer seu próprio nome aqui.

— Toda essa gente faz parte de sua família?

— Não, alguns são amigos. Mas não se preocupe, não vou apresentá-lo a cada um deles.

Thomas sorriu.

— Por mim tudo bem, desde que eu possa chamar todos os homens de Rohan e as moças de Pooja.

Priya tornou a rir.

— Comporte-se essa noite. A primeira impressão é a que fica.

Ele olhou pensativo para ela.

— Sabe, há muito tempo não flertávamos um com o outro.

Ela desviou o olhar e não respondeu.

— Desculpe — disse ele com medo de ter ido longe demais.

— Não — disse ela. — Não precisa se desculpar.

Percebendo seu embaraço, ele mudou de assunto.

— Seu irmão está aqui?

Ela deu um sorrisinho, que fez relaxar a tensão novamente.

— Abishek está na lista de convidados, mas duvido que apareça. Ele certamente arrumou um lugar mais sossegado para se encontrar com a nova namorada. Os dois não se desgrudam há pelo menos um mês. Estamos todos esperando que ele anuncie a novidade.

— E seu pai, está aqui?

Ela apontou para o terraço.

— Ele está lá em cima, conversando com um grupo de intelectuais.

— Em outras circunstâncias eu me juntaria a eles.

Ela respirou fundo e tentou parecer otimista.

— Você vai gostar de conversar com ele assim que o mal-estar entre vocês se ajeitar. Vocês têm muitas coisas em comum.

— Coisas demais, talvez.

Ela não respondeu.

— Venha. Minha mãe quer ver você.

— Espere um pouco — disse ele —, você contou a ela sobre mim?

— Quando voltei para casa na quarta-feira, ela me perguntou como tinha sido o encontro. Eu não podia mentir para ela.

— E?

— Ela nunca teve nada contra você, Thomas. Ela só deseja que eu seja feliz.

— Então, é só o seu pai que eu tenho que convencer.

Ela sacudiu a cabeça e olhou nos olhos dele:

— Não. Você tem que convencer apenas a mim.

Ele falou medindo as palavras.

— Então, por que estamos aqui?

Viu a mágoa brotar em seus olhos e soube que havia calculado mal. Ergueu as mãos em sinal de clemência, mas ela começou a falar.

— Essas pessoas são uma parte de mim. As coisas não vão mudar entre nós sem que haja o envolvimento deles desde o princípio.

— É claro, você tem razão. Não foi isso que eu quis dizer.

Ela o observou por um momento, enquanto ele imaginava se ela iria conduzi-lo de volta ao portão. Então, ela sorriu outra vez e o constrangimento passou.

Ele a seguiu pelos caminhos sinuosos do jardim, atravessaram o gramado e entraram na tenda. Surekha Patel estava sentada em um sofá conversando descontraidamente com os vizinhos. Ela vestia um sári púrpura e seus cabelos estavam arrumados em um elegante coque. Ao perceber que eles estavam chegando, ela pediu licença aos amigos.

— Priya, querida — disse ela em um inglês com sotaque acentuado, pegando a mão da filha e caminhando com ela na direção de um tamarindeiro plantado à margem do gramado. — A música não é linda?

— É sim, mamãe — respondeu Priya, com expressão suave. — E Lila também.

— Ela está linda mesmo, vestida de noiva. — Surekha se voltou para Thomas, com uma expressão inescrutável. — Bem-vindo a Mumbai. O que você achou da cidade?

— Fascinante em todos os aspectos — disse ele, tentando não aparentar nervosismo.

— Imagino que isso seja um elogio — Surekha olhou para a filha e depois de volta para Thomas. — Eu não o censuro por levar Priya para longe de mim. Foi uma decisão dela, que eu sempre tentei entender. De toda maneira, estamos muito felizes de tê-la conosco outra vez.

Thomas sentiu que despencava em um abismo, ao mesmo tempo um homem e um covarde.

— Eu compreendo, senhora Patel. Há seis anos, viajei até a Inglaterra para pedir a mão de Priya em casamento. Seu marido foi muito educado, mas não me deu sua bênção. Eu deveria ter insistido até que ele o fizesse.

— Você não teria conseguido — disse Surekha. — Você não era o homem que ele desejava para nossa filha. Naquele tempo, você não teria conseguido fazê-lo mudar de opinião.

— E agora?

Ela desviou o olhar.

— A mãe dele está muito perto de morrer. Talvez isso o tenha mudado.

— Se ele me der uma chance, vou conquistar seu respeito.

Surekha assentiu.

— Reconheço o mérito de seu objetivo. Mas você deve entender que será muito difícil. Ele sempre foi um idealista. Quando Priya ainda era uma menina, ele costumava dizer que o homem para se casar com ela deveria possuir o caráter de Rama. Para o hinduísmo, Rama é um homem sem mácula.

— Sim — respondeu Thomas —, mas mesmo Rama duvidou da fidelidade de Sita sem razão.

— É verdade — Surekha pareceu impressionada. — Priya me disse que você conhece nossos épicos.

— Não tão bem quanto gostaria.

— Já é um começo. — Surekha olhou para ele novamente. — Venha comigo. Vou levá-lo até ele.

* * *

Thomas trocou um olhar com Priya enquanto caminhavam até o terraço. Subiram alguns degraus e se dirigiram a um grupo de homens com idade variando entre 20 e 70 anos. Alguns deles vestiam os tradicionais *sherwanis*, longas túnicas bordadas com calças combinando, mas a maioria usava ternos ocidentais. Surya estava no centro do grupo, com sua feição distinta e seus cabelos grisalhos brilhando à luz do fogo. Sua audiência em silêncio, cativa de cada palavra que ele dizia.

Surekha se aproximou e ficou esperando que o marido percebesse sua presença. Finalmente ele a viu.

— Com licença, meus amigos — disse ele e deixou o círculo.

Ele lançou um olhar suave para Priya, que endureceu quando encontrou o de Thomas.

Ele foi caminhando, mas olhava em direção à tenda do *mendhi*, onde Lila recebia os adornos para a cerimônia. Depois de um momento, ele se virou.

— Surya — começou Surekha —, sua filha trouxe um convidado.

— Eu me lembro dele — respondeu Surya.

Surekha franziu o cenho.

— Tente ser agradável, meu querido. Afinal, eles fizeram os votos.

— Contudo, nenhum de nós dois estava presente para testemunhar — lembrou ele.

Thomas enfrentou a raiva de Surya sem se alarmar. Priya, no entanto, estava bem mais nervosa. Seus olhos se encheram de lágrimas e ela começou a tremer.

— Por que você veio a Mumbai? — perguntou Surya.

Passou muita coisa pela cabeça de Thomas, mas ele deu a única resposta que considerava correta:

— Eu coloquei uma aliança no dedo de sua filha.

Surya se enfureceu:

— Contra minha vontade.

— Ela me deu sua mão — respondeu Thomas, sentindo o calor subir-lhe ao rosto.

— Sua moral me confunde — disse o professor. — Você trai minha confiança, tira minha filha do seio de sua família e ainda se acha no direito de se justificar. Esse é o modo de proceder ocidental. Os jovens não têm nenhum respeito pelos mais velhos.

— Eu tentei honrar sua família — respondeu Thomas. — Eu pedi sua permissão. E o senhor me negou. Qual deveria ser minha atitude?

Os olhos de Surya brilharam e ele fechou a mão em punho.

— Qual deveria ser sua atitude? Que pergunta infantil! Você deveria ter voltado para sua vida nos Estados Unidos e tê-la deixado em paz.

— Baba — murmurou Priya —, não faça isso. Por favor.

Surya olhou para a filha. Seu punho relaxou quando viu a dor em seus olhos. Ele olhou de volta para Thomas, procurando um alvo para descarregar sua mágoa.

— Você nunca conseguirá entender o que significou para mim, para Surekha, que Priya não tivesse o casamento adequado. Você nunca entenderá o que foi para nós quando ela contou que teve uma filha e nós não estávamos lá para vê-la nascer.

A voz de Surya enfraqueceu.

— Ou para tomá-la nos braços antes que morresse.

Pela primeira vez Thomas foi capaz de perceber a intensidade da dor de Surya. E, nesse momento, dois pensamentos lhe ocorreram simultâneos e opostos. Primeiro: "o fato de não estar lá quando a criança nasceu era culpa dele mesmo". E depois: "ele está apenas tentando aprender como lidar com a própria dor". Thomas permaneceu em silêncio.

O professor virou de costas, cruzando os braços.

— Você veio até aqui para levá-la de volta à América?

Thomas sacudiu a cabeça.

— Estou trabalhando aqui em Mumbai.

Surya o encarou de frente.

— Fazendo o quê, exatamente?

— Estou trabalhando para uma ONG junto a zonas de prostituição.

— Ah! — ele exclamou. — Outro ocidental que pensa que pode consertar tudo o que está errado na Índia. Meu amigo, você não é o primeiro e não será o último a carregar o fardo do homem branco.

Thomas se irritou. Ele podia lidar com a acusação de ter roubado Priya, mas ser chamado de racista o deixara indignado. Ele pensou em dar as costas e ir embora, mas sabia que isso seria encarado como uma derrota.

— O que existe de errado na Índia, existe no mundo inteiro — ele reagiu.

Surya silenciou, observando Thomas por um momento.

— E você acha que pode contribuir com alguma coisa com esse seu trabalho?

— Nós ajudamos a polícia de Nagpada a fechar um bordel na noite de segunda-feira.

Surya simplesmente balançou a cabeça:

— Os bordéis sempre vão existir.

Thomas persistiu:

— Nós resgatamos uma menina menor de idade.

Surya fez uma pausa.

— Então, parabéns para você. — Ele olhou para o terraço, para o grupo de homens que havia deixado. — Com licença, mas tenho que voltar para os meus amigos.

Então, beijou sua filha na fronte e evitou propositadamente os olhos de sua esposa.

Thomas esperou que o professor se afastasse e se virou para Priya, disfarçando sua raiva. Ela estava com os braços cruzados, como para se proteger, e tinha os olhos voltados para o chão. Surekha fez um carinho na filha e olhou para Thomas como quem dizia: "eu avisei que não seria fácil". Assim, ela os deixou para atender outros convidados.

— Acho que devo ir — disse Thomas quando ficaram sozinhos.

Priya concordou, sem olhá-lo nos olhos.

— Isso foi um erro — ela murmurou.

Suas palavras o feriram, mas ele segurou a língua.

— Vejo você depois — disse ele, saindo do terraço e se encaminhando para o gramado. Ele passou rapidamente pelos jardins até alcançar a rua. Depois de cinco minutos, surgiu um táxi e ele fez sinal.

— Leve-me até a estação Churchgate — disse ele.

Só então ele a viu em pé no portão, entre os dois seguranças. Ele ficou olhando para ela até que o táxi partiu e ele a perdeu de vista. Se ela tivesse vindo mais depressa, ele teria tempo de dizer adeus.

Mas o pedido de desculpas expresso em seu olhar era o suficiente para ele.

Capítulo 14

"O céu está encoberto com nuvens e a chuva não para. Eu não sei o que se agita dentro de mim — não entendo o que significa."

Rabindranath Tagore

Paris, França

Para Sita, Paris era uma masmorra asfixiante de trabalho duro. As paredes do mundo foram se fechando até que não existisse mais nada além do restaurante e do apartamento conjugado. Ela trabalhava sem parar e sem direito a descanso. A tia de Navin, que a obrigou a usar o mesmo termo respeitoso, *tia-ji*, quando se dirigisse a ela, lembrava Sita constantemente sobre sua dívida e nunca demonstrava nenhuma simpatia quando a menina exibia sinais de exaustão. As ordens de *tia-ji* eram sempre dadas de forma ditatorial: "Limpe!"; "Varra!"; "Esfregue o chão!"; "Lave o banheiro!". A qualidade do trabalho de Sita nunca a satisfazia, e ela nunca cumpria uma tarefa com rapidez suficiente para agradar *tia-ji*.

Ela dormia todas as noites deitada no chão da despensa da cozinha, debaixo de toalhas de mesa sujas. Por razões que ela não compreendia, o sistema de aquecimento usado no restaurante e no apartamento parecia nunca chegar até a saída que havia na cozinha e, por isso, Sita estava sempre com frio. Muitas vezes, ela pensava em fugir. Mas nunca era deixada sozinha durante o dia, e, à noite, *tia-ji* trancava as duas portas que davam para a cozinha com uma chave que trazia pendurada ao pescoço. Além das portas, as únicas saídas eram a do aquecedor e do exaustor sobre o fogão. E nenhuma das duas era suficientemente larga para dar passagem a seu corpo.

Certa noite, o ar ficou tão frio na despensa que Sita não conseguiu dormir. A cada hora que passava, ela tremia mais ainda e trincava os dentes para impedir o barulho que faziam ao bater uns contra os outros. Ela beijou a estatueta de Hanuman e se enrolou nas toalhas de mesa, implorando por calor, mas no começo da manhã ela não conseguia mais sentir os dedos dos pés. Com grande relutância, saiu do seu casulo para mergulhar os pés na pia.

A cozinha estava escura como o breu. Ela tropeçou no esfregão que havia deixado encostado no refrigerador e ele caiu fazendo barulho. Ela ficou imóvel, tentando escutar o som de passos. *Tia-ji* a estapeara apenas uma vez, quando ela derramou todo o conteúdo de um produto de limpeza no chão do banheiro, mas ameaçara bater em Sita em diversas ocasiões. Seu coração disparou quando ouviu um ruído, mas ele vinha de cima.

Ela subiu com cuidado no balcão e colocou os pés dentro da pia. Procurando pela torneira no escuro, abriu o registro bem devagar, até que a água começasse a sair da torneira. Ela abriu mais um pouco até que o fluxo fosse morno e constante. O barulho da água escorrendo pela tubulação a deixou petrificada. Ela tinha certeza de que *tia-ji* surgiria de repente, brandindo um cabo de vassoura.

Depois de mergulhar os pés na água, esfregou os dedos para restaurar a circulação. Ela vestia o mesmo *churidaar* que Navin havia lhe comprado em Mumbai. Suas roupas de baixo não haviam sido lavadas desde que deixara a Índia. O tio de Navin, que também a obrigava a chamá-lo de *tio-ji*, permitiu que ela usasse o toalete do restaurante, mas apenas de manhã bem cedo e no final da noite. Uma vez, quando ela teve a audácia de pedir para tomar banho, *tia-ji* soltou uma risada cruel e falou com grosseria em híndi:

— Você não vale o que vai gastar de água.

Depois de aquecer pés e mãos na pia, ela desceu do balcão e retornou para a escuridão da despensa, mas só conseguiu dormir quando faltava apenas uma hora para o nascer do Sol e não se mexeu até ser cutucada com o cabo do esfregão que havia derrubado. Piscou os olhos e viu a imagem indistinta de *tia-ji* sobre ela. Sua mente estava confusa e ela se sentia febril. Até tentou se levantar, mas a vertigem foi mais forte e ela quase desmaiou.

— O que você acha que está fazendo? — *tia-ji* quis saber. — Nós usamos essas toalhas com os clientes. Como você ousa se enrolar nelas?

— Mas sinto frio à noite — murmurou Sita.

Tia-ji olhou para ela com ódio:

— Você é uma garota muito ingrata. Nós lhe damos comida, lhe damos um teto e, mesmo assim, você tem do que reclamar. — *Tia-ji* começou a cheirar o ar. — De onde vem esse fedor? — Ela chegou mais perto de Sita e torceu o nariz: — Você cheira como um porco nojento. Venha comigo.

Sita foi atrás dela até o apartamento aquecido. Ela se sentia estranha. Suas juntas doíam e sua garganta incomodava. Ela sabia que estava ficando doente. *Tia-ji* escancarou a porta do banheiro e fez um gesto indicando a banheira.

— Tire a roupa.

Sita obedeceu sem pensar. *Tia-ji* agarrou seu *churidaar* e enrolou como uma bola.

— Lave-se! Você tem dez minutos. Nada mais. Eu vou limpar esse pano de chão que você veste.

Sita entrou na banheira e esfregou o corpo até quase ficar em carne viva. Ela passou os dedos pelos cabelos cacheados e começou a chorar, e as lágrimas rolavam como lava de vulcão sobre o rosto. Ela deixou Mumbai acreditando que seria forte como sua irmã. Mas ela não podia imaginar que encontraria tanta solidão, tanta privação. Quando os dez minutos se passaram, ela tentou se recompor, mas as lágrimas se recusavam a cessar.

Tia-ji invadiu o banheiro e atirou no chão uma toalha e um sári púrpura desbotado.

— Saia do banho e se vista. Você tem trabalho a fazer.

Por razões que Sita não sabia explicar, *tia-ji* permitiu que ela se arrumasse em privacidade. Ela espirrou uma vez, depois outra e sentiu a doença se instalando. Quando não podia mais esperar, ela deixou o banheiro e foi caminhando em direção ao restaurante. O menino, Shyam, estava na cozinha segurando uma vassoura e um espanador de pó. Ele olhou para ela e sorriu timidamente.

— Minha mãe foi ao mercado — disse ele —, e eu devo lhe entregar isso.

Sita ficou olhando para ele, sem ter certeza se deveria pegar a vassoura e varrer o restaurante. Essa era uma de suas tarefas matinais, mas *tia-ji* sempre estava junto, supervisionando.

De repente, Shyam colocou o que segurava no chão.

— Você gosta de críquete? — perguntou ele, tirando um monte figurinhas amassadas do bolso. Ele as mostrou, exultante, para Sita. — Eu tenho Rick Ponting e Sandeep Patil. Mas ainda não tenho Sachin Tendulkar. Você conhece Sachin Tendulkar?

Sita assentiu com a cabeça.

— Tome — ele entregou as figurinhas a ela —, você tem que vê-las.

Ela pegou o maço e viu que, com exceção de uma figurinha brilhante de Rick Ponting, as outras não eram muito interessantes: apenas uma fotografia de rosto do jogador com uma borda branca em volta.

— São bonitas — disse ela, devolvendo as figurinhas e tentando sorrir.

O rosto de Shyam se iluminou de tanto orgulho.

— Quando conseguir a de Sachin Tendulkar, eu mostro pra você.

Logo depois, eles ouviram o tilintar do sino pendurado na soleira da porta que dá para o restaurante.

Shyam enfiou depressa as figurinhas no bolso e Sita pegou a vassoura e o espanador do chão. Ela entrou no restaurante e viu *tia-ji* segurando um pacote de compras. A camaradagem que sentiu devido à gentileza de Shyam teve vida curta. A mulher olhou furiosa para ela e quis saber por que o chão do restaurante ainda não havia sido varrido.

— Criatura imprestável — disse ela. — Eu permito que você se banhe e já fica preguiçosa. Vá trabalhar!

* * *

As horas de trabalho duro se transformaram em uma carga tão pesada de exigências que destroçaram o que restava de suas forças. Ela tentava segurar os espirros, se manter ereta e suportar sua enfermidade sem que os outros a notassem. Mas seu corpo a decepcionou e logo após o meio-dia ela desmaiou. Não sabia dizer quem a encontrara caída, mas quando acordou estava deitada no sofá do apartamento, com um travesseiro sob a cabeça. Uma das meninas que ajudava na cozinha estava sentada em uma cadeira a seu lado. Ela lhe entregou um copo-d'água.

— Tome — disse a menina, em híndi. — Você precisa beber alguma coisa.

Sita pegou o copo e bebeu toda a água. Ela se sentia como se flutuasse nas nuvens.

— Eu sou Kareena — disse a menina. — Trabalho no restaurante.

— Eu sou Sita — ela respondeu, começando a tremer novamente.

Kareena a cobriu com um cobertor de lã.

— De onde você é?

— Chennai — respondeu Sita, tentando se sentar.

— Vá com calma. Hoje você tem que ficar deitada.

Sita contorceu o rosto de dor e tornou a se recostar no travesseiro. Ela sentia calafrios por todo o corpo e a temperatura de sua pele mostrava que ela estava febril.

— Você precisa descansar — disse Kareena. — O tio me pediu para tomar conta de você.

Sita fechou os olhos e tornou a adormecer.

* * *

Quando acordou, a janela que dava para o pátio já estava escura e Kareena tinha ido embora. Havia um copo-d'água no chão ao lado do sofá. Ela bebeu, sedenta, e prestou atenção aos sons da atividade na cozinha.

Ela pensou em Kareena. Era óbvio que a menina não tinha nada a ver com seu encarceramento. Que história *tia-ji* teria inventado para justificar sua presença na casa? Sita ficou pensando se não haveria outras meninas na mesma situação que ela, naquela cidade com inverno interminável, meninas capturadas contra sua vontade e forçadas a trabalhar até que desabassem por exaustão ou doença. Navin havia feito menção a outras meninas antes dela. Para onde teriam sido levadas? E o que ele teria feito com a droga que ela carregara desde Mumbai?

Passado um tempo, ela mergulhou em um estado nebuloso e mal se mexeu quando a família fechou o restaurante e se recolheu. *Tia-ji* não a importunou e Shyam ficava olhando de longe. Para sua surpresa, foi *tio-ji* que repôs o copo d'água e lhe perguntou se estava com fome. Quando ela balançou a cabeça para sinalizar que não, ele colocou outro cobertor sobre ela.

— Durma bem — disse ele. — Quando você se recuperar, vamos cuidar melhor da sua saúde.

Quando a febre de Sita passou, o inverno se tornou ainda mais rigoroso. Para manter sua promessa, *tio-ji* reduziu sua carga de trabalho e permitiu que ela passasse a dormir no sofá do apartamento. Ela trabalhava duro durante o dia, mas podia tomar um banho de dez minutos antes do desjejum e podia comer livremente o que sobrava da comida do restaurante. *Tio-ji* deu ordens a sua mulher para comprar dois sáris para Sita, e *tia-ji*, com muita má vontade, permitiu que ela lavasse sua roupa junto com a da família.

Toda manhã, quando *tia-ji* ia para o mercado, Shyam ia se encontrar com Sita, na cozinha, para mostrar seus preciosos bens. Uma vez, trouxe um *video game* portátil e a apresentou ao Tetris[25]. Outra vez, trouxe uma revista sobre o cinema de Bollywood[26], com uma fotografia de página inteira de Amitabh Bachchan, e fez uma longa narrativa sobre vida e obra do famoso ator indiano.

No dia seguinte, ele trouxe para ela uma rosa-da-índia amarela. Sentou-se no chão e explicou que havia pegado a flor escondido, do vaso de um vizinho. Por impulso ela se sentou ao lado do menino e começou a lhe contar sobre os jardins de sua família no bangalô de Coromandel Coast e sobre os desenhos *kolam* que Jaya fazia todos os dias. Shyam ouviu cuidadosamente e depois fez uma pergunta que ela não soube como responder.

— Se sua vida era tão boa na Índia, por que veio para cá?

Ela ficou olhando para ele por um longo momento, percebendo que ele não tinha a menor ideia da situação dela naquela casa.

---

[25] Jogo eletrônico da década de 1980 que se tornou bastante popular. (N. E.)

[26] Refere-se ao cinema feito em Mumbai, que representa a maior indústria de cinema indiana. (N. T.)

— Qual é a sua opinião? Por que acha que vim para Paris?

Shyam franziu a testa confuso.

— Minha mãe disse que você precisava de trabalho. Ela disse que você não tinha família.

A respiração de Sita se tornou entrecortada e ela juntou as mãos.

— É verdade sobre a minha família — admitiu ela, com a voz que não passava de um sussurro. — Só minha irmã ainda é viva.

— E onde ela está? — perguntou Shyam.

Ela pensou em Ahalya vivendo no bordel de Suchir. Mas disse simplesmente:

— Em Mumbai.

Os olhos de Shyam brilharam.

— Eu nasci em Mumbai — disse ele alegremente. E então, seus olhos se entristeceram novamente. — Eu não gosto de Paris. Tenho saudade da Índia.

Eles conversaram por uns quinze minutos até ouvirem o sino tilintar e os passos de *tia-ji*. Sita se levantou correndo e escondeu a flor no sári. Enquanto isso, Shyam desapareceu, entrando no apartamento.

Sita encontrou *tia-ji* no restaurante e enfrentou a punição com o equilíbrio emocional restaurado. Shyam era apenas uma criança, mas, para ela, a amizade dele era um raio de luz.

Capítulo 15

"O que forem teus atos, assim será teu destino."
Brihadaranyaka Upanishad

Mumbai, Índia

A Aces conseguiu as sementes de nalini azul para enviar ao lar das Irmãs da Caridade. Quando foram entregues, irmã Ruth deu à Ahalya um pote de barro para cultivar a planta. A nalini é uma flor muito sensível, e não havia garantias de que iria crescer. Mas Ahalya estava determinada a tentar. Ela queria ter um presente para Sita quando as duas tornassem a se encontrar, algo que mantivesse vivo o espírito de sua família. Plantou cuidadosamente as sementes de nalini em solo enriquecido com minerais, encheu o pote com água e colocou-o no lago próximo à entrada dos jardins.

A vida no lar era muito bem estruturada e havia uma tarefa planejada para cada uma das horas do dia. Ahalya aprendeu rapidamente como se adaptar a sua nova rotina. Para alcançar a cura, ela compreendeu, era necessário se mexer e ter um propósito, a garantia de que a vida ainda valia a pena ser vivida.

Ela assistia às aulas do Ensino Médio na escola do lar, mas o programa era rudimentar em relação ao rigor pedagógico do St. Mary, em Chennai. Irmã Ruth percebeu rapidamente que Ahalya precisaria de estudos mais avançados para desenvolver seu intelecto e conversou com Anita sobre o assunto. Alguns dias depois, a Aces conseguiu um tutor para visitar Ahalya duas vezes por semana e iniciar seus estudos de preparação para um curso de nível universitário.

Ela sempre sentiu prazer com o aprendizado, e o ritmo de leitura, discussão e apresentação a que estava acostumada deram a seu espírito um novo ânimo e, a seu futuro, um renovado sentido.

Ela se reunia com Anita uma vez por semana, quando conversavam sobre muitas coisas. Ela sempre recebia a especialista da Aces com uma pergunta sobre Sita. E, toda vez, Anita assegurava que a Aces estava trabalhando com a polícia, tentando localizar sua irmã. Anita disse a ela que o inspetor Khan entrara em contato com o escritório de Mumbai da Agência Central de Investigação e que a ACI abriria uma investigação sobre o desaparecimento de Sita. Ahalya se sentia mais leve por um dia ou dois, mas logo o silêncio pesava sobre ela outra vez.

Para onde teria ido sua irmã?

* * *

Certa manhã, quando Anita havia planejado a visita semanal a Ahalya, Thomas perguntou a Rachel Pandolkar, diretora de reabilitação da Aces, se podia acompanhá-la. Rachel consentiu, com a condição de que ele não fizesse a Ahalya nenhuma pergunta sobre o bordel de Suchir.

Thomas aceitou suas condições sem hesitação.

Três semanas depois da invasão ao bordel, ele tomou um riquixá até Andheri com Anita. A viagem até Khar demorou quase uma hora e eles chegaram pouco antes das 16 horas. O portão para o *ashram* estava destrancado e Anita o conduziu pelos jardins. Eles caminharam na direção do lago que ficava no meio de um bosque de acácias vermelhas.

— Esse lugar deve parecer o paraíso depois de tudo o que essas meninas passaram — disse Thomas, admirando a paisagem.

— Pois você ficaria surpreso — respondeu Anita. — A maior parte delas quer apenas voltar para casa. Uma menina, inclusive, tentou fugir na semana passada.

— Sério?

— As irmãs descobriram e levaram-na de volta. Ela havia sido vendida por seu tio, de Haryana, no norte do país. Os pais provavelmente haviam consentido com o tráfico e, por motivos óbvios, não acreditamos que sua casa seja segura para ela e o Comitê para o Bem-Estar Infantil concorda conosco. Mas é difícil explicar isso a ela.

Anita parou perto do lago e fez um gesto para Thomas se sentar em um banco de pedras.

— Ahalya virá até aqui assim que terminar seus estudos com o tutor. É aqui que ela gosta de vir em seu tempo livre.

— Por quê?

Anita apontou para um pote de barro submerso, porém visível da superfície.

— Neste pote estão as sementes de nalini que ela plantou. A flor de nalini é a mais apreciada na Índia. Esta é para a irmã dela.

— Ela ainda tem esperanças de que encontraremos o paradeiro de Sita?

— Certamente. Você não teria?

Thomas refletiu por um momento.

— Acho que sua pergunta foi cínica.

— Cinismo é um hábito ocidental. Na Índia, nós ainda temos fé.

Anita se virou com um sorriso amistoso:

— Lá vem ela.

Ahalya caminhava em direção ao lago, cheia de livros nos braços. Ela viu Anita e percebeu a presença de Thomas. Sentou-se, mas continuou a olhar para Thomas. A intensidade de seu olhar deixou Thomas constrangido. Ele desviou o olhar para o lago, esperando a intervenção de Anita.

Mas foi Ahalya quem falou primeiro.

— Vocês já descobriram para onde Sita foi levada?

— Ainda sem novidades — respondeu Anita. — Mas a polícia está fazendo o que pode.

Ahalya se voltou para Thomas e ele pôde perceber a tristeza em seu olhar.

— Você estava presente no dia da invasão — disse ela calmamente. — Qual é seu nome?

— Thomas.

— Você é inglês?

— Não, sou norte-americano.

Ela pensou sobre isso.

— Por que está na Índia?

— Sou advogado. E minha mulher é de Mumbai.

— Você pode trabalhar como advogado aqui na Índia? — Ahalya pareceu confusa.

— De certo modo. Sou estagiário na Aces.
— E sua mulher é indiana?
Ele assentiu.
— Vocês têm filhos?
A pergunta pegou Thomas de surpresa e desencadeou uma torrente de emoções.
— Não — disse ele, depois de uma pausa.
— Por que não? Vocês não gostam de crianças?
Thomas não estava preparado para a franqueza dela. Ele tentou pensar em uma resposta apropriada.
— Não é isso — disse ele afinal. — Nós tivemos uma filha, mas ela faleceu.
Ahalya remexeu nervosamente nos livros.
— Sinto muito — disse ela com a voz falhando. E pensou em outra coisa. — Você conhece alguém no FBI americano?
— Não — ele sorriu —, mas tenho um amigo no Departamento de Justiça. Por quê?
— Talvez seu amigo pudesse ajudar a encontrar minha irmã.
Ele balançou a cabeça.
— Acho que não. O Departamento de Justiça americano não possui jurisdição na Índia.
— Mas os Estados Unidos e a Índia são amigos — replicou ela —, meu pai sempre dizia isso.
— É verdade, mas o governo norte-americano não faz buscas por pessoas desaparecidas na Índia, a menos que elas acabem nos Estados Unidos.
Naquele instante, ele se lembrou de um fato importante. Os Estados Unidos são membros da Interpol. Em sua pesquisa sobre tráfico de seres humanos, ele lera um artigo que mencionava um banco de dados da Interpol denominado Interpol's Child Abuse Image Database. Esse banco de dados internacional colecionava fotos de crianças desaparecidas em todo o mundo. Se Ahalya tivesse uma fotografia da irmã, talvez a Interpol pudesse inserir no Icaid.
— Você tem uma foto de Sita? — ele perguntou.
Os olhos de Ahalya brilharam. — Espera aqui — disse ela. Ela jogou os livros no chão e foi andando com muita pressa até o centro de recuperação.
— Aposto que você não sabia que seria interrogado — disse Anita.
— Não, mas ela tem o direito de fazer perguntas. Eu sou um estrangeiro neste lugar.
Anita não teve tempo de responder. Ahalya estava de volta ao lago segurando uma fotografia bem amassada. Ela a colocou nas mãos de Thomas e recuou, para observar melhor sua expressão. Thomas não podia acreditar

no que estava vendo. Era a fotografia de uma família indiana no Natal. Era possível reconhecer claramente Ahalya na foto.

— Essa é sua irmã? — perguntou ele, apontado para a menina mais nova ao lado de Ahalya.

— Sim, essa é Sita — confirmou ela.

— Onde você conseguiu esta fotografia? — perguntou Anita, parecendo surpresa.

— Eu consegui salvar de nossa casa depois que as ondas vieram — respondeu Ahalya.

— Ela tem estado com você todo esse tempo? — perguntou Thomas.

— Eu a escondia na minha roupa — ela disse, com naturalidade.

Thomas observou melhor a imagem. A fisionomia do pai de Ahalya mostrava um homem que conseguia equilibrar com facilidade ternura e inteligência, e sua mãe possuía um olhar ingênuo e adorável. A afeição que nutriam um pelo outro ficava óbvia na forma como se debruçavam um sobre o outro, emoldurando a figura das filhas no centro da fotografia. As irmãs estavam de mãos dadas, e seus olhares mostravam muita alegria.

— Você se importa se eu levar a fotografia comigo? — perguntou Thomas.

Ahalya concordou com um aceno de cabeça.

— Se você prometer me devolver.

— Claro.

— Ela pode ajudar a encontrar Sita?

Thomas balançou a cabeça de um lado para o outro e depois riu de si mesmo.

— Você está pegando nossos trejeitos — disse Anita.

— Logo serei um indiano autêntico. — Ele olhou para Ahalya. — Vou mandar a fotografia por e-mail para o meu amigo em Washington. Existe um banco de dados internacional para crianças desaparecidas. Vou pedir a ele para inserir a foto de Sita, junto com seu nome.

— Você faria isso? — perguntou Ahalya, sem querer acreditar.

— Não custa nada — respondeu ele.

Ahalya ficou observando Thomas por um longo momento. Então, fez algo que Thomas jamais teria previsto. Em seu punho havia uma pulseira tecida com fios multicoloridos. Ela a desamarrou e se ajoelhou diante dele.

— Sita fez essa pulseira para mim — disse ela, amarrando-a em torno do punho de Thomas. — Por favor, entregue a ela quando a encontrar.

Thomas ficou aturdido. Ele queria sacudir a cabeça e recusar a responsabilidade imposta pela pulseira. Meninas que desapareciam no submundo do crime raramente eram encontradas e, quando isso acontecia, já haviam sofrido abusos demais para que fosse possível reconduzi-las a uma vida normal. De toda maneira, a pulseira já estava amarrada em seu punho. Não havia sido uma escolha sua, ele não teve como recuar.

— Farei o que puder — disse ele —, mas não posso fazer qualquer promessa.

— Prometa apenas que vai tentar — disse Ahalya.

* * *

Ele inspirou e expirou vagarosamente.
— Eu vou tentar.
Pela primeira vez naquela tarde, Ahalya sorriu.

* * *

Depois do trabalho, Thomas pegou um riquixá para voltar ao apartamento de Dinesh. Seu amigo ainda não havia voltado para casa. Ele abriu seu computador sobre a mesa da cozinha e retirou de sua pasta uma câmera digital compacta. Ele colocou o retrato da família de Ahalya sobre a mesa, tirou uma foto e carregou o arquivo digital no computador. Editou a imagem até que apenas o rosto de Sita estivesse enquadrado. Então, escreveu uma mensagem para Andrew Porter e anexou a foto. Quando enviou a mensagem, sentiu um grande alívio. Ele havia passado a bola para as mãos de profissionais. Não havia mais nada que pudesse fazer.

Depois disso, verificou sua caixa de entrada, na esperança de que Priya houvesse respondido a pelo menos um dos três e-mails que ele lhe enviara desde o desastre na cerimônia *mendhi* do primo dela. Duas semanas haviam se passado desde então e ele ainda não tinha notícias dela. Procurou em toda a lista de mensagens, mas não encontrou seu nome. Ele sentiu raiva e impotência em doses equivalentes. O modo como o professor o dispensara havia sido extremamente injusto.

Abriu algumas mensagens de amigos de Washington. Ele havia desaparecido subitamente e as pessoas começavam a querer saber o porquê, mas respondeu com mensagens superficiais, sem divulgar muita coisa sobre seu destino e o que andava fazendo.

Chegaria o tempo em que teria que dar explicações mais detalhadas, mas não seria agora.

Ele já ia fechando o computador, quando entrou uma nova mensagem. Não podia acreditar no que estava vendo. Ela simplesmente não desistia. Ele abriu a mensagem. Tera havia escrito:

Thomas, já faz mais de um mês que ninguém na empresa tem notícias suas. Estou começando a ficar preocupada. Continuo tentando me convencer a deixar você partir e a jogá-lo na mesma pilha dos outros filhos da mãe que usam uma garota para se distrair na cama e depois pulam fora. Mas você não é como eles. Alguma coisa aconteceu. Por favor, não me deixe neste suspense.

Ele foi até a varanda e ficou olhando a praia de Juhu.

Por que será que a mulher que ele queria parecia paralisada pela ambivalência de seus sentimentos, e a mulher que ele rejeitou não o esquecia? Ele não teve a intenção de se aproveitar de Tera. Ele não a seduziu. Na verdade, acontecera justamente o contrário. Ele chegou a pensar em lhe enviar uma resposta concisa, mas decidiu que era melhor deixar como estava: não tinha o menor desejo de restaurar uma conexão entre eles.

Em vez disso, ele decidiu resolver por si mesmo a questão do sumiço de Priya. Ligou para ela. Ele não tinha muita certeza do que estava fazendo, mas era melhor do que ficar esperando ela perceber que seu pai não tinha a menor intenção de mudar de ideia a respeito dele. Ele ouvia os toques do telefone, esperando a resposta da caixa postal, mas, então, escutou sua voz.

— Thomas — ela atendeu.

Ele podia ouvir ruídos indistintos ao fundo, como se ela estivesse em local público.

Ele respirou fundo.

— Priya, lamento ter que fazer isso, mas eu não conseguia mais esperar.

— Eu recebi seus e-mails — disse ela em um tom de voz hesitante. — Estava mesmo para ligar para você.

— Posso ver você?

— Agora?

— Tanto faz. Pode ser agora ou mais tarde.

Ela pensou por um instante.

— Existe um lugar chamado Toto's, em Pali Hill. Encontre-me lá às 21 horas. Se não souber como chegar, pergunte ao Dinesh.

Ele ouviu vozes do outro lado da linha.

— Preciso correr — disse ela. — Às 21 horas. Toto's.

— Estarei lá — ele respondeu, mas ela já havia desligado.

* * *

Às 21h05, Thomas procurou um lugar para se sentar no bar do Toto's e beber uma cerveja. O lugar não se encaixava. Estava encravado no coração de um dos bairros mais sofisticados de Mumbai, mas possuía a aparência e o ambiente de um pub da cidade de Boston, nos Estados Unidos. A decoração era urbana *retrô*: correntes e peças de carros antigos adornavam as paredes, e a carroceria de um VW Beetle pendia do teto. Quando ele chegou, todos os lugares estavam ocupados, quase todos por indianos jovens, vestidos com roupas ocidentais.

Priya chegou pouco depois e abriu caminho até o bar. Ela estava usando jeans, sapatilhas e uma camisa bem justa.

Ela tinha o aspecto clássico de uma moça *desi*[27].

— Faz você se lembrar de casa? — perguntou ela, se sentando ao lado dele. Sua feição era impassível, mas ela olhou para ele com aquele olhar inquiridor que lançava quando se sentia desconfortável na situação.

— Sim, de um modo bizarro — respondeu Thomas. — Inclusive estão tocando Bon Jovi.

Priya esboçou um sorriso.

— Nunca entendi sua fascinação pelo rock.

— Posso dizer a mesma coisa sobre a cítara. Quem precisa de vinte e três cordas para tocar uma música?

Ela riu e fez um sinal ao garçom para que lhe trouxesse uma cerveja.

— Como está sua avó? — ele perguntou, para puxar conversa.

Priya ergueu os ombros.

— Ainda está se aguentando, mas os médicos dizem que pode ser a qualquer momento.

— Sinto muito.

Seguiu-se um silêncio constrangedor. Ele podia notar que ela queria dizer algo, mas não conseguia decidir que palavras usar.

O garçom serviu a cerveja e ela bebeu um pouco.

— E seu pai, como está? — perguntou ele, se antecipando a ela.

Ela suspirou, incomodada.

— E você se importa?

Ele bebeu um gole de cerveja, antes de responder.

— Eu me importo com você. Não tenho certeza se me importo com ele.

— Pelo menos você está sendo honesto.

Ele deu de ombros.

— Nada mais funcionaria nesse momento.

— Ele não está satisfeito — disse ela em resposta à pergunta. — Você o deixou aborrecido.

---

[27] Palavra que designa etnia do sul da Ásia. (N. T.)

— Eu o deixei aborrecido? Acho que ele mesmo se aborreceu. A vida não saiu do jeito que ele queria e ele precisava arrumar alguém a quem culpar.

Priya sacudiu a cabeça.

— Você entendeu errado o que ele disse. É direito dele se preocupar com as minhas decisões.

— Isso significa que ele tem o direito de controlar sua vida?

Os olhos de Priya brilharam e ela se afastou dele.

— Como pode dizer isso? Eu escolhi você, lembra? Eu fui contra a vontade dele. Eu abri mão de quatro anos por você.

Ele respirou fundo para se acalmar.

— É assim que você se sente a respeito de nós dois? — perguntou ele, mais calmo. — Nosso casamento foi um sacrifício que você fez?

Os olhos dela se encheram de lágrimas.

— Foi a decisão mais difícil da minha vida.

— E você se arrepende? Se for assim, vou embora agora mesmo.

Ela voltou o olhar em outra direção e bebericou a cerveja. Ela ficava linda de perfil, com seus cabelos negros contrastando com a pele escura.

— O que é isso? — perguntou ela, apontando para o pulso dele.

Ele olhou a ponta da pulseira de Ahalya que escapava por baixo do punho da camisa.

— Você não respondeu a minha pergunta — insistiu ele.

Seu olhar era de desafio.

— Eu respondo a sua se você responder a minha primeiro.

Ele mostrou a ela a pulseira.

— A menina que resgatamos do bordel me deu.

— Fale-me sobre isso — disse ela, subitamente curiosa.

Ele bem que tentou resumir o caso, mas Priya não aceitou. Ele teve que contar a versão mais longa, com todos os detalhes sobre a invasão, o modo como Ahalya confrontou Sumeera no salão do bordel, a visita dele ao *ashram*, a foto de Sita e como foi que a pulseira veio parar em seu pulso.

Quando ele terminou, ela olhou fundo em seus olhos:

— Você sabe o que isso significa?

— O quê? — ele perguntou, levemente exasperado. — Eu disse a ela que mandaria a foto para o meu amigo do Departamento de Justiça e fiz isso essa noite. Não posso fazer mais nada. Eu nem saberia por onde começar.

— Você nunca ouviu falar sobre a pulseira *rakhi*?

— Oh, não! Por que está soando tão sinistro?

— Dá para parar com gracinha? Isso é sério.

— Sinto muito — ele ergueu as mãos para se desculpar. — Maus hábitos!

Ela tentou organizar os pensamentos.

— É uma tradição indiana que remonta há milhares de anos. Uma mulher entrega a um homem uma pulseira para ser amarrada em seu pulso. A pulseira significa que aquele homem é seu irmão. Ele assume o dever de agir em sua defesa.

— Você está brincando, certo?

— De jeito nenhum — respondeu Priya, apreciando o desconforto dele.

— Conta a lenda que a esposa de Alexandre, o Grande, salvou a vida do marido com uma pulseira *rakhi*. Durante a malfadada incursão de Alexandre ao Punjab, ela deu uma pulseira ao rei Porus. Este teve chance de matar Alexandre em combate, mas ele recuou por causa da promessa implícita no presente.

Thomas tocou a fita multicolorida.

— Então, o que devo fazer a respeito? Não sou James Bond. Sou apenas um advogado trabalhando para uma ONG. A polícia e a agência de inteligência podem encontrá-la. Quais são as minhas chances de conseguir fazer uma coisa que eles não conseguem?

— Um tanto remotas — reconheceu Priya.

— Está mais para inconcebível.

— Não seja tão pessimista. Talvez você tenha sorte.

Thomas deu de ombros.

— Esse tipo de coisa só acontece no cinema. Não na vida real.

Priya olhou para ele, subitamente séria:

— Aconteceu comigo.

Ele começou a entender que ela estava respondendo a sua pergunta.

— Isso quer dizer que eu posso ver você outra vez? — perguntou ele.

Ela sorriu.

— Isso quer dizer que você vai cumprir sua promessa a Ahalya?

— *Quid pro quo*[28]. Eu posso aceitar.

Ela ergueu o copo de cerveja:

— Um brinde!

— A quê?

— Aos milagres.

— Aos milagres! Que um milagre possa encontrar Sita Ghai.

---

[28] Expressão latina que significa "uma coisa pela outra". (N. T.)

Capítulo 16

"A coisa mais perigosa é ilusão."
Ralph Waldo Emerson

Paris, França

Certa noite, no final de janeiro, Sita estava na despensa da cozinha, organizando os produtos de limpeza, quando um casal bem vestido entrou no restaurante. O movimento da noite havia sido fraco e somente alguns clientes ocupavam as mesas do salão de jantar. Sita olhou pela fresta da porta enquanto *tio-ji* recepcionava o casal e o conduzia até uma mesa de canto. O homem era atarracado, com o rosto quadrado e cheio de marcas, e o cabelo batido na nuca. E a mulher era uma loira atraente de pele muito clara. Sita não viu nada de especial neles e retornou ao trabalho.

Mais tarde, quando a maioria dos clientes havia partido, *tia-ji* fechou o fogão e colocou as sobras do jantar sobre o balcão.

— Esfregue o chão, limpe o fogão e, depois, pode comer — disse, se retirando para o apartamento.

Sita encheu um balde com água e sabão e começou a esfregar o chão. Quando alcançou a entrada para o salão, ela viu *tio-ji* conversando na mesa de canto com o casal. *Tio-ji* chamou a irmã de Kareena, Varuni, e apontou para a cozinha. Sita recuou, esperando que ele não a tivesse visto ali.

Após um momento, Varuni entrou na cozinha e retirou da prateleira uma garrafa de vodca. Sita pensou em adverti-la sobre o piso úmido, mas foi tarde demais. O pé de Varuni escorregou e ela caiu no chão.

Sita correu para ajudá-la.

— Sinto muito — murmurou. Varuni cambaleou quando tentou se levantar e esfregou os quadris, sentindo dor.

— Leve isso para o *tio-ji* — disse ela, entregando a garrafa à Sita. — Os clientes pediram outra.

Sita sacudiu a cabeça.

— *Tia-ji* me mandou ficar fora do restaurante.

Varuni sorriu para lhe passar confiança.

— Ela não está aqui. Vai dar tudo certo.

Sita segurou a garrafa e foi caminhando, hesitante, em direção ao salão. *Tio-ji* e o homem de rosto quadrado conversavam em francês. O dono do restaurante franziu o cenho quando a viu. Ele pegou a garrafa e acenou com a mão para que Sita saísse. O homem de rosto quadrado olhou fixamente para ela e a mulher a seu lado pôs a mão no colar.

Ela já ia se retirando quando o homem lhe disse algo em francês. Vendo que ela o olhava sem compreender, ele tentou novamente em inglês:

— Qual é o seu nome?

A pergunta a pegou de surpresa.

— Sita — disse ela, após um momento.

— Você é nova aqui.

Ela trocou um olhar com *tio-ji*, sem saber como responder.

O dono do restaurante entrou na conversa, parecendo nervoso.

— Ela veio da Índia. Ela ajuda no restaurante.

O homem pareceu ponderar a declaração. Então, olhou para *tio-ji* e suspendeu os óculos. Sita se retirou para a cozinha profundamente constrangida.

Varuni ainda estava no chão, massageando o pé.

— Viu, não foi tão difícil — disse Varuni.

— Quem são eles? — perguntou Sita.

— São russos, eu acho. O tio chama o homem de Vasily. Eles moram perto da casa de minha avó.

Sita olhou para o relógio e percebeu que já passava das 23 horas.

— Por que ainda estão aqui?

— O tio e Vasily se encontram de vez em quando. Mas não sei sobre o que conversam.

Varuni se ergueu lentamente do chão e colocou o peso do corpo sobre os quadris.

— Tenho que terminar de limpar as mesas — disse ela, claudicando em direção ao salão. Ela parou de repente na soleira da porta e inclinou a cabeça para escutar, estreitou os olhos e olhou surpresa para Sita.

— O que foi? — perguntou Sita.

— Acho que estão falando sobre você — respondeu Varuni.

— O que estão dizendo?

Varuni escutou mais um pouco.

— Alguma coisa sobre um acordo — sacudiu a cabeça —, não sei direito.

* * *

Sita passou a noite muito ansiosa. Estava desesperada para descobrir sobre o que *tio-ji* e o homem chamado Vasily haviam conversado, mas Varuni foi para casa antes que tivesse a chance de falar com ela novamente. Na manhã seguinte, *tio-ji* a despertou bem cedo e mandou que se vestisse. Ele apontou para um casaco cuidadosamente dobrado sobre a cadeira ao lado dela. Era o sobretudo que Navin havia lhe dado na sua primeira manhã em Paris.

— Vista isso — disse ele — e espere por mim na frente do restaurante.

Sita vestiu o casaco e foi se sentar em uma das mesas próximas à janela, cada vez mais apreensiva. *Tio-ji* estava ao lado da porta, olhando para a passagem. Por volta das 7h30, apareceu um rapaz que *tio-ji* cumprimentou em francês. O rapaz vestia jeans, mocassins e uma jaqueta de couro. Ele caminhava com ares de autoridade.

O rapaz cumprimentou *tio-ji* com um aceno de cabeça e observou Sita atrás de *tio-ji*, sem nenhuma expressão.

— *Viens*[29] — ordenou ele, segurando a porta para que ela passasse.

Sita não conhecia a palavra, mas compreendeu a intenção do rapaz.

Ela olhou para *tio-ji* e começou a tremer.

— Vá — *tio-ji* falou em híndi. — Dmitri tem trabalho para você. Ele a trará de volta mais tarde.

Sita hesitou por um momento e depois seguiu Dmitri por ruelas com pavimento de paralelepípedos, até chegar ao bulevar mais próximo. O céu estava coberto com pesadas nuvens cinza e o ar gelado açoitava seu rosto. Era a primeira vez que saía às ruas em quase um mês, porém, ela estava muito amedrontada para poder apreciar o movimento.

Havia um carro preto estacionado, com as luzes de alerta piscando. Dmitri abriu a porta de trás, e Sita entrou no interior acolchoado do veículo. Dmitri sentou no banco do motorista e entrou acelerado no trânsito. Após um ou dois minutos, eles pararam em frente de um conjunto de pesadas portas duplas. A rua era estreita e com muitos edifícios, o que deixava o ambiente sombrio.

Dmitri desceu do carro e se aproximou de um dispositivo de alarme ao lado da porta, digitou uma senha e as portas se abriram automaticamente. Ele manobrou o carro pelas passagens em arco até um pátio pavimentado com pedras. Um sedã prata e um furgão branco estavam estacionados ao pé da escada que levava a um pórtico também de pedra. Dmitri estacionou o carro e abriu a porta para Sita desembarcar. Ela o seguiu pelas escadas até uma porta vermelha e o observou enquanto Dmitri digitava outra senha, em um dispositivo de segurança ao lado da porta. A porta destravou e eles entraram em uma sala decorada com telas adornadas por molduras douradas. Do lado esquerdo, havia uma sala de estar decorada com grossos tapetes e antiguidades. Do lado direito, havia a sala de jantar com uma mesa, elegante e cadeiras de espaldar alto. Um corredor se estendia à frente até um quarto e

---

[29] "Venha", em francês no original. (N. T.)

a cozinha. Ao lado da entrada da cozinha, havia uma escada que dava acesso ao piso superior.

Uma mulher descia as escadas. Sita a reconheceu do restaurante. Dmitri falou com ela em uma língua carregada de sons ásperos, que Sita não reconheceu. A mulher olhou para Sita sem alterar sua expressão sisuda e fez um gesto para que a seguisse. Elas subiram as escadas e atravessaram o espaço até uma biblioteca coberta por painéis almofadados. A mulher lhe entregou um pano velho e disse num inglês ruim:

— Eu sou Tatiana. Você limpar livros.

Sita obedeceu. A biblioteca era grande e possuía muitas estantes. Os livros estavam cobertos de poeira, dando a impressão de que ninguém tocava neles havia muitos anos. Ela foi removendo os livros um a um, e limpando delicadamente suas bordas e a lombada. A biblioteca lembrava a de seu pai. Ele mantinha um estúdio no bangalô da praia e cuidava muito bem de sua coleção de livros. Na maior parte das vezes, após o jantar, ele ia até a estante e retirava um volume ou outro para ler, sentado em sua escrivaninha. Muitas vezes Sita ia perguntar o que estava lendo, só para ver o brilho em seus olhos. Sua resposta era longa, com grandes explicações sobre o tema, e, na maioria das vezes, Sita também aprendia alguma coisa.

A tarefa de limpar os livros tomou muitas horas. Tatiana trouxe um sanduíche de almoço para ela. Ela elogiou as prateleiras que Sita havia limpado e sorriu.

— Bom trabalho — disse ela. — Continue.

Sita acabou a limpeza do último livro pouco antes de Tatiana reaparecer.

— Acabou? — ela perguntou, e Sita fez que sim com a cabeça. — Bom. Dmitri leva você agora.

Ela desceu as escadas atrás de Tatiana e foram até a saída. Dmitri e Vasily conversavam na sala de estar. Uma moça loira, vestindo um conjunto de colete e calças pretas, estava sentada ao lado de Dmitri, com os olhos voltados para o chão. Tatiana chamou o filho e, nesse momento, os olhares da garota loira e de Sita se cruzaram. A moça perceptivelmente arregalou os olhos, e esse olhar acertou Sita como se fosse uma pancada.

A garota estava com medo.

Sita desviou o olhar e seguiu Dmitri até a porta. O que quer que tenha acontecido à garota, não era problema seu. Trabalhar para Tatiana era muito melhor que sofrer os abusos de *tia-ji*. No que lhe dizia respeito, a mudança de emprego era uma bênção.

Finalmente, Lakshmi voltava a sorrir para ela.

***

Sita retornou àquela residência no dia seguinte e no outro, sempre acompanhada por Dmitri. A cada manhã, Tatiana se encontrava com ela no hall de entrada e lhe passava as tarefas. Ela tirou o pó da mobília da sala de estar e poliu a mesa e as cadeiras da sala de jantar; limpou os banheiros e organizou o armário com roupas de cama que ficava no andar de cima. Trabalhava por oito horas, com quinze minutos de intervalo para o almoço. Tatiana era perfeccionista, mas Sita trabalhava arduamente e conseguia dar conta de suas expectativas.

Na quarta manhã de trabalho na residência, a rotina matinal de Sita foi alterada sem explicação. Após estacionar seu carro, Dmitri a conduziu de volta, pelo pátio, na direção da rua. Ele parou sob uma arcada coberta e digitou uma senha no dispositivo de segurança que havia ao lado de uma porta de vidro que Sita ainda não havia notado. Ela ouviu o mecanismo da porta destravar e acompanhou Dmitri até um hall com cheiro de mofo na base de uma escada em espiral.

Dmitri a encarou com olhar severo.

— Você não vai contar o que viu aqui — disse ele em um inglês surpreendentemente fluente. — Você faz o que eu mando e guarda o restante para si mesma. Senão, haverá consequências. Entendeu?

A respiração de Sita parou na garganta. Ela se lembrou da moça loira sentada no sofá, que vira no primeiro dia, e começou a se perguntar se descobriria o motivo do medo da garota.

Ela assentiu com a cabeça e subiu um lance de escadas atrás de Dmitri até um espaço com assoalho de madeira. Esse espaço dava para duas portas. Dmitri abriu a porta à direita e Sita seguiu-o por um corredor iluminado por uma única lâmpada no teto. Tirando um molho de chaves de sua jaqueta, Dmitri percorreu o corredor e destrancou seis portas. Ele gritou algumas palavras na sua estranha língua e trouxe um cesto de um armário que havia no final do corredor.

Uma por uma, seis mulheres bem jovens emergiram dos quartos. Elas vestiam camisetas e shorts de ginástica. A última a sair foi a moça que Sita havia visto sentada no sofá. Sita se lembrou dos quartos destinados à prática sexual no bordel de Suchir. Ela não tinha ideia do que Dmitri fazia com as moças, mas as portas trancadas deixavam claro que elas não eram livres para partir.

Dmitri entregou o cesto a ela e disse em inglês:

— Tire os lençóis e as fronhas de cada uma das camas e junte a roupa suja.

Sita entrou no primeiro quarto. Era um cômodo pequeno e mal iluminado, com espaço apenas para a cama e uma cômoda com gavetas. A janela na parede oposta era coberta, com a esquadria presa ao batente com grampos. Sita tirou a roupa de cama e recolheu do chão uma pilha de roupas íntimas rendadas. Ela fez o mesmo em cada um dos quartos. Todos com a mesma aparência sombria, a mesma janela tapada, a mesma ameaça invisível.

As garotas usaram o banheiro e retornaram ao corredor enquanto Sita se ocupava com as tarefas. Quando terminou de tirar os lençóis da última cama, ela levou o cesto de volta a Dmitri. Ela não conseguia olhar para as moças. A solidão de seu cativeiro a fazia se lembrar de Ahalya. Dmitri disse mais algumas palavras ininteligíveis e as meninas retornaram aos quartos. Nos quinze minutos que se passaram desde a chegada de Sita, nenhuma delas emitiu um som sequer.

Dmitri trancou as portas e conduziu Sita à residência de Vasily. Tatiana a recebeu no vestíbulo e a conduziu até o porão, onde ficava a lavanderia. Ela mostrou a Sita como operar a máquina de lavar e a deixou sozinha.

Separando a roupa em diferentes pilhas, Sita tentou não pensar no que tinha visto. Ela não queria começar a odiar essas pessoas, mas não conseguia se livrar da ideia de saber sobre seis meninas trancadas em uma prisão improvisada, a não mais de quinze metros dali. Seria Dmitri um cafetão como Suchir?

Pouco antes das 15 horas, Sita ouviu o som de pesados passos na escada de acesso ao porão. A porta da lavanderia não estava totalmente fechada, e ela conseguia ver uma nesga de corredor através da fresta. Sita olhou para a fresta bem no momento em que Dmitri passava por ali. Um segundo depois, ela percebeu o brilho de uma cabeleira loira e o perfil de uma moça jovem. Ela tinha quase certeza de que era a mesma menina que ela vira no sofá.

Dmitri arrastou a moça e abriu uma porta que havia no final do corredor, batendo-a com força atrás de si. Depois de uma breve pausa, Sita ouviu a voz de uma mulher. O que ela dizia se tornava confuso e distorcido por um eco peculiar. Primeiro, ela pensou que o som atravessava as paredes, depois, percebeu que vinha de uma saída de ar próxima ao teto.

Sita ouviu o som de um tapa e um ganido de dor. Ela ouviu os sons de uma briga e a voz dura de um homem fazendo exigências. Poucos segundos depois, a moça gritou e o homem começou a gemer. Sita apertou a fronha que segurava e prendeu a respiração. Ela sabia o que significavam aqueles sons e, só de pensar, se enchia de raiva e terror.

Dmitri terminou o que queria fazer e voltou para o andar de cima.

Sita podia ouvir a moça se lastimando através da saída de ventilação, e seu coração se partiu. Ela lutava com sua consciência: estava à mercê de Dmitri, e ele, com certeza, era um bruto, mas se lembrava que seu pai dizia que se omitir diante do sofrimento alheio é desumanidade. Lembrou-se de como ficara Ahalya depois do incidente com Shankar, e essa memória lhe deu forças.

Abriu a porta da lavanderia. Olhou para o relógio pendurado na parede e viu que tinha menos de vinte minutos para agir, antes que Tatiana viesse atrás dela. Caminhou até a porta no final do corredor. Girou a maçaneta sem fazer barulho e entrou no quarto. A jovem estava curvada sobre a cama com o corpo enrolado em lençóis. Aos pés da cama havia uma pilha de roupas íntimas como aquelas que Sita havia recolhido para lavar. Ela viu três câmeras de vídeo sobre suportes e várias luzes acesas e ficou confusa, no meio de um cenário tão estranho. Então, ela entendeu.

As câmeras, com certeza, haviam registrado o estupro da garota.

Ela foi até a lateral da cama e se ajoelhou, com o estômago revirado. Ela tocou o ombro da moça, que gemeu e se afastou.

Ela deu, então, a volta na cama, se ajoelhou novamente e segurou os dedos da menina em suas mãos. A moça ficou quieta e seus olhos encontraram os de Sita. Ela se virou e se sentou na cama.

— Você fala inglês? — perguntou Sita, temendo que ela não compreendesse.

— Pouco — respondeu a menina, com forte sotaque. — Quem é você?

— Eu sou Sita — ela disse bem devagar —, faço os serviços da casa.

A garota começou a chorar em silêncio.

— Eu sou Natália. Você é de onde?

— Índia.

— Sou da Ucrânia.

— O que está fazendo aqui? — perguntou Sita.

— Vim trabalhar. Fui na agência. Homem toma passaporte e traz eu aqui.

Sita pensou em como os dois caminhos eram diferentes e, ao mesmo tempo, assustadoramente semelhantes. Então, ouviu um ruído no piso de cima e ficou com medo.

— Tenho que ir — sussurrou ela —, vou rezar por você.

Natália deu a ela um meio-sorriso.

— *Spasibo bolshoi* — disse ela, e depois repetiu em inglês: — Obrigada.

Capítulo 17

"A esperança pode desaparecer, mas nunca morrer."
Percy Bysshe Shelley

Mumbai, Índia

As semanas iam passando e a polícia não encontrava nenhum rastro de Sita ou Navin. Porter respondeu à mensagem de Thomas e se comprometeu a enviar a fotografia de Sita à Interpol. Ele explicou, contudo, que o Icaid é útil somente se a menina desaparecida foi vista na internet ou se acontecer de ficar sob a custódia policial de um Estado-membro da Interpol. Se ela não aparecer nesses meios, é improvável que possam encontrá-la.

Mas, no final da mensagem, Porter deu uma boa notícia:

Queria lhe contar também que os policiais de Fayetteville tiveram algum progresso no caso de Abby Davis. Sabemos que ela ainda está na cidade e estamos nos esforçando para descobrir seu paradeiro. Infelizmente, parece que seu pai estava certo em relação à conexão com o tráfico humano. Mantenho você informado.

Sentado na sacada do apartamento de Dinesh, com uma cerveja na mão, Thomas começou a pensar na mãe de Abby e a imaginar como era possível que ela suportasse a espera excruciante. O infortúnio daquela mulher continuava a mexer com ele. Olhando em retrospecto, ele se perguntava o quanto a situação que estava vivendo agora havia sido influenciada por aquele encontro fortuito. Se não fosse por Abby, será que ele teria se interessado pelo trabalho na Aces? Teria conversado com Porter e tomado conhecimento da vaga do escritório de Mumbai? Teria viajado para a Índia e tentado se reconciliar com Priya?

* * *

As semanas haviam sido agitadas no escritório. A Aces havia liderado mais duas invasões, resgatando um total de catorze meninas. A segunda operação, cujo alvo era uma cervejaria situada em um subúrbio a noroeste, quase fora abortada devido ao vazamento de informação, que muito provavelmente viera de algum policial. Mas um agente de campo que atuava nas ruas viu as meninas sendo transferidas uma hora antes da operação e Greer conseguiu obter uma alteração de última hora no mandado de busca, incluindo a nova localização.

Thomas ficou impressionado quando a armação foi descoberta.

Os agentes de campo da Aces haviam entrado em contato com os cafetões para que arranjassem uma noitada privada de sexo para três homens. Atraídos pela oferta de um bônus caso as meninas fossem menores de idade, os agenciadores baixaram a guarda. A polícia prendeu os criminosos em um *chawl*, ao lado do bar, e colocaram dez meninas menores de idade sob custódia preventiva. O resgate foi o mais dramático da história do escritório da Aces em Mumbai e o caso ficou famoso até na sede, em Washington.

Thomas passava os dias trabalhando nos argumentos finais de casos que iriam a julgamento na primavera. Paralelamente, continuava a aprimorar o relatório do caso de Ahalya. O juiz manteve o processo a pedido da defesa, o que deixou Thomas se sentindo ao mesmo tempo ultrajado e agradecido. Porque isso queria dizer que o juiz era simpático à causa do aliciador, mas também dava a Thomas mais tempo para preparar a corda para eles mesmos se enforcarem. Quando ele finalmente terminou seu relatório, Samantha não poupou elogios:

— É o melhor relatório que vejo em cinco anos aqui. Este argumento fala por si mesmo.

— Sei que não é bom se envolver com o caso — Thomas disse —, mas eu realmente gostaria de limpar o chão com a cara desse filho da mãe.

Os olhos de Samantha brilharam:

— Nunca se sabe. Seu desejo pode se realizar.

* * *

Thomas não voltou mais ao lar das Irmãs de Caridade. Sua desculpa era que estava ocupado demais, mas na verdade ele não sabia o que dizer a Ahalya. Anita lhe contou que a menina sempre dava um jeito de perguntar sobre ele quando ela ia visitá-la.

— Ela se afeiçoou a você — disse Anita certa tarde.

— Ela nem me conhece — retrucou ele.

— Ela sabe o suficiente. Além do mais, não existem muitas pessoas por aqui que tenham amigos no Departamento de Justiça norte-americano.

Ele suspirou.

— Imagino que você tenha dito a ela que eu encaminhei a fotografia de Sita.

Anita assentiu:

— Sim, eu disse.

— O que mais ela quer que eu faça?

— Não sei. Foi você que prometeu que iria tentar.

* * *

Ele passava duas noites por semana com Priya. Muitas vezes ela foi se encontrar com ele para jantar com a equipe da Aces no Sheesha, um restaurante iraniano no terraço de um edifício na Linking Road, ou no Out of the Blue, um restaurante sofisticado em Pali Hill. Thomas não se surpreendeu quando ela começou a se afeiçoar aos gringos[30].

---

[30] No original *expat*, contração de "expatriado", usado na Inglaterra para designar pessoas que voluntariamente vão viver no estrangeiro. (N. T.)

A teimosia bem-intencionada deles e sua fascinação pelo mundo em que viviam era um contraste agradável com o tédio e o cinismo que atormentava muitos de seus amigos nos Estados Unidos.

O mês de fevereiro avançava e os dias iam ficando cada vez mais quentes. Mesmo sem querer, Thomas pensava em Ahalya com frequência e na pulseira *rakhi* que recebera dela. Ele conseguiu a permissão de Greer para entrar em contato com a ACI, mas as notícias que recebia eram sempre desanimadoras. A certa altura, o agente designado para o caso levou Thomas até seu supervisor, que garantiu que não havia mais nada que pudessem fazer.

Thomas olhou para a pulseira colocada em seu braço. Em diversas ocasiões, ele sentiu vontade de devolvê-la. A pulseira era um fardo que ele não se sentia em condições de carregar. Porém, ele havia feito uma promessa à Ahalya. E também havia feito um acordo com Priya.

Ele precisava pelo menos tentar.

* * *

As novidades chegaram quando menos se esperava. Na terceira semana de fevereiro, Thomas estava almoçando no escritório da Aces com Nigel McPhee e alguns outros gringos, quando o celular de Nigel tocou. Ele tirou o telefone do bolso e olhou o visor.

— O que descobriu? — ele perguntou, colocando o celular no ouvido. Escutou por alguns segundos e seus olhos se arregalaram. — Hoje à noite? Vou dar a notícia ao Greer.

— O que está acontecendo? — perguntou Thomas quando Nigel desligou o celular. O diretor de operações de campo ignorou sua pergunta e foi diretamente ao escritório de Greer. Thomas pôs de lado seu prato e foi atrás dele, imaginando se teria algo a ver com Sita.

Greer levantou os olhos do relatório que estava lendo.

— Navin está de volta a Mumbai — disse Nigel. — Rohit acabou de ligar.

— Ele já conseguiu confirmar a informação? — perguntou Greer, muito sério.

Nigel negou com a cabeça.

— Mas o cafetão que falou com ele é uma fonte confiável. Ele obteve a informação diretamente de Sumeera.

— Navin é um nome comum. Como ele sabe que é o nosso homem?

— Esse Navin tem uma queda por menores de idade.

— Isso não é suficiente — objetou Greer. — Se nós vamos para cima dele, temos quer ter certeza absoluta.

Nigel sorriu.

— Navin não vem atrás de sexo. Ele leva as meninas embora.

O ceticismo de Greer pareceu diminuir.

— Ele disse isso?

— O cafetão mencionou a Europa — Nigel respondeu.

Greer tirou o telefone do gancho.

— Mande o restante da equipe para lá. Eu ligo para a ACI.

Nigel assentiu e saiu da sala, mas Thomas permaneceu.

— Quero participar da operação — disse ele.

Greer pareceu embaraçado.

— Nós não sabemos que tipo de gente é esse Navin. Não tenho como garantir sua segurança.

Thomas tocou a pulseira *rakhi*. Com a chegada do calor, ela começara a provocar coceira e a marca que deixava na pele era um lembrete constante da sua promessa.

— Não importa — retrucou ele —, quero estar presente quando você conseguir pegá-lo.

Greer ficou pensativo por um longo tempo.

— Tudo bem. Você vai conosco. Mas veja se faz o favor de não atrapalhar.

* * *

Thomas ficou ao lado de Greer enquanto a equipe se preparava para a investida. Sob as ordens de Greer, Nigel enviou todos os agentes da divisão de campo para Kamathipura, para tentar extrair a maior quantidade de informação possível. Enquanto isso, o diretor de operações de campo contatou a ACI para discutir a liderança da operação. O chefe da ACI concordou que Greer liderasse, mas só depois que ele garantisse que a equipe de Nigel havia verificado a dica.

Duas horas mais tarde, no entanto, os agentes de campo ainda não haviam conseguido nada de novo. Eles foram atrás dos suspeitos usuais — *beshyas*, cafetinas e cafetões, que eram seus informantes extraoficiais —, mas ninguém sabia de Navin. Nigel andava de um lado para o outro e fazia ligações cada vez mais curtas de seu celular. Greer olhava o relógio e ficava aflito à medida que o tempo passava. Thomas nunca o havia visto tão nervoso.

No final da tarde, Greer ligou para o superintendente da ACI para dizer que a dica ainda não havia sido confirmada. Foi uma conversa tensa e Thomas podia ver o quanto Greer estava se esforçando: ele tranquilizou, persuadiu, bajulou, e, finalmente, implorou para que o chefe da ACI não desistisse da operação. No final, o homem aquiesceu, mas cortou um terço de seu contingente e jurou que eles estavam só perdendo tempo.

***

Às 18 horas, os agentes de campo da Aces estavam em posição. Thomas foi com Greer até a delegacia de Nagpada, onde se encontraram com a equipe da ACI e com o inspetor Khan. Greer explicou que, embora a ACI tivesse jurisdição nacional, Kamathipura era território do inspetor. O chefe da ACI envolveu Khan na operação para prevenir disputas interdepartamentais posteriores.

Os agentes da ACI se dirigiram, ao cair da noite, para a M. R. Road em três furgões sem identificação. Khan foi atrás, em um veículo separado, com Greer e Thomas. Para evitar que fossem identificados pelos cafetões que trabalhavam nas ruas, Khan estava em trajes civis e os norte-americanos usavam bonés de baseball e escureceram os pelos da barba.

— Supondo que a operação funcione — perguntou Thomas na penumbra da cabine do carro —, quem terá jurisdição sobre a prisão de Navin?

— Nós — respondeu o inspetor.

— Não é a ACI?

Khan sacudiu a cabeça.

— A ACI não tem estômago para o trabalho sujo. Nós temos os meios para descobrir o que ele fez com a garota.

— E se ele não falar?

Khan deu um leve sorriso.

— Temos nossos recursos, Sr. Clarke.

O inspetor fez uma conversão para entrar na rodovia e estacionou o carro de modo a poder observar o bordel de Suchir. Era uma terça-feira, e as ruas estavam lotadas de homens procurando um programa antes de ir para casa, após o trabalho. Mais para baixo, na mesma rua, Thomas viu Rohit e outros dois agentes de campo da Aces tomando conta da entrada do bordel. Suchir estava sentado perto da porta, fumando *chillum*, um cachimbo de haxixe.

Quando já passava das 19 horas, um dos agentes de campo se aproximou de Suchir para acender um cigarro. Eles conversaram um pouco até que o agente se despediu e continuou vagando por ali. O celular de Greer tocou alguns segundos depois. Ele ouviu e logo encerrou a ligação.

— Suchir contou que está esperando a visita de um ótimo cliente na próxima hora — disse Greer a Khan.

O inspetor pegou o rádio e repassou a informação para a ACI.

* * *

Os minutos se arrastavam lentamente no interior do carro sem ar-condicionado. A umidade que entrava pelas janelas meio abertas era forte e cheirava a lixo e fumaça de cigarro. Os homens caminhavam em grupo pelas ruas, recusando as propostas dos cafetões. Proprietários de bordel, como Suchir, ficavam sentados, sem fazer nada, apenas observando o ritual de comercialização, mas sem participar das negociações.

Thomas mantinha a cabeça baixa, mas seus olhos estavam em alerta, observando tudo.

Quando faltavam dez minutos para as 20 horas, um táxi parou em frente do bordel e Suchir pôs de lado seu cachimbo.

Uma voz começou a falar pelo rádio:

— Temos um suspeito. Trinta e poucos, cabelos pretos, roupinha da moda.

Thomas ficou observando enquanto um homem vestindo uma camisa rosa-choque desceu do táxi e saudou Suchir da rua. O homem entregou uma sacola de viagem a Suchir e o *malik* a abriu para conferir o conteúdo. Thomas começou a perceber a tensão em seu corpo. Ele tinha certeza de que era Navin.

A voz no rádio tornou a falar:

— Todas as unidades, entrar em ação.

Nesse mesmo momento, os agentes de campo convergiram para o bordel. Suchir segurou com força a bolsa e correu escada acima para tentar escapar. Ao mesmo tempo, o homem com a camisa rosa-choque correu em direção a uma viela. Rohit saiu de uma soleira e interceptou seu caminho, mas o homem colocou o ombro para a frente, atacou o agente e o derrubou. Rohit bateu no chão com força e deixou escapar a ponta da camisa rosa que estava segurando. Cambaleando para se pôr em pé, o homem retomou o equilíbrio e correu para dentro daquele labirinto de becos e vielas.

Nesse momento, algo explodiu dentro de Thomas.

Antes que pudesse pensar no que estava fazendo, antes de calcular os riscos ou entender a reação instintiva que o dominou, ele abriu a porta do carro e saiu. Ignorando os gritos de Greer e Khan, ele correu em direção à ruela por onde o homem havia desaparecido de vista. O homem tinha uma vantagem de uns dez segundos, mas Thomas era rápido. Ele estava confiante de que conseguiria alcançá-lo.

Passando por Rohit, que recuou o corpo e parecia estupefato, Thomas disparou viela abaixo, se esquivando de carroças, fregueses e varais de roupa colocados tão próximos uns dos outros que tampavam a vista do céu. Em volta dele, muita gente o encarava, mas Thomas não lhes dava atenção.

Enquanto conseguisse ouvir os passos do homem batendo no chão imundo, seu único objetivo era correr.

O tempo parecia se distender enquanto ele corria pela viela. À medida que avançava, ele escrutinava o caminho a sua frente para ver se avistava seu alvo. Ele ouviu o som de uma batida e logo depois deparou com a banca de um ambulante derrubada. Ele saltou sobre ela sem perder o ritmo e abaixou a cabeça para passar sob uma fileira de sáris pendurados para secar. Ao fazer uma curva na viela, ele conseguiu avistar o homem a uma distância de uns quinze passos. Ele se movia com rapidez, mas parecia forçar a perna direita. Thomas aumentou o ritmo da corrida, ignorando cafetões e donos de bordel que o espiavam por trás das sombras.

O homem mudou de direção e entrou correndo em um prostíbulo. Thomas hesitou apenas um instante antes de ir atrás dele. O homem desapareceu por uma porta ao final de um longo corredor e Thomas foi ao seu encalço, mal se dando conta da fileira de garotas que vadiavam por ali. Ele passou pela porta, subiu um lance de escadas e chegou a um segundo corredor, também cheio de garotas encostadas nas paredes. Elas riam e lhe atiravam beijos, mas ele as afastava, concentrado em ganhar terreno.

O segundo corredor dava para um terceiro e, depois, um quarto. Por todos os lados havia garotas e quartos para o comércio sexual. O quarto corredor terminava em um espaço maior cheio de camas separadas por lençóis pendurados no teto. Várias camas estavam ocupadas. Ele ouvia gritos e reclamações, e viu que uma mulher e seu cliente tentavam se desvencilhar para se proteger. O homem pulou sobre a cama em que estavam para alcançar uma porta na parede do fundo.

Thomas perseguia o homem por uma nova teia de corredores. Ele desceu um lance de escadas e sentiu um sopro de ar fresco. Finalmente, ele viu uma saída. O dono do bordel se postou na frente da saída, tentando impedir a passagem, mas Thomas o empurrou para o lado e ganhou a rua.

O homem estava poucos passos a sua frente e agora era possível perceber claramente que mancava.

— Navin — gritou ele. E o homem olhou para trás.

Thomas concentrou todas as forças que lhe restavam para aumentar suas passadas.

Quando Navin estava a seu alcance, ele se jogou no ar, derrubando-o com seu corpo. Os dois caíram no chão sujo e rolaram até um grupo de cafetões que compartilhavam um cachimbo de haxixe. Na confusão, Navin tentou se livrar das mãos de Thomas, mas ele enrolou os braços em torno do peito de Navin e o segurou com força. Com toda aquela adrenalina, o ódio tomou conta dele.

— O que você fez com ela, filho da mãe? Para onde você a levou?

Em vez de responder, Navin o atacou com a ponta do cotovelo atingindo Thomas na cabeça. Nesse momento, ele pensou que ia perder os sentidos, mas a sensação se foi e ele apertou Navin com mais força. Ele ouviu gritos à distância e, depois, passos. Rohit foi o primeiro a alcançá-los. O agente de campo puxou Navin para colocá-lo em pé e o jogou contra a parede. Um agente da ACI tomou a frente e o algemou.

Outro agente da ACI ajudou Thomas a se levantar.

— Tudo bem? — ele perguntou.

Thomas fez que sim com a cabeça, resfolegando e sentindo dor pelo corpo inteiro. Ele limpou a sujeira do rosto e ficou observando enquanto os agentes da ACI conduziam Navin pela viela.

Rohit se aproximou de Thomas com um olhar que expressava tanto admiração quanto embaraço.

— Bom trabalho — disse ele.

Thomas forçou um sorriso.

— Foi bom fazer isso de novo.

Rohit franziu a testa:

— De novo?

— No colegial, eu era *cornerback* de um time de futebol americano.

Quando Rohit olhou sem expressão para ele, Thomas balançou a cabeça:

— Deixa pra lá.

***

A equipe da ACI escoltou Navin até a M. R. Road e o trancafiou em um dos furgões. Após uma ligeira discussão sobre território com o inspetor Khan, o superintendente da ACI ordenou que Navin fosse encaminhado para a delegacia de Nagpada. Enquanto isso, Greer dispensava os agentes de campo da Aces. Ele e Thomas acompanharam o inspetor Khan até a delegacia.

Greer se dirigiu a Thomas:

— Olha, eu consigo entender por que você tomou aquela atitude. Mas você se dá conta do perigo que correu? Não havia nenhum policiamento nas vielas.

Thomas deu de ombros:

— Acho que você não tem objeções em relação ao resultado.

— É claro que não — retrucou Greer —, mas se alguma coisa tivesse acontecido com você, eles pediriam a minha cabeça em uma bandeja.

Thomas achou que não valia a pena discutir aquilo.

— E o que aconteceu com Suchir?

— Ele conseguiu escapar — disse Greer. — Todos eles conseguiram. Sumeera, Prasad, os clientes, as garotas. Aparentemente, havia uma passagem secreta no sótão que dava para o telhado. Não havia mais ninguém quando os caras da ACI encontram a passagem.

— Você acha que ele vai fugir desta vez?

— Depende do medo que ele tem de Navin. Provavelmente ele vai se esconder por um tempo. Mas duvido que desista. O dinheiro é muito fácil.

— Quais são as chances de que ele vá a julgamento? — perguntou Thomas. — Eu vi o advogado dele. O juiz comia na mão dele.

Greer olhou Thomas nos olhos:

— Ahalya terá seu dia no tribunal. Nós vamos providenciar para que isso aconteça.

***

Quando o furgão chegou, o inspetor Khan levou Navin para uma sala nos fundos da delegacia. Greer e Thomas foram se sentar e esperar no escritório do inspetor. Meia hora depois, Thomas escutou o primeiro grito. Ele agarrou o braço da cadeira. Pouco depois houve um segundo grito. E, em seguida, os gritos se repetiam periodicamente. Thomas apertou os lábios, tentando lidar com as implicações do que ele estava ouvindo.

Ele se virou para Greer:

— Por quanto tempo isso vai continuar?

Greer balançou a cabeça:

— Até que o inspetor fique satisfeito.

— Isso não incomoda você?

— Minha opinião não importa. Isso é Mumbai. A polícia faz o que quer.

Thomas refletiu um pouco.

— Você acha que Navin vai falar?

Greer fez que sim com a cabeça.

— Ele vai falar. Mas a questão é outra: será que Khan consegue fazê-lo dizer a verdade?

***

Dentro da sala, no fundo da delegacia, Khan estava em pé em frente de Navin, tentando recuperar o fôlego.

O inspetor algemou Navin a uma cadeira de metal e bateu nele até que suas costelas começassem a estalar, interrogando o traficante entre um soco e outro. Navin, entretanto, era surpreendentemente resistente. Ele disse seu nome a Khan e admitiu ter comprado Sita. Ele alegou, no entanto, que a vendera a outro cafetão. Khan, então, perguntou onde morava esse homem e Navin disse Kalina. Khan respondeu que não acreditava nele.

— Diga para onde você a levou! — gritou ele, estalando as articulações dos dedos.

Navin olhou para ele de forma provocativa.

— Nós podemos prolongar essa sessão, se é isso o que você quer — disse Khan, pegando um dínamo movido à manivela. — Ou você pode me dizer a verdade. O que é que vai ser?

Navin gritou quando a corrente elétrica passou por seu corpo, mas não mudou sua história.

Khan perguntou a ele sobre a Europa.

— Você gosta de brincar com mulheres europeias?

Navin assentiu, com a fala um pouco enrolada:

— Por que não? Você gosta de brincar com a sua mulher?

A insolência enfureceu o inspetor. Ele moveu os eletrodos para a genitália de Navin e girou a manivela. Navin soltou um uivo agudo e começou a babar. Ele começava a dar sinais de que ia ceder.

— Diz para onde você levou a menina! — intimou Khan. — Você a levou para fora de Mumbai, isso eu sei.

A cabeça de Navin pendia para frente e para trás, e, então, quase imperceptivelmente, ele assentiu.

— Bom! — disse Khan. — Ela ainda está na Índia?

Navin olhou para Khan e cuspiu. Khan girou novamente a manivela, e Navin gritou.

— Não, não, não — repetia ele, desesperado. — Não está na Índia.

— Então, para onde você a levou? Inglaterra? Alemanha? Onde?

— França — Navin murmurou finalmente.

Khan respirou fundo:

— Por que para a França?

Navin permaneceu calado e Khan esperou. Depois de um minuto, o inspetor se impacientou e tornou a pegar o dínamo. A perspectiva de mais sofrimento fez Navin falar.

— Tenho um tio em Paris.

Khan colocou o dínamo de volta no chão.

— Por acaso seu tio é um *malik* como Suchir?

Navin sacudiu a cabeça.

— A menina não está lá para sexo. Ela está trabalhando no restaurante dele.

Khan ouviu uma batida na porta. Ele se voltou, irritado. Ele havia deixado ordens estritas para não ser interrompido.

— O quê? — berrou ele.

A porta se abriu e por ela entrou o comissário de polícia. Ele olhou para Navin e depois para Khan.

— Inspetor Khan — disse o comissário —, esse homem foi preso por engano.

Khan não podia acreditar no que estava ouvindo.

— O suspeito já confessou que comprou uma menina menor de idade de um prostíbulo e que a transportou para a França. Ele violou as leis indianas e leis internacionais. Qual é o engano nessa prisão?

— Inspetor, eu estou mandando soltá-lo — disse o comissário.

Khan encarou seu chefe e sentiu um formigamento na espinha por causa da raiva e da vergonha que estava sentindo.

Ele pegou no bolso as chaves das algemas de Navin. Ele não tinha escolha. Se desobedecesse, perderia o emprego e sua família seria posta na rua.

Assim que se viu livre, Navin se levantou e cuspiu no rosto do inspetor.

— *Muth mar, bhenchod* — disse ele com o rosto bem próximo ao de Khan. — Você nunca vai encontrá-la.

***

Khan voltou ao seu escritório.

— Temos um problema — disse ele, dividindo o olhar entre Greer e Thomas. — O comissário mandou soltar Navin.

— Como assim, o comissário mandou soltá-lo? — quis saber Greer.

— Exatamente o que você ouviu. Navin se foi.

Thomas estava perplexo.

— Como pôde deixar isso acontecer?

Khan franziu o cenho.

— Você não está entendendo. Eu não tive escolha.

— Esse lugar é um circo — disse Thomas com raiva, levantando e se dirigindo para a porta. — Nós temos que fazer alguma coisa.

Khan bloqueou sua passagem.

— Você quer ir pra cadeia? — perguntou. — Porque o comissário vai prender você e jogar a chave na baía de Mahin. Você não tem como vencer a luta contra a corrupção. Só existe um meio de encontrar a garota, que é falando diretamente com a polícia francesa.

Thomas respirou fundo e tentou se acalmar.

— Navin levou Sita para a França?

— Ela está trabalhando no restaurante do tio dele em Paris.

Thomas balançou a cabeça.

— Entre todos os lugares do mundo, Sita está em Paris.
— E que diferença isso faz? — perguntou Greer.
— Faz muita, porque eu conheço Paris. Eu cursei um semestre na Sorbonne.
— E daí? — Greer ficou olhando para ele. — Você não está pensando em ir atrás dela, está? A polícia francesa é muito bem equipada para estabelecer seu paradeiro.
— É claro que sim — concordou Thomas. Era uma ideia absurda, mas, por algum motivo, tomou asas em sua mente, voando como uma pipa ao sabor do vento.
— Amanhã vou entrar em contato com a ACI — disse Khan —, eles podem ajudar com os franceses.

*****

Thomas acompanhou Greer na noite quente e úmida de Mumbai. Greer chamou um táxi e disse ao motorista para levá-los até a Estação Central de Mumbai. Thomas não falou durante a viagem. A opção mais fácil para ele — ceder à vontade das autoridades — era também a mais lógica. O que mais importava para ele naquele momento — Priya — estava em Mumbai. Era possível que ela o encorajasse a fazer a viagem a Paris. Mas a opinião dela não era a única que contava. Embora eles tentassem, persistentemente, ignorá-lo, o pai dela ainda tinha influência em suas decisões. Priya não deixaria a Índia sem sua bênção. Se Thomas vislumbrava alguma chance de levá-la de volta com ele aos Estados Unidos, ele precisava ter o apoio do professor.

Ele e Greer compraram bilhetes para Bandra e desceram para a plataforma. Dez minutos depois, o vagaroso trem rangia sobre os trilhos. Eles embarcaram em um vagão da segunda classe e Thomas ficou em pé na porta, olhando a noite. O trem partiu em marcha lenta em direção aos subúrbios. As luzes da cidade eram como um rio brilhoso, constantemente em movimento. A brisa tépida mexeu com seus cabelos e cheirava a perfume barato.

Enquanto o trem avançava, ele tomou sua decisão. Talvez tenha sido o som ritmado das rodas, ou a sensação da maresia em sua pele, ou a cadência de uma língua estrangeira na boca de estranhos. Ou ainda a euforia de ter encontrado Navin, depois de perder a esperança. No entanto, assim que resolveu, a decisão parecia inevitável, como se aquele caminho o tivesse escolhido. Ele iria a Paris.

Ele devia isso à Ahalya.

Ele devia isso a si mesmo.

Capítulo 18

"Onde está a lâmpada apagada que fez
a noite e o dia? Onde está o Sol?"

Hafiz

Paris, França

O tempo ia passando e Sita continuava a limpar a casa de Vasily. A cada dois dias, sob as ordens de Dmitri, ela recolhia a roupa de cama e a lingerie dos apartamentos conjugados. As garotas sempre apareciam no corredor, vestindo camiseta e shorts de ginástica. Sita não encontrava nenhuma evidência da presença de homens nos cômodos ocupados pelas moças, nem preservativos, nem cigarros, nem mesmo bagagem. A única coisa que possuíam parecia ser roupa íntima rendada e alguns poucos livros.

Certa manhã, Tatiana a levou ao terceiro piso e pediu que limpasse uma sala cheia de lixo e equipamentos eletrônicos.

— Vasily fora de cidade — explicou ela. — Que sujeira!

Ela tirou um copo com resto de cerveja que estava sobre um arquivo e virou o nariz quando avistou um pacote de cigarros e um cinzeiro quase cheio.

— Nojento — disse ela, e se virou para Sita com um olhar de conspiração.

— Não conta a Vasily você aqui. Ele no gosta. — Ela deu de ombros. — Mas lugar precisa limpar.

Tatiana a deixou munida de panos de limpeza e espanador e voltou ao segundo andar. Sita não tinha grande conhecimento sobre computadores, mas a variedade de equipamentos eletrônicos de Vasily era muito mais sofisticada do que qualquer coisa que tivesse visto antes. Sobre a mesa, no centro da sala, havia dois monitores de tela plana no modo de espera, teclado e mouse, além de um tipo de tablet de material plástico.

A sala recendia a fumaça de cigarro e bebida barata. Ela começou a limpeza pela esquadria e peitoril de uma pequena janela circular, a única janela da sala. Então, foi até a mesa e espanou os monitores. Quando limpava o teclado, sem querer apertou uma tecla. Na mesma hora, as duas telas se abriram. Instintivamente, ela deu um passo para trás. As imagens mostravam um homem mascarado e uma mulher fazendo sexo. Ela rapidamente desviou o olhar e ficou ruborizada. Ela virou as costas para os monitores, procurando outra coisa para fazer. Pegou um pano de limpeza e poliu os puxadores das gavetas do arquivo até que ficassem brilhantes. O movimento ritmado foi silenciando e, finalmente, as telas dos monitores tornaram a se apagar. Ela olhou novamente para eles. De onde vinham aquelas imagens? Quem era aquele homem mascarado?

Quando alcançou a última gaveta do arquivo, percebeu que não estava totalmente fechada. Seu primeiro impulso foi fechá-la e seguir em frente com a limpeza, mas ela foi dominada por uma curiosidade mórbida. Talvez os arquivos pudessem explicar as imagens e a presença das meninas do outro lado do pátio.

Seu coração bateu mais forte quando ela puxou a gaveta. Dentro havia pastas etiquetadas à mão em uma escrita estrangeira. Ela retirou a primeira pasta e encontrou uma dúzia de fotos Polaroid. Cada uma das fotos mostrava uma garota caucasiana em roupas íntimas, em pé, em uma sala vazia. As paredes eram desgastadas pelo tempo. As garotas olhavam para a câmera com olhar vítreo. Não havia mais ninguém na sala com elas, mas as fotos eram batidas sempre do mesmo ângulo. Na pasta havia também uma folha de papel impressa em caracteres estranhos. Sita ficou imaginando se as palavras representavam os nomes das garotas.

Colocando a pasta cuidadosamente de volta na gaveta, ela deu uma espiada nas outras pastas, que também continham fotografias Polaroid acompanhadas de uma lista indecifrável. Puxou a gaveta até o final do trilho e encontrou uma pilha de revistas pornográficas no espaço vazio por trás das pastas. Ela recuou com aversão, fechou a gaveta e recolheu o pano de limpeza caído no chão.

Quando Tatiana foi buscá-la, ela se sentiu tão aliviada que quase abraçou a mulher. Tatiana deu a ela outra tarefa, e Sita passou o restante do dia ocupada com pequenos serviços, tentando esquecer as coisas que vira.

* * *

Na mesma noite, no restaurante, *tio-ji* disse a Sita que Varuni estava doente e que ela serviria as mesas. Sita vestiu o sári padronizado que *tia-ji* lhe dera e foi limpar as mesas na preparação para o serviço da noite.

Depois disso, memorizou rapidamente o cardápio. Estava escrito em híndi e traduzido para o inglês e o francês.

Tia-ji se movimentava apressada arrumando as toalhas de mesa, louças e os talheres. Ela incumbiu Sita de acender uma vela em cada mesa. Em sua agitação, *tia-ji* tinha pouco tempo para críticas. E, pela primeira vez, desde que chegou, Sita foi tratada por ela com um mínimo de respeito.

Os clientes começaram a chegar às 19 horas. *Tio-ji* os recebia e Sita os conduzia até a mesa. Se os fregueses eram de origem indiana, ela se dirigia a eles em híndi. Se fossem caucasianos, ela falava em inglês. *Tio-ji* ficava por perto para intervir caso ela precisasse se comunicar em francês. Ela tentou imitar o modo como Varuni servia as mesas, mas o resultado era estranho e ressaltava sua falta de experiência. Quando tudo o mais falhava, ela sorria e recomendava frango *tikka masala*.

O movimento estava fraco, mas vieram os clientes regulares em número suficiente para manter Sita ocupada. O que lhe faltava em experiência, ela compensava com inteligência. Ela sempre se orgulhara de sua capacidade de memorização. Ela tirava os pedidos e entregava os pratos sem necessidade de fazer anotações.

— Sua nova garçonete é muito agradável — disse um dos clientes regulares a *tio-ji*. — Onde a encontrou?

— Ela é filha de um primo que mora em Mumbai — disse ele —, e para nós é um privilégio tê-la aqui.

Sita não tinha certeza se o elogio era verdadeiro ou fingido, mas tomou como um sinal positivo. Quem sabe *tio-ji* permitisse que ela servisse as mesas junto com Varuni quando o inverno acabasse. Era muito melhor que esfregar banheiros com escovas de dente.

Os dois últimos clientes, um casal de indianos idosos, saíram pouco antes do fechamento do restaurante. Após limpar as mesas, Sita pegou uma vassoura na despensa e varreu o chão. Pouco depois, *tio-ji* recebeu uma ligação em seu celular que o deixou visivelmente agitado. Ele andava de um lado para o outro na frente do restaurante até que surgiu uma figura sombria.

Tio-ji deixou-o entrar e cumprimentou-o com um aperto de mãos. Sita olhou para o homem e algo nele parecia mexer com sua memória. Ele estava de costas para ela, mas tanto seu cabelo como sua jaqueta pareciam familiares. Ela continuou a varrer, observando o homem pelo canto dos olhos. Finalmente o homem se virou.

O estranho que ali estava era Navin.

Quando ele olhou para ela, Sita piscou, surpreendida com sua aparência. Suas faces estavam cobertas de hematomas e um de seus olhos estava preto.

Ele a observou sem nenhuma emoção.

— Parece que ela deu certo aqui — disse ele.

— Sim — respondeu *tio-ji* levando Navin até uma mesa de canto, próxima à janela. Ele se virou para Sita:

— Traga uma garrafa de *brandy* e um copo para o nosso convidado.

Ela pegou a bebida e voltou à mesa rapidamente. Colocando a garrafa e o copo diante de Navin, ela percebeu que as mãos de *tio-ji* estavam trêmulas.

Ele mal notou sua presença. Ela saiu e voltou a varrer o chão, prestando atenção para escutar a conversa. Navin falava baixo, mas ela conseguiu entender duas palavras: prisão e polícia.

Tio-ji respondeu em um tom mais alto:

— Você não contou nada a eles, contou?

A resposta de Navin foi inaudível, mas a reação do tio, não.

— O que isso quer dizer?

Navin não respondeu. Em vez disso, ele virou os olhos e inclinou ligeiramente a cabeça na direção dela. Ela se virou depressa, concentrando sua atenção na limpeza do chão. O salão ficou em silêncio por um momento antes que *tio-ji* gritasse:

— Espere na cozinha!

Ela ficou dura de susto e depois saiu correndo, com a cabeça cheia de perguntas sem resposta.

Será que a polícia estava procurando por ela? Navin teria contado onde ela estava? Ela ficou em pé na soleira da porta da cozinha, se esforçando para ouvir mais um pouco da conversa. Ela ouvia apenas sussurros até que *tio-ji* levantou a voz.

— Você tem que nos ajudar — disse ele, num impulso. — Foi você que a trouxe para nós.

Navin franziu a testa. Ele olhou na direção em que ela estava e se levantou abruptamente, deixando o restaurante. Ela observou da janela enquanto ele desaparecia na noite.

Ela olhou para *tio-ji*, tentando imaginar o que ele iria fazer. Ele voltou para a mesa, de costas para ela, e ficou falando consigo mesmo. A garrafa de *brandy* permanecia fechada diante dele. Ele levantou o copo e ficou olhando para ele por um bom tempo. Então, ele se virou e caminhou rapidamente em sua direção, com os olhos muito abertos e cheios de medo.

— Você tem que vir comigo agora mesmo — ele disse, puxando-a pelo braço.

Ele atravessou com ela a cozinha e foi até o apartamento. *Tia-ji* olhou para ele estranhando seu comportamento, mas ele a ignorou. Ele levou Sita até um armário em seu quarto de dormir e acendeu a luz. O armário estava lotado de roupas.

— Você tem que ficar aqui — disse ele.

— Por quê? — perguntou ela muito assustada.

— Sem perguntas — e a empurrou para dentro.

Quando ele fechou a porta, Sita sentou sobre uma pilha de sapatos e lutou contra a sensação de claustrofobia e de terror. Mesmo depois que sua vista se ajustou à escuridão, a única coisa que conseguia enxergar era um brilho desbotado que passava pela fresta da porta. Ela se concentrou para respirar profundamente, enquanto apertava nas mãos a pequena figura de Hanuman que mantinha escondida entre as dobras do sári.

Ela pensou na praia em Coromandel Coast, em como era antes do horror provocado pelas ondas. O mar brilhava, Ahalya estava lá, surfando à borda de uma onda. Seu pai e sua mãe observavam do jardim. Jaya se ocupava com as roupas no varal. Quando a visão se desvaneceu, lágrimas encheram seus olhos e ela começou a chorar, então cavou um espaço para se ajeitar no meio daquele monte de coisas e descansou a cabeça sobre algo macio, que parecia ser um gorro de lã. Esse era o segundo armário que ela ocupava durante sua estadia em Paris.

Mas esse armário, pelo menos, era quentinho.

***

Sita estava assustada quando a porta do armário foi aberta na manhã seguinte. Estava morta de fome e precisava desesperadamente ir ao banheiro. Piscou os olhos por causa da claridade que vinha do quarto e olhou para cima, para *tio-ji*, na esperança de que ele lhe oferecesse um prato de comida e que permitisse que fosse ao banheiro. Em vez disso, ele fez um gesto para que ela o acompanhasse.

Ela se levantou por cima dos sapatos e caminhou com ele até a entrada do apartamento. Dmitri esperava por ela. Ela suspirou de alívio. Não teria que passar o dia inteiro na solidão do armário. Tatiana lhe daria um bom almoço e ela voltaria ao restaurante no começo da noite para servir as mesas. Apesar da visita inesperada de Navin e do temor de *tio-ji*, no final, as coisas não iam mudar.

Depois de vestir o casaco, ela foi atrás de Dmitri para fora do pátio até o carro preto. Tatiana a encontrou no hall de sua residência e lhe passou a tarefa de limpar os quartos do segundo andar.

Às 16 horas, Sita estava na suíte principal espanando uma prateleira de livros. Ela olhou para o relógio de parede e ficou observando a porta, esperando a entrada de Tatiana. Mas a mulher não apareceu. Dezesseis horas se transformaram em 16h30 e, depois, em 17 horas. Finalmente, Tatiana apareceu e a levou até a cozinha. Ela viu uma das moças de Dmitri em pé, diante do fogão, vestindo jeans e um avental. Ela mexia uma panela de sopa e tomava conta das salsichas na frigideira.

— Ivana — disse Tatiana à garota —, essa é Sita. Ela vai ajudar você esta noite.

A menina assentiu, obediente.

A mente de Sita disparava em confusão e apreensão. Ela não tinha medo de Tatiana, mas Dmitri e Vasily deixavam-na aterrorizada. A casa era assombrada por terríveis segredos, que a luz do dia parecia esconder. Ela não gostaria de estar lá depois que a noite caísse.

Ivana falava pouco inglês, mas apontava e gesticulava, e Sita oferecia toda a assistência de que ela precisava. A comida era muito diferente da cozinha indiana, havia muita carne temperada com ervas e acompanhada de vegetais. Ivana apontou para a panela e disse:

— *Borscht*.

Passava um pouco das 18 horas quando Ivana serviu o jantar para Vasily, Tatiana e Dmitri na sala de jantar, e depois o serviu a si mesma e à Sita na cozinha. Sita comeu avidamente. Após o jantar, ela ajudou Ivana a tirar a louça da sala e a limpar a cozinha.

Às 19 horas, Dmitri apareceu na cozinha e Ivana ficou visivelmente tensa. Ela largou o pano de prato e o seguiu. Sita escutou seus passos pelo corredor e depois o barulho de uma porta abrindo e fechando. O som era diferente, mais suave do que a batida da porta da frente da residência. O coração de Sita se acelerou e ela ficou imaginando se Dmitri teria levado Ivana para o quarto no porão.

Tatiana entrou pouco depois. A mulher subiu com ela até o segundo andar e mostrou um dos quartos que Sita havia limpado naquela manhã.

— Você fica aqui — indicando a ela o banheiro e afofando os travesseiros. — Eu volta de manhã. *Bonne nuit*. Tenha bons sonhos.

Ela fechou a porta ao sair e Sita escutou o clique da tranca sendo acionada. No quarto havia uma cama *queen size*, duas poltronas para leitura e uma grande janela com vista para o pátio. Parecia um palácio, em comparação com o sótão de Suchir e os armários do *tio-ji*.

Ela foi até a janela e avistou o furgão branco e o sedã prata. O carro preto não estava lá. Ela foi até a prateleira e escolheu um romance escrito em inglês. Sentando-se em uma das poltronas, ela passou as primeiras horas da noite lendo. Ocasionalmente, ela escutava vozes por trás da porta, mas o som era abafado e distante.

Passava das 22 horas quando ouviu ruídos vindos do pátio. Ela se levantou e permaneceu na sombra de onde pôde ver quando Dmitri conduziu Natalia, Ivana e as outras meninas até o furgão branco. Todas elas se vestiam de modo provocante, com minissaia, salto alto e tops reveladores. Embora ainda fosse inverno, somente Natalia usava um casaco. Nenhuma delas falou nem olhou uma para a outra.

Dmitri abriu a porta traseira do furgão, e todas, exceto Natalia, entraram. Dmitri fez um gesto para que Natalia entrasse no sedã. Ele conversou rapidamente com alguém que estava no furgão e, depois, o carro desapareceu sob a fachada de arcos. Dmitri fez uma ligação de seu celular e entrou no carro prata. Ele saiu cantando os pneus e deixou o pátio.

Sita saiu da janela e se preparou para dormir. O banho que tomara foi luxuriante, os lençóis e fronhas eram mais macios do que qualquer coisa da qual pudesse lembrar. Mesmo assim, ela não conseguia afastar a persistente sensação de terror. Com toda sua riqueza e bom gosto, havia algo de diabólico na família de Vasily.

Para onde Dmitri teria levado as garotas?

***

Na manhã seguinte, Tatiana mandou chamar Sita para o café da manhã. Antes de deixar o quarto, Sita deu mais uma olhada pela janela e viu que o furgão e o sedã haviam retornado. O mistério sobre o paradeiro das moças se aprofundou quando ela encontrou Ivana na cozinha, preparando a refeição. A garota não parecia em nada diferente daquela da noite anterior. Sita ajudou no serviço, prestando atenção em qualquer sinal de aflição. Os olhos da moça miravam o vazio, mas ela não se atrapalhava com nada.

Sita passou mais alguns dias seguindo a mesma rotina, realizando as tarefas de uma empregada doméstica, lavando a roupa de cama e a lingerie das moças, e ajudando Ivana na cozinha. Todas as noites, o furgão partia às 22 horas e retornava antes do amanhecer. Na segunda noite de Sita, um domingo, Ivana e uma outra moça seguiram com Dmitri no sedã. Na segunda e na terça-feira, apenas Natalia foi com Dmitri.

Sita assistia da janela àqueles encontros noturnos e tentava não pensar em para onde as moças seriam levadas e o que seriam forçadas a fazer.

Na quarta-feira, após o café da manhã, Sita foi chamada à sala de estar onde Vasily a esperava. Logo depois, chegaram com Dmitri *tio-ji* e *tia-ji*. O casal de indianos se sentou sem dirigir o olhar a Sita. E ela os encarou, confusa. Não haviam lhe contado nada a respeito do objetivo daquela reunião.

— Aqui estão os documentos — disse Vasily, abrindo uma pasta sobre a mesa de centro.

Dentro da pasta, Sita pôde ver passaportes e bilhetes aéreos. Seu coração deu um salto.

Será que *tio-ji* e *tia-ji* decidiram deixar a França? O que pretendiam fazer com ela?

— Quanto vai nos custar? — perguntou *tio-ji* em voz baixa.

Vasily sacudiu a cabeça.

— Eu já disse a você. Não vai lhe custar nada. Nós ajudamos vocês e vocês nos ajudaram. É uma troca justa.

— E quando chegaremos lá?

Vasily deu de ombros.

— Isso vocês é que decidem.

— *Merci beaucoup* — disse *tio-ji*. — Você nos fez um grande favor.

Ele olhou para Sita e ela pôde perceber a culpa em seus olhos. Ela ficou ofegante. De repente, ela teve certeza de que aquele encontro dizia respeito a ela.

Vasily entregou os documentos ao *tio-ji*, e os dois trocaram um aperto de mãos.

— Deixe para me agradecer amanhã — disse Vasily. — E, até lá, tome cuidado.

PARTE TRÊS

Capítulo 19

"O coração tem razões que a própria razão desconhece."

Blaise Pascal

Mumbai, Índia

Thomas estava sentado na sala de espera da Air France, no aeroporto internacional de Chhatrapati Shivaji, bebendo uma taça de vinho tinto. Passava um pouco da meia-noite de quarta-feira, uma semana depois que o comissário de polícia havia mandado soltar Navin. Seu voo não sairia antes de uma hora e meia. Ele pensou em ler o jornal, mas sabia que as matérias não prenderiam sua atenção. Ele estava uma pilha de nervos. Fechou os olhos, respirou profundamente e ficou relembrando.

A semana havia sido agitada. Conversara com Greer no dia seguinte à operação, esperando que o diretor de campo fosse lhe dizer que ele era louco e que a Aces não podia abrir mão dele para que ficasse andando a esmo em Paris, procurando por Sita. Greer, contudo, lhe surpreendeu. Por baixo daquela aparência de quem já viu tudo, Greer, na verdade, era um idealista. Ele inquiriu Thomas apenas até ter certeza da seriedade de seus propósitos. Depois, deu sua bênção, pedindo somente que ele mantivesse contato.

Com Priya a história foi diferente. Depois da conversa com Greer, Thomas ligou no celular dela, pensando que ela não atenderia. Era quinta-feira e ela devia estar na casa de repouso em Breach Candy, visitando a avó. Quando ela atendeu ao primeiro toque, ele sabia que algo estava errado. Seu tom de voz confirmou isso.

— Thomas — disse ela —, minha avó acabou de falecer.
Ele respirou fundo e falou:
— Sinto muito, mesmo.
Demorou um pouco até que ela voltasse a falar.
— Até dois dias atrás ela estava conversando normalmente. As enfermeiras disseram que seu estado começou a piorar durante a noite. Quando cheguei aqui, ela já não conseguia mais falar. Ela me olhava como se quisesse dizer alguma coisa, mas não conseguia. Eu estava segurando a sua mão quando ela morreu.

Priya não conseguiu mais se controlar e começou a chorar.

Thomas deixou o escritório e tomou um riquixá.

— Sua família já sabe?
— Eu ia ligar agora para o meu pai.

Ele teve que erguer a voz acima da barulheira do motor de dois cilindros do riquixá.

— Vou levar uma hora para chegar até aí.
— Vá para a casa de meu avô. Vão levá-la para lá, para ser preparada.

Ele levou oitenta minutos enlouquecedores para chegar a Malabar Hill, pagou a corrida no portão da casa e entrou. O jardim estava fresco e cheio de fragrâncias e do canto dos pássaros; parou por um momento e pesquisou o santuário de Vrindavan: havia três carros estacionados. O conversível de Priya era um deles.

Ele se preparou para o inevitável confronto com Surya. Ele não voltara a falar com o professor desde o dia da cerimônia do *mendhi*. Ele não sabia se Priya havia contado ao pai sobre o tempo que vinham passando juntos. A coisa toda parecia um *déjà vu*. Parecia que ele e Priya ainda tinham que ficar se escondendo, como em Fellows Garden. Exceto pelo fato de que eles, agora, eram casados.

Não havia ninguém na varanda, mas ele percebeu um movimento por trás das janelas. Ele bateu devagar na porta da frente, esperando que Priya fosse recebê-lo. Mas não teve tanta sorte.

O professor abriu a porta e franziu o cenho.
— Priya está com a avó — disse ele.
— Ela me pediu que viesse — retrucou Thomas.

Quando Surya não respondeu, ele pensou que o homem iria fazê-lo esperar do lado de fora da casa. Então, Surekha apareceu.

— Thomas — disse ela, censurando com o olhar a atitude do marido. — Priya já vem. Por que não entra e espera na sala de estar?

Surya olhou feio para ele, mas deu um passo para o lado para que ele passasse. Thomas se sentou em um sofá e podia ouvir o som distante de vozes femininas falando em híndi.

Depois de alguns minutos, Priya surgiu e acenou para que ele fosse com ela até o terraço.

— Como você está? — ele perguntou.

— Não tenho certeza — respondeu ela com os olhos vermelhos de tanto chorar. — Eu não esperava que fosse tão rápido.

— O que eu posso fazer?

— Nada — disse ela, sacudindo a cabeça.

— O que acontece agora?

— O corpo dela será preparado e enfeitado para o cerimonial. Amanhã, a casa ficará aberta para receber as pessoas que vierem para homenageá-la, e depois ela será cremada em Priyadarshini Park. Então, meu pai e seus irmãos vão espargir suas cinzas a Varanasi. Nós cumpriremos o luto aqui.

Thomas se manteve em silêncio por um longo tempo.

— Eu lamento muito. Sei que você a amava.

— Eu a amava como criança. Depois de adulta, mal a conheci.

— Muito disso é minha culpa.

Priya olhou para o gramado na direção da fonte.

— Nós dois erramos. Mas procurar de quem é a culpa agora é inútil. Tudo o que temos é o futuro.

Thomas respirou e falou:

— Eu fico pensando como é que isso vai funcionar.

Priya sacudiu a cabeça:

— Não dá para você calcular como as coisas vão ser resolvidas.

— Então, o que devo fazer?

Priya olhou para ele.

— Por que os homens insistem em fazer essa pergunta? Você não tem que fazer nada. Tem apenas que ser você mesmo. O resto, nós descobriremos juntos como fazer.

— Por que as mulheres insistem em falar por meio de enigmas?

— Porque o amor é um enigma — respondeu ela —, assim como a vida.

Os ritos funerários hindus que se seguiram foram elaborados e o anúncio público trouxe uma multidão de quase quinhentas pessoas. A família adornou o corpo de Sonam com flores e o colocou sobre um esquife, com os pés voltados para o sul, em direção à morada dos mortos.

Ao anoitecer do segundo dia, Surya e seus irmãos carregaram o esquife até um carro funerário e o levaram para Priyadarshini Park, onde foi acesa uma pira e o corpo de sua mãe foi cremado. Um grupo de brâmanes entoou mantras, ao ritmo das ondas do mar e, tanto a elite quanto as pessoas comuns de Mumbai vieram apresentar suas condolências.

Após a cerimônia de cremação, a multidão se dispersou e a família pôde voltar ao bangalô. Enquanto Priya cuidava do pai, Thomas participava dos acontecimentos, se perguntando quando teria uma oportunidade de falar com ela sobre Paris. Ele se sentia culpado por se incomodar tanto com Sita. No entanto, quanto mais o tempo passava, mais convencido ele ficava de que Sita poderia ser encontrada, e, também, mais atemorizado se sentia por acreditar que o tempo estava contra ele.

Finalmente, três dias depois da morte de Sonam, ele conseguiu se afastar com Priya após o jantar e a conduziu até o terraço, sob a noite que caía.

— Você parece perturbado — disse ela. — Tem alguma coisa errada?

Thomas lhe contou sobre a prisão e a libertação de Navin.

Priya ficou escandalizada.

— O comissário é um amigo da família! Ele e sua mulher estiveram aqui para o velório de minha avó. Se um de seus delegados está trabalhando para os *goondas*, ele deveria ser informado.

— Não sei se isso faria qualquer diferença — respondeu ele. — De toda maneira, minha maior preocupação não é com o comissário.

— Você está preocupado com Sita.

Ele fez que sim com a cabeça.

Ela ficou pensativa.

— Você sabe por que Navin a levou para a França?

— Porque o tio dele é dono de um restaurante em Paris. Ela está trabalhando para ele.

— A polícia francesa está cuidando disso?

— A ACI ainda não nos disse nada. Ninguém sabe que tipo de providências os franceses irão tomar.

Ela olhou bem para ele.

— Isso não é tudo. Você tem mais coisa para dizer.

— A CIA deveria contratar você. Funciona melhor que um polígrafo.

Ela sorriu.

— Eu só consigo ler a sua mente.

— Eu preciso ir para a França — ele disse. — Sinto que posso encontrar Sita.

Ela o encarou, com os olhos brilhando à luz das tochas.

— Você tem certeza disso?

— Sim.

— Meu pai não vai entender.

— É claro que não.

— É uma pena. Ele estava começando a gostar de você.

Thomas arregalou os olhos.

— O quê?

— Suas palavras exatas foram: "Você arrumou um homem inteligente para se casar".

— Ah, mas respeito não é afeição.

— Mas também não é aversão.

Ele riu.

— Acho que fui eu que arrumei uma sabidinha.

Ela pôs a mão em seu braço.

— Vá para Paris — disse ela —, eu me encarrego do meu pai.

* * *

Thomas olhou o relógio e viu que ainda tinha meia hora até o embarque. Ele pegou seu celular e fez uma ligação para Andrew Porter no Departamento de Justiça. Porter atendeu no primeiro toque. Com a diferença de fuso horário de dez horas e meia, significava que era começo de tarde em Washington.

Thomas fez, então, para ele, um resumo da situação e perguntou se conhecia alguém no governo francês que pudesse ser de alguma ajuda.

— Nossas relações com a França sempre foram um pouco delicadas — disse Porter —, mas tenho uma amiga que trabalha como adida legal no escritório de Paris. O pessoal dessa área conhece os trâmites diplomáticos e tem o respeito do governo francês. Se quiser, posso ligar para a Julia.

— O quanto você a considera amiga? — perguntou Thomas. — Porque o que eu vou fazer lá não é exatamente ortodoxo.

— Julia e eu frequentamos juntos a Universidade de Colúmbia. Ela é uma das pessoas de quem mais gosto. Ninguém mais no FBI daria atenção a seu caso. Mas ela pode fazê-lo, como um favor para mim. Além disso, ela vai ficar interessada. Sua irmã foi raptada quando era pequena.

— Então, está bem. Ligue para ela — disse Thomas.

— Espere vinte minutos e ligue para o número que eu vou passar.

Porter passou um número com oito dígitos e o número do ramal em Paris. Thomas anotou na palma da mão. Depois de desligar o telefone, ele pegou um exemplar do jornal *Times of India* e consultou novamente o relógio. Após vinte minutos, ele fez a ligação. Julia atendeu ao telefone em francês. Embora Thomas falasse um pouco da língua, ele se identificou em inglês.

Ela passou de uma língua para a outra com facilidade.

— Farei o que puder para ajudar. Por onde começamos?

— Eu precisava descobrir se a polícia francesa esteve em contato com a ACI de Mumbai.

— Temos alguns contatos com a BRP[31] aqui em Paris. Ligarei para eles amanhã de manhã. Você conhece bem Paris?
— Eu cursei um semestre na Sorbonne. Por quê?
— Porque eu acho que você vai querer bancar o detetive. E fica mais fácil quando se conhece o terreno — ela fez uma pausa. — A que horas o seu voo chega ao Charles de Gaulle?
— Sete e meia, amanhã de manhã.
— Pegue o RER[32] Linha B até Châtelet-Les Halles. Eu encontro você às 9 horas em frente da igreja Saint Eustache.
— Como vou reconhecer você?
— Vou usar um casaco vermelho — disse ela.

***

O avião partiu no horário e Thomas dormiu a maior parte do voo. Quando aterrissaram no Aeroporto Charles de Gaulle, ele passou rapidamente pela alfândega e seguiu as placas de sinalização até a estação de trem RER, onde comprou um bilhete com validade para cinco dias. Havia quase uma década que ele não vinha a Paris, mas parecia que tinha sido ontem.

A viagem até o centro da cidade foi como um buquê de memórias. Ele se lembrava do aroma delicioso do pequeno café do quinto *arrondissement*[33], onde ele tomou diversas vezes seu café da manhã. Lembrava-se do silêncio do grande salão de conferências da Sorbonne e da sala de leitura Beaux Arts na Bibliothèque Sainte-Geneviève, onde ia estudar quando estava muito frio, para ler nos jardins de Pont Neuf, com vista para o Sena.

O trem avançava rapidamente para o centro da cidade. Ele desembarcou em Châtelet-Les Halles e seguiu as indicações até o Forum Les Halles, um shopping subterrâneo localizado no primeiro *arrondissement*. Ele passou por um cinema multiplex e subiu um longo lance de escadas antes de sair na rua Rambuteau.

O dia estava límpido e frio. O fim do inverno persistia, mas o Sol já exibia parte de seu brilho natural, anunciando a chegada da primavera. A igreja Saint Eustache, uma das muitas igrejas góticas históricas, dominava a paisagem. Ele caminhou pelos jardins e, em torno da praça em espiral,

---

[31] Brigade de Répression du Proxénétisme (BRP) é o serviço da polícia francesa que cuida de assuntos relacionados à prostituição. (N. T.)

[32] Réseau Express Régional, sistema de trens que liga os subúrbios ao centro da cidade. (N. T.)

[33] *Arrondissement* é uma divisão semelhante a bairro. (N. E.)

ficou procurando por Julia. Ela estava em pé ao lado da entrada turística, com as mãos enfiadas nos bolsos de seu casaco vermelho. Ela era alta e atraente, e seus cabelos castanhos eram cortados na altura dos ombros. Ele se apresentou e ela o cumprimentou com um beijinho rápido de cada lado do rosto.

— Um beijo[34] — Thomas disse e retribuiu o gesto. — Há séculos não faço isso.

— Eu estou aqui há um ano apenas, e para mim já é natural — disse ela.

Ele riu.

— Se ficar aqui tempo suficiente, vai se esquecer de qualquer outro lugar do mundo.

— Ah, um francófilo — disse ela, fazendo o mesmo caminho de onde ele viera.

— Fui infectado há muito tempo. É uma condição incurável.

Julia sorriu.

— Andrew me disse que eu ia gostar de você.

— Ele não entende muito disso — disse Thomas. — Ele gosta de todo mundo, até de criminosos.

— *Touché* — disse ela rindo. E mudou de assunto. — Eu telefonei para o nosso contato na prefeitura de Paris. Ele não ouviu falar sobre Navin ou Sita, mas disse que vai procurar saber. Eu lhe enviei também a fotografia que está no site da Interpol. Ele deve me ligar de volta esta tarde.

— Então, quais são seus planos para esta manhã? — perguntou Thomas.

— Há um homem que você precisa conhecer — respondeu ela —, Jean-Pierre Léon. Ele sabe tudo que é preciso saber sobre tráfico humano nesta cidade. E é também um dos interlocutores mais interessantes que encontrei em Paris. Você não vai se arrepender.

Julia o conduziu por uma viela ao longo da rua Mondétour. Eles pararam em frente a uma porta sem nenhuma inscrição, sob um toldo verde. Ela apertou o botão ao lado da etiqueta que dizia *Le Projet de Justice*. A porta se abriu depois de um sinal e eles subiram dois lances de escadas até um saguão sem janelas. Ela cumprimentou a recepcionista em francês e a moça fez sinal para que entrassem.

— Você é muito conhecida por aqui.

— Não exatamente — disse Julia. — É que eu telefonei para avisar que viria.

Eles encontraram Léon em um escritório tão abarrotado de livros, que a mobília ficava quase invisível. Thomas avaliou o homem e decidiu que gostaria dele. O francês era um homem de uns 40 anos, com olhos pene-

---

[34] Não é costume nos Estados Unidos se cumprimentar trocando beijos. (N. E.)

trantes e de compleição magra, que se vestia de modo bizarro, com agasalho esportivo e uma gravata de lã; um cachimbo pendia de seus lábios.

Ele se levantou para cumprimentá-los e fez um gesto para que se sentassem. Thomas se voltou para ele com olhar interrogativo, indicando uma cadeira coberta por um amontoado de livros.

— Sentem, sentem — disse Léon em inglês com um leve sotaque e abanando os braços. — Tire os livros daí. Depois eu os encontro novamente.

Thomas sentou desajeitado naquele espaço apertado e esperou que Julia introduzisse a conversa. No entanto, Léon já sabia do que se tratava e tomou as rédeas.

— Julia me contou que você está em Paris para procurar uma menina. Uma menina indiana.

Thomas assentiu com a cabeça.

— Não existem muitos indianos em Paris.

— Eu me lembro de um enclave indiano no décimo.

— O décimo é uma aldeia global. A maioria dos países está ali representado. Mas você tem razão. Existem indianos morando nas redondezas da rua do Faubourg-Saint-Denis.

— É por lá que eu devo começar a procurar?

Léon esfregou o queixo com energia.

— Talvez — ele olhou para Julia. — Mas Paris é uma cidade muito grande. A menina pode estar em qualquer lugar.

— Ou em lugar nenhum — completou Thomas. — Ela foi trazida para cá no começo de janeiro.

Léon sacudiu a cabeça.

— Se ela veio para trabalhar em um restaurante, duvido que não esteja mais aqui. É difícil substituir bons trabalhadores.

— Então, o que devo fazer para encontrá-la?

Léon ergueu os ombros:

— Julia disse que o traficante, Navin. Não é este o seu nome? Ele tem ligações familiares aqui, um tio. Pode ser que a polícia consiga rastreá-lo se estiver aqui legalmente. Mas se seus documentos foram comprados no mercado negro, eles não vão achá-lo. Tenho certeza de que você sabe que a França tem problemas de imigração ilegal.

— Enfrentamos a mesma coisa nos Estados Unidos — disse Thomas, tentando parecer educado. Na verdade, ele não estava gostando das respostas evasivas de Léon. — A caminho daqui, Julia me disse que você é o maior especialista em tráfico humano de Paris — prosseguiu ele. — Isso é verdade?

Léon levantou as mãos:

— Há quem diga isso. Mas também existem os outros.

— Estou satisfeito com a sua ajuda. Então, vamos combinar o seguinte: Sita estava na cidade há dois meses, e, como você diz, provavelmente ainda está aqui. Ela deve ter deixado algum rastro. Eu preciso que o senhor me oriente. Que me diga aonde ir e com quem falar. Se ela estiver em Paris, deve haver um jeito de encontrá-la.

O francês refletiu por um momento e, então, fez a seguinte pergunta:

— O senhor é um homem religioso, Sr. Clarke?

Thomas ergueu as sobrancelhas.

— Não particularmente.

— Que pena. Eu teria sugerido que rezasse.

Thomas ficou esperando que ele dissesse algo mais. Com o tempo, o silêncio foi ficando constrangedor.

— É isso o que tem para me dizer? — Thomas se mostrava frustrado.

O francês apertou o rosto e suspirou.

— Perdoe-me. Julia poderá lhe confirmar que eu tenho aversão visceral a dar conselhos. É um pecadilho pessoal, o medo de estar errado, eu acho. O senhor tem uma fotografia da menina?

Thomas assentiu e mostrou a Léon a foto de Sita.

O francês apertou os lábios.

— Essa servirá. Eu tenho um único pensamento. Se quisesse encontrá-la, mostraria a foto pelas ruas. Começaria pelo décimo e, depois, iria ao décimo oitavo. Perguntaria a mulheres e crianças, especialmente aquelas provenientes do Sudeste Asiático. Mas seria realista. Será necessário um milagre para encontrá-la.

Thomas olhou para Julia e ela assentiu:

— A ideia do Jean-Pierre pode ser boa.

— De vez em quando, um "caxias" como eu mostra que tem utilidade — disse Léon.

Ele se levantou e entregou a Thomas seu cartão de visita.

— Desejo muita sorte ao senhor. Mande notícias se encontrar a menina.

— Mandarei — respondeu Thomas e acompanhou Julia até a rua. Ele olhou as horas enquanto caminhavam de volta a Forum Les Halles. Eram quase 11 horas.

— Esqueci de perguntar onde você ficará hospedado — ela disse.

— Em um hotel perto dos Jardins de Luxemburgo.

Julia sorriu.

— Os mesmos lugares que frequentava antes.

— Achei que um pouco de nostalgia não me faria mal.

— Por que não vai se registrar no hotel? Eu ligo para você mais tarde se souber de alguma coisa. Esta tarde, se quiser, você pode começar a sondar o terreno. Talvez eu possa ajudá-lo amanhã.

Eles entraram no shopping e caminharam pelo labirinto de lojas até a estação do metrô. Julia parou antes da roleta e colocou a mão no braço de Thomas:

— Acho muito louvável o que você está fazendo — disse ela. — Andrew deve ter contado sobre minha irmã.

Thomas fez que sim com a cabeça.

— Até hoje não sabemos se ela está morta ou viva em algum lugar terrível. — Ela olhou para ele como se implorasse: — Sei que as chances são pequenas. Mas prometa que fará tudo que estiver ao seu alcance para encontrar a menina.

— Sita também tem uma irmã — Thomas disse, lhe mostrando a pulseira *rakhi*. — E ela me fez prometer a mesma coisa.

***

O hotel que ele havia escolhido ficava ao fundo da rua Gay Lussac, uma curta caminhada até a estação Luxembourg do metrô. A fama do estabelecimento se devia a uma visita de Sigmund Freud, havia muitos anos. Depois de se registrar e tomar um banho, Thomas saiu outra vez para comprar um mapa em uma livraria nas redondezas e, enquanto o estudava, saboreava um expresso em uma cafeteria na entrada Leste dos Jardins de Luxemburgo.

Aos poucos, ele foi se lembrando das rotas da cidade e começou a formular um plano.

De volta à estação de metrô, ele tomou o trem para Châtelet-Les Halles e atravessou a sequência infindável de túneis e escadarias até a Linha 4, que levava ao décimo e décimo oitavo *arrondissements*. Ele embarcou junto com um grupo de africanos, asiáticos e pessoas vindas da Europa ocidental, desceu em Château d'Eau e saiu do metrô em direção ao bulevar de Strasbourg. Verificou o mapa e foi em direção à Gare du Nord. Parando em um ponto de ônibus, procurou a fotografia de Sita no bolso e observou o bulevar ladeado por muitas lojas e apartamentos. O ar estava ficando mais quente, e havia muita gente na rua.

Ele virou à esquerda no bulevar de Magenta e caminhou em direção ao norte, até o final da rua do Faubourg-Saint-Denis, onde parou diante de uma loja com uma placa escrita em caracteres asiáticos. O proprietário estava em pé, na porta, conversando com um cliente. Thomas esperou a sua vez, com a foto de Sita nas mãos.

Quando o dono da loja olhou para ele, Thomas o saudou em francês:

— *Bonjour, Monsieur*.

— *Bonjour* — disse o homem, sem simpatia.

— Tenho uma amiga que mora nessa região — começou Thomas, contando o que ele acreditava ser uma história plausível —, e estou querendo lhe fazer uma surpresa. Eu tenho uma antiga fotografia dela. Será que o senhor a reconhece? — Ele mostrou a foto, apontando para Sita.

— Não — disse o homem abanando a mão. — Não aqui. — Então, virou as costas e entrou em sua loja.

Thomas voltou a caminhar, agora em direção ao sul. Uma jovem africana, empurrando um carrinho de bebê, sorriu para ele.

— *Excusez-moi*[35] — disse ele, parando diante dela. — Desculpe incomodar, mas estou procurando uma amiga. Ela mora por aqui.

A mulher mal olhou para a fotografia antes de começar a sacudir a cabeça:

— *Non, je suis désolée*[36] — disse ela e continuou a caminhar.

Thomas fez a mesma pergunta a outras três mulheres e dois homens, de idades diferentes. Todos negaram ter visto a garota e nenhum demonstrou interesse em ajudá-lo. Thomas decidiu mudar de estratégia. Começou a procurar por restaurantes indianos, esperando encontrar algum que servisse almoço. A uma quadra de distância, ele avistou um restaurante *tandoori*. Na fachada, havia um toldo vermelho com letreiros em francês e híndi. Ele foi até lá e viu que o estabelecimento só abria para o jantar.

Ele continuou no rumo sul ao longo da mesma rua. Eram 15 horas e seu estômago começava a roncar, então se deu conta de que não comia desde que fizera uma pequena refeição, ainda a bordo do avião. Ele parou em um café e pediu um sanduíche. Sentado em uma mesa perto da janela, olhava as pessoas que passavam na calçada. A certa altura, olhou para o outro lado da rua e viu uma estreita passagem de pedestres que atravessava para o leste, na direção do bulevar de Luxemburgo. No interior da arcada, ele viu o que parecia ser um restaurante indiano.

Ele saiu do café e caminhou até a passagem. Para sua surpresa, o lugar era um verdadeiro oásis indo-paquistanês dominado por restaurantes com cozinha do sul da Ásia. O primeiro restaurante que ele avistou estava fechado. As luzes do salão estavam apagadas e as cadeiras estavam viradas sobre as mesas. Estava virando para ir embora quando percebeu movimento nos fundos. Após um momento, surgiu uma mulher indiana grandalhona empunhando uma vassoura e um saco de lixo. Ela vestia um sári púrpura estampado com nalinis azuis e se movia apressada, varrendo e ajeitando coisas.

Ele bateu de leve no vidro para chamar sua atenção. Ela olhou para ele com uma expressão de quem não queria ser incomodada, sacudiu a cabeça e disse algo que ele não conseguiu escutar. Ele colocou a fotografia de Sita no

---

[35] No original em francês: Com licença. (N. E.)

[36] No original em francês: Não, sinto muito. (N. E.)

vidro da janela e ela, então, se aproximou, exalando irritação e falou alto o suficiente para que pudesse ser ouvida do lado de fora da janela.

— *Le restaurant est fermé* — disse, sacudindo a vassoura no ar. — *Fermé*[37]! — repetiu. E continuou a varrer.

Thomas desistiu e foi atrás de um indiano que cuidava de umas plantas dispostas nas laterais da entrada de outro restaurante. Ele mostrou ao homem o retrato de Sita.

O homem olhou para a fotografia e deu a Thomas um sorriso iluminado, mais característico dos indianos de Mumbai.

— Como é que o senhor conhece essa garota? — o homem perguntou.

— Ela é uma amiga da universidade — respondeu Thomas, pensando rápido.

— Da Universidade de Paris? — inquiriu o homem. — O senhor estuda lá?

— Eu estudei na Sorbonne — e tornou a mostrar a fotografia. — Talvez o senhor já a tenha visto em algum lugar. Pense, por favor. É muito importante.

O homem sacudiu a cabeça.

— Nunca vi essa moça. Mas tenho um amigo que talvez a tenha visto. O senhor me acompanharia?

Thomas seguiu o homem através da arcada.

— Onde estamos indo?

— Não é longe — disse o homem.

Eles saíram da passagem e atravessaram o bulevar de Strasbourg. O homem fez uma parada na calçada e apontou uma segunda passagem de pedestres, com uma cobertura de vidro.

— A casa do meu amigo é por ali — disse ele. — Ele vem sempre ao meu restaurante — e ofereceu sua mão: — Sou Ajit.

Thomas aceitou o cumprimento e apertou a mão do homem:

— Thomas Clarke.

Ajit foi na frente, pela segunda arcada. Eles entraram em uma loja que anunciava tapetes tecidos à mão oriundos da Pérsia e do Afeganistão. Ajit foi até o fundo da loja e abriu uma porta que dava para a área de estoque. Ele cumprimentou em híndi, falando bem alto.

— Ele tem problema de audição — disse Ajit —, mas virá daqui a pouco.

— Quem é ele? — perguntou Thomas.

— Seu nome é Prabodhan-dada. Ele vive aqui há muito tempo.

Depois de um minuto, surgiu um homem mais velho com uma calculadora nas mãos. Ele tinha os cabelos grisalhos e usava óculos com lentes grossas. Ele recebeu Ajit com gentileza e lançou a Thomas um olhar ao

---

[37] No original em francês: "O restaurante está fechado... Fechado!". (N. E.)

mesmo tempo franco e inquisidor.

— Prabodhan-dada — disse Ajit, e continuou em francês, para que Thomas pudesse entender: — Senhor Thomas está procurando uma moça.

O comerciante de tapetes inclinou a cabeça e piscou os olhos. Ao ver que ele não dizia nada, Thomas pegou a fotografia que Ahalya lhe dera e a entregou ao homem.

— Ela se parece com esse retrato — disse ele, apontando para o rosto de Sita —, embora seja mais velha agora.

O comerciante ignorou a foto e focalizou Thomas.

Ele falava em voz baixa, mas suas palavras eram carregadas de uma autoridade inconfundível.

— Como pode ver — disse ele —, sou um comerciante. Eu vendo tapetes. Por que o senhor acha que eu a conheceria?

— Eles se conhecem da Sorbonne — explicou Ajit, antes que Thomas pudesse responder. — O senhor Thomas não tem contato com ela há muito tempo.

— O senhor não sabe o telefone dela? — replicou o vendedor. — Ou seu endereço na internet? Certamente, um homem educado na Sorbonne saberia o que fazer para localizar um amigo.

— Nós perdemos o contato — disse Thomas — e tudo que sei é que ela vive em Paris.

O vendedor de tapetes estreitou os olhos, pensando a respeito. Finalmente, ele pareceu ceder. Levou a fotografia até a altura dos olhos para poder vê-la melhor. Ele piscou algumas vezes e tornou a olhar para Thomas, menos cético que curioso.

— E se ela não tiver interesse de encontrá-lo?

— Isso quer dizer que o senhor sabe onde ela está? — perguntou Thomas.

O comerciante o observou por um bom momento antes de assentir.

— Eu já vi uma moça que se parece com essa.

Assim que o senhor disse aquelas palavras, as esperanças de Thomas alçaram voo novamente. — Foi perto daqui? — perguntou, tentando controlar o entusiasmo.

O comerciante olhou novamente a fotografia e balançou a cabeça. Ele trocou algumas palavras em híndi com Ajit e desapareceu no fundo da loja.

Ajit disse:

— Prabodhan-dada diz que a moça trabalha em um restaurante no décimo oitavo. E pediu que o senhor não mencionasse o nome dele.

— Pode ficar tranquilo — concordou Thomas. — Como faço para chegar até lá?

Ajit deu a ele um sorriso iluminado:
— Eu vou acompanhá-lo, senhor Thomas.

***

Thomas seguiu Ajit até a estação de Château d'Eau. Eles compraram os bilhetes e embarcaram no trem que segue na direção norte da cidade. Em Barbès Rochechouart, Ajit saltou para a plataforma e conduziu Thomas em meio à multidão de pessoas que circulavam pela estação. Quando alcançaram a saída, Ajit rumou para o leste no bulevar de La Chapelle e virou à esquerda em uma viela pavimentada com paralelepípedos. Eles caminharam até a fachada envidraçada de um restaurante indiano. O lugar estava fechado, mas Thomas podia ver um homem de pele escura sentado em uma das mesas.

Ajit pediu a fotografia a Thomas e bateu de leve no vidro. O homem se voltou visivelmente irritado com a interrupção.

Ele se levantou e foi até a porta.

— *Bonjour* — disse Ajit, antes que o homem o dispensasse. Ele mostrou a fotografia de Sita e os dois tiveram uma conversa agitada em híndi. Depois de algum tempo, o homem sacudiu a cabeça e fechou a porta.

— O que ele disse? — perguntou Thomas.

— Ele não respondeu muita coisa — disse Ajit — e não foi nada amistoso.

— Ele disse alguma coisa sobre a fotografia?

— Disse que a moça já trabalhou aqui. Mas que foi embora.

Thomas respirou fundo, sentindo que estava chegando perto. Ele analisou o restaurante e foi embora, voltando pela rua de pedras até o bulevar de La Chapelle. Ajit foi atrás dele, sem dizer uma palavra. Na esquina, havia uma loja de turistas sem nenhum cliente dentro. Thomas entrou e foi até o caixa da loja. Lá estava uma jovem de cabelos espetados e com uma aranha tatuada no pescoço. Thomas mostrou a ela a fotografia de Sita e fez um gesto apontando o restaurante na viela enquanto explicava, em francês, a situação.

A moça do caixa sacudiu a cabeça, parecendo entediada.

— Não é a mesma garota.

Thomas sentiu uma pontada de frustração.

— Como é que você sabe?

— Sabendo.

— Um homem me disse que a viu aqui — replicou Thomas — e ele tinha certeza do que dizia.

A moça pôs as mãos sobre o balcão e se inclinou.

— Eu não ligo a mínima para o que o homem disse a você; não é a mesma garota. — Ela fez uma pausa e seu rosto suavizou um pouco. — Olha, eu sou uma artista, ouviu? Eu faço o retrato de pessoas no parque. Essa garota — ela disse, apontando a foto — tem a pele mais clara do que a menina que trabalha no restaurante. E a menina do restaurante tem covinha no queixo, testa mais larga e uma verruga na lateral do nariz. Eu jantei lá uns dias atrás. A comida é péssima, mas me lembro dela muito bem.

A certeza da moça do caixa balançou a confiança que o coração de Thomas acalentava.

— O homem do restaurante disse que ela não trabalha mais lá — disse Thomas — e não quis falar sobre o assunto. Você tem alguma ideia do por quê?

A moça deu um sorriso irônico.

— Ah, mas ela ainda trabalha lá, sim. Eu a vi ainda esta manhã. Provavelmente ela é ilegal, como a metade dos imigrantes dessa cidade.

Thomas deixou a loja se sentindo deprimido. A dica do vendedor de tapetes parecia tão promissora... Então, ele se lembrou da grossura das lentes dos óculos que o homem usava. "Ele não viu Sita", disse para si mesmo, "ele viu a imagem deturpada dela".

Ainda em pé, na esquina, ele se voltou para Ajit:

— Agradeço muito sua ajuda.

Ajit percebeu como ele estava decepcionado e tentou animá-lo:

— Gosta de comida indiana, senhor Thomas?

— Sim — respondeu Thomas, se esforçando para ser educado.

— Minha mulher faz o melhor frango *tandoori* de toda a França. Se vier ao meu restaurante, posso perguntar a ela se já viu sua amiga.

— Vou pensar a respeito — respondeu Thomas sem a menor intenção de fazê-lo. Ele estendeu a mão para encerrar a conversa e Ajit devolveu o cumprimento, parecendo desapontado.

— Venha ao meu restaurante — disse Ajit —, prometo que não vai se arrepender.

* * *

Thomas pegou o metrô de volta ao quinto *arrondissement* e depois caminhou para o sul ao longo do calçadão do bulevar Saint-Michel. Ele entrou pelo portão leste dos Jardins de Luxemburgo bem na hora em que o Sol se escondia por trás das árvores a sudeste e atravessou a praça até o palácio de Luxemburgo, se sentando em um banco próximo à fonte. Se o contato de Julia na BRP não trouxesse novidades, ele não conseguiria mais pensar em outras opções. Podia andar pela cidade por semanas, procurar em diferentes regiões e interpelar cada parisiense que cruzasse seu caminho e, mesmo assim, era quase certo que terminaria de mãos vazias. As chances de sucesso estavam terrivelmente contra ele.

Quando a luz do Sol se dissolveu no crepúsculo, ele deixou os jardins pelo portão lateral, em direção ao hotel onde estava hospedado. Enquanto caminhava, seu celular vibrou em seu bolso.

— Oi, Julia — ele atendeu ao telefone quando viu o nome dela no visor.

— Desculpe pelo atraso — disse ela —, mas nosso amigo na BRP acabou de se comunicar com um emissário na embaixada francesa em Mumbai. O emissário prometeu entrar em contato com a ACI amanhã.

Thomas compreendia a situação:

— As rodas da justiça se movem com lentidão.

— Aparentemente. E você, teve sorte essa tarde?

— Até agora, nada — respondeu. Então, ele fez um resumo de seu encontro com Ajit e de como a pista fornecida pelo comerciante de tapetes tinha sido um engano.

Julia suspirou.

— Eu continuo achando lamentável que a polícia de Mumbai tenha deixado Navin escapar. Se tivéssemos o nome de seu tio, eu poderia fazer muita coisa pelo nosso sistema de computadores.

— Não tenho dúvidas — respondeu Thomas.

Depois de uma pausa, ela perguntou:

— Você tem algum plano para esta noite? Eu conheço um restaurante marroquino fabuloso na ilha St. Louis.

Thomas já ia aceitando o convite, quando teve uma ideia. Ele se lembrou das palavras de Jean-Pierre Léon: "Eu perguntaria a mulheres e crianças, especialmente às do sudeste asiático". E também do convite feito por Ajit: "Minha mulher faz o melhor frango *tandoori* de toda a França... Posso perguntar a ela se já viu sua amiga". Ele sabia que era um tiro no escuro, mas era melhor que ficar esperando que a BRP produzisse uma pista, que talvez nem viesse.

— Eu adoraria — disse ele —, mas hoje estou mais para comida indiana.

Julia ponderou o que ele disse.

— Por acaso isso significa que você tem um pressentimento?

— Eu chamaria de palpite. Não alimente muitas esperanças.

— Tudo bem. Estou nessa. Onde vamos nos encontrar e a que horas?

Thomas sorriu:

— Às 20 horas, em frente da Ponte St. Denis. De lá, vamos caminhando.

Capítulo 20

"Não se renda à calamidade, mas encare-a com coragem."

Virgílio

Paris, França

Depois que *tio-ji* e *tia-ji* deixaram a casa com os documentos de viagem, Tatiana voltou à sala de estar.

— Vem — disse à Sita —, tem trabalho.

Sita foi atrás dela até a biblioteca. Tatiana deu a ela o pano de limpeza e ela passou duas horas limpando os livros, com a mente sendo consumida pelo encontro da manhã. Nada fazia sentido. Quando Navin a vendeu para *tio-ji*, ela achou que ficaria trabalhando no restaurante por um longo tempo, anos talvez. Mas, então, Navin apareceu outra vez e tudo mudou. *Tio-ji* a escondeu no armário e depois a entregou a Vasily e Tatiana, e ele e Vasily fizeram juntos algum tipo de arranjo para uma viagem. Ela deveria ter reparado melhor nos bilhetes da empresa aérea.

Ao meio-dia, Tatiana trouxe um sanduíche feito com baguete. Quando Sita terminou de comer, Tatiana foi com ela até o escritório de Vasily, que ficava no terceiro andar da residência. Nas últimas semanas, Sita havia limpado o escritório duas vezes. E nas duas vezes ela sentiu a pele se arrepiar de medo.

— Limpa rápido — disse Tatiana —, ele volta casa em uma hora.

Quando Sita ficou sozinha, pegou o pano, foi limpar a escrivaninha e ficou um longo tempo olhando para os monitores, temendo que qualquer vibração fizesse ligar as telas. Ela prosseguiu limpando a janela e depois o armário de arquivo. Limpou bem depressa e ficou olhando em volta, procurando mais alguma coisa para limpar, então percebeu que a porta do armário no fundo da sala não estava totalmente fechada. Pela fresta que se abria, podia ver muitas caixas empilhadas. Ela hesitou, mas no final a curiosidade a venceu. Abriu a porta e ficou olhando para as caixas. Eram caixas bancárias, pelo menos uma dúzia delas. Abriu a caixa no topo da pilha e viu que estava cheia de papéis. Ela puxou a folha de cima. Era um extrato bancário de uma conta em Genebra, na Suíça. Não constava o nome de Vasily em lugar nenhum do documento. O extrato estava escrito em francês, mas números não precisam de tradução. O saldo da conta superava 5 milhões de euros. Sita respirou fundo e pensou em Natalia, Ivana e nas outras meninas. O que quer que estivessem fazendo Vasily e Dmitri, seu negócio os tornara muito ricos.

Ela recolocou o extrato exatamente no mesmo lugar. Quando estava encostando novamente a porta, percebeu, pelo canto do olho, um pequeno gancho pendurado na parede ao lado do umbral. Pendurada no gancho havia uma argola com três chaves. Sita olhou em volta do cômodo, procurando por uma fechadura que servisse para as chaves, mas não achou nada. Além do equipamento eletrônico, da escrivaninha e do armário de arquivo, a sala não tinha mais nada.

Então, ela começou a pensar sobre a disposição de todos os cômodos da casa. A porta da frente só podia ser aberta com a utilização da senha no teclado numérico. Ela conhecia a senha de seis dígitos para abrir aquela porta porque via Dmitri entrar duas vezes por dia.

As portas duplas que davam para a rua também só podiam ser abertas com o teclado. Era uma senha diferente, mas ela também a conhecia. No começo, ela pensou que poderia usar as senhas para escapar, porém, quanto mais pensava nisso, menos atraente parecia a ideia. Para escapulir sem ser notada, ela ia precisar de muita sorte e, se não conseguisse, tinha certeza de que a represália viria rápida e severa.

Pensou em cada uma das portas internas. A porta para o quartinho no porão onde ela encontrou Natalia tinha um ferrolho que era fechado manualmente do corredor. A porta para a lavanderia não tinha nenhum tipo de tranca. A porta do seu quarto tinha uma fechadura, mas ela percebeu que não pensara muito sobre isso nos últimos dias. A súbita mudança do restaurante para a casa de Vasily a deixara confusa, e as saídas noturnas de Dmitri, com as meninas, haviam transformado sua desorientação em medo.

Ela fechou os olhos e se concentrou para se lembrar de cada detalhe da porta do quarto que ocupava. Tatiana sempre trancava a porta por fora, e ela se lembrava de ouvir o ruído de algo deslizando quando Tatiana dizia boa-noite. Devia ser o barulho da chave sendo inserida. Mesmo assim, uma fechadura pelo lado de fora da porta não ajudaria em nada se também não houvesse a mesma abertura do lado de dentro. Ela se esforçou mais para lembrar, mas a área em torno da maçaneta surgia apenas como um borrão.

Então, olhou para as chaves e decidiu: pegou-as assim que ouviu Tatiana subindo as escadas e as escondeu em seu sári, mas teve tempo de fechar a porta do armário. Quando Tatiana surgiu, já estava limpando a escrivaninha outra vez. Ela sentia o frio do metal contra a sua pele, mas isso para ela era um alívio. O que quer que Vasily e *tio-ji* tivessem planejado para o dia seguinte, ela teria, pelo menos, mais uma noite na casa.

E com a noite vinham as possibilidades.

***

No final da tarde, Sita ajudou Ivana a servir o jantar da família. Quando as louças estavam lavadas e a cozinha, limpa, Tatiana acompanhou Sita até o quarto e lhe desejou boa-noite. Ela fechou a porta e trancou pelo lado de fora. Sita prendeu o fôlego e olhou para a maçaneta.

Lá estava a fechadura!

Ela esperou até que o som dos passos de Tatiana desaparecesse pelo corredor antes de tirar as chaves das dobras de seu sári. Colou o ouvido à porta e esperou por um minuto inteiro para se certificar de que não havia ninguém por perto.

Quando tudo ficou quieto, ela pegou a primeira chave e a colocou na fechadura. A chave não girou. Ela tentou com a segunda chave. E esta também encontrou resistência. Ela segurou a terceira chave e colocou na fechadura, rezando para que girasse. Girou!

A chave suavemente mudou da posição vertical para a horizontal, e ela ouviu a porta destravar. Era difícil acreditar que havia sido tão simples. Ela girou a chave em sentido contrário e tornou a trancar a porta. Ela agora sabia que podia sair do quarto, e, se podia deixar o quarto, podia também escapar da casa usando as senhas que havia memorizado.

Ela se sentou na cama e estudou cada movimento em sua mente. Quando ficou satisfeita, tomou um demorado banho de banheira e tornou a vestir seu sári. Ela gostaria de estar calçando algo mais apropriado, porque ainda calçava as sandálias que Navin havia comprado em Mumbai. Remexeu algumas gavetas e encontrou um velho suéter e um par de meias de lã; calçou as meias e tornou a colocar os pés na sandália. Ficou um pouco apertado, mas não tinha outro jeito.

Às 22 horas, ela foi para a janela observar Dmitri cruzando o pátio com as meninas até os veículos. Novamente, apenas Natalia acompanhou Dmitri, dessa vez no carro preto. As outras entraram na parte traseira do furgão. O primeiro carro a deixar o pátio foi o furgão, seguido pelo automóvel preto. Sita não tinha certeza de quanto tempo ficariam fora, mas acreditava que não voltariam antes das 3 horas. Era tempo suficiente para desaparecer.

Ela se sentou na poltrona perto da janela, pegou o romance que estava lendo e puxou um cobertor para manter seu corpo aquecido para que pudesse ler até meia-noite. Então, foi até a porta e escutou cuidadosamente. Havia meia hora ela ouvira passos no corredor. Agora estava tudo quieto. Era um bom sinal, mas o risco de ser percebida ainda era grande. Ela preferiu esperar por mais uma ou duas horas.

Voltou ao romance. À medida que lia, seus olhos ficavam cada vez mais pesados, mas ela espantava o sono. No entanto, sua mente começou a divagar. Ela viu Ahalya dançando na praia. Sacudiu a cabeça e focalizou a vista na prateleira de livros do outro lado do quarto.

"Ahalya não está aqui", pensou. "Fique acordada!"

Logo depois, porém, começou a divagar novamente. Lá estava Ahalya indo encontrá-la após as aulas no St. Mary. E Naresh, perguntando a Ambini sobre suas notas. Cachorros vira-latas latiam na praia e o mar chegava até a areia... E Ahalya nadava, e mergulhava com ela nas profundezas... O azul do mar foi ficando mais intenso... Mais profundo... Mais profundo.

***

Quando abriu os olhos, ela se assustou. Olhou para o relógio pendurado na parede e uma onda de medo invadiu seu corpo. Eram 3h15 da madrugada.

Não podia acreditar que havia caído no sono. Olhou pela janela e viu, aliviada, que o pátio ainda estava vazio. Ela foi até a porta e se encostou para escutar. Não ouviu nada. Colocou a chave na fechadura, destravou a porta e saiu para o corredor. A casa estava às escuras, exceto pelo brilho de uma lâmpada noturna no hall.

Ela deslizou pelo corredor até a escada. Os degraus eram de madeira e ela não conseguia se lembrar se algum deles rangia. Ela segurou no corrimão e pisou no primeiro degrau bem de leve. Ele afundou, mas não rangeu. Desceu um degrau de cada vez até alcançar o piso do hall. O sistema de alarme estava ativado. Ela sentiu outra onda de pavor. Será que o alarme dispararia quando ela digitasse a senha? Não se lembrava de nenhum *bip* quando Dmitri usara a senha. Atravessando até o armário da entrada, ela vestiu o casaco mais quente que encontrou. A vestimenta era confeccionada em lã preta e possuía uma gola e um capuz de pele. Ela abotoou o casaco e deu dois passos em direção ao teclado do alarme. A luz vermelha a encarava. Respirou profundamente e registrou os seis dígitos que havia memorizado, com uma prece a Lakshmi para que o alarme não disparasse. A luz verde se acendeu sem nenhum *bip* e o mecanismo desengatou. Ela girou a maçaneta e abriu a porta. O sopro de ar gelado interrompeu sua respiração. Ela pisou calmamente nos degraus da entrada. O pátio estava vazio e a cidade silenciosa. Caía uma neve fina. Ela caminhou sobre o pavimento de pedras até as portas duplas que ficavam sob a arcada, digitou a segunda senha e ouviu o retrocesso da tranca, empurrou uma das portas e fugiu noite adentro.

Ela olhou para os dois lados e decidiu ir para a esquerda. Seu objetivo era encontrar um hotel com um funcionário que concordasse em chamar a polícia. Não tinha ideia se poderia confiar nas autoridades francesas, mas não havia outra opção.

Ela caminhava depressa e seus passos ecoavam na atmosfera silenciosa. Ela chegou a um cruzamento com um grande bulevar e espiou a distância, procurando a placa de um hotel. No bulevar, as fachadas das lojas enfileiradas estavam todas fechadas. Dois táxis passaram por ela e, depois, veio outra vez o silêncio.

Colocando as mãos dentro do casaco, ela começou a subir o bulevar. Passou por dois hotéis, mas as portas do saguão estavam trancadas e ela não conseguiu ver ninguém lá dentro. O frio a envolvia e espetava seu rosto. Seu hálito escapava em nuvens de vapor e a neve salpicava seu nariz.

Ela começou a sentir os primeiros sinais de desespero. Ainda faltavam muitas horas para o amanhecer e ela estava congelando. Ela quase não viu o carro preto até que ele cruzou com ela, indo na direção contrária. Então, a lembrança do carro chegou a sua mente e ela olhou para trás bem no momento em que o motorista pisava com força nos freios. Seu corpo se encheu de adrenalina e ela começou a correr. O casaco pesado atrapalhava e as sandálias escorregavam de seus pés. O carro fez a volta e acelerou em sua direção. Ela ouviu-o passar por ela e frear outra vez. Dmitri saltou do carro.

Os dois viram o caminhão da padaria ao mesmo tempo. Vinha lentamente em sua direção. Dmitri permaneceu imóvel, observando-a, a poucos metros de distância. Ela parou e começou a agitar os braços para o caminhão.

— Socorro — gritou em inglês. — Por favor, me ajude!

O caminhão desacelerou e o motorista a questionava com os olhos. Pela claridade de um poste próximo, ela podia ver que era um homem de compleição robusta, com um rosto redondo e cabelos cacheados.

— Socorro — ela gritou outra vez. Ela correu para a lateral do caminhão quando ele parou.

O motorista se inclinou para o lado do passageiro e abriu a janela:

— *Je peux vous aider?*[38] — perguntou ele, cauteloso.

— Eu não falo francês — ela disse, tentando recuperar o fôlego.

Ela podia ver o carro preto através da janela do caminhão, mas Dmitri estava fora de seu campo de visão.

— Por favor — ela implorava —, por favor, me deixe entrar.

— *Français! Français!*[39] — disse o motorista, começando a ficar impaciente.

— *No français!*[39] — exclamou ela. — Por favor, chame a polícia!

O motorista pareceu se assustar:

— *La police?*[39] — perguntou ele, olhando em volta. — *Je ne veux pas des problèmes* — ele disse, fechando a janela depressa. Então, acelerou e saiu.

---

[38] No original em francês: "Posso lhe ajudar?". (N. T.)

[39] No original em francês: "Francês! Francês!"; "Não Francês!"; "A polícia?"; "Eu não quero confusão". (N. T.)

Sita viu o caminhão partir em desespero e terror. Ela se virou e escapuliu pelo bulevar, com os pulmões queimando por causa do frio. Dmitri a alcançou com facilidade e a levantou do chão. Ela tentou se desvencilhar dele, chutando e arranhando seu rosto, mas ele a segurou firme e a jogou no banco de trás de seu carro. Ele se sentou no banco do motorista e saiu acelerando.

Sita enterrou o rosto nas mãos e começou a soluçar. Ela chegara tão perto! Se ela não tivesse adormecido! Se tivesse escolhido outro caminho! Se tivesse partido à meia-noite, quando teve a ideia pela primeira vez! Ela chorou até que o carro parou do lado de fora da casa. Dmitri saltou do carro e desativou o alarme. As portas se abriram e ele entrou no pátio.

Quando o carro parou novamente, Sita levantou os olhos e viu que não estava sozinha. Natalia estava sentada a seu lado. Por baixo de uma capa preta toda aberta, ela usava um top decotado e uma minissaia justíssima que deixava suas pernas inteiramente à mostra. Seu rosto estava um desastre. A maquiagem estava borrada e seus cabelos, desarrumados. Seus olhos azuis estavam vermelhos, como se tivesse chorado.

Ela estendeu os braços e tocou o rosto de Sita, secando suas lágrimas. Seus olhos se encontraram e elas ficaram se olhando e compartilhando a mesma dor. Então, o momento passou. Dmitri, que estava em pé ao lado da porta, enfiou o corpo para dentro do carro e tirou Sita de lá, arrastando-a pelos cabelos.

Capítulo 21

"Cada um se constitui por sua própria fé; tal é a fé, tal é o homem."
Bhagavad Gita

Paris, França

Thomas chegou à grande arcada da Ponte St. Denis poucos minutos antes das 20 horas. As ruas do décimo *arrondissement* pareciam diferentes à noite. A luz das luminárias públicas emprestava um brilho cálido à atmosfera urbana, mas as sombras faziam-no se lembrar das coisas que permaneciam escondidas.

Julia chegou pontualmente às 20 horas e o cumprimentou com um beijo em cada face. Thomas a conduziu pela rua do Faubourg--Saint-Denis e apontou para a entrada da arcada. Foi só nesse momento que ele percebeu, sobre o portão de ferro... Ele não tinha reparado durante a tarde: na placa estava escrito *Passage Brady*.

— Você já esteve aqui antes? — perguntou ele.

Ela sacudiu a cabeça:

— Não costumo frequentar muito o décimo.

Embora fosse segunda-feira, os restaurantes ao longo da viela estavam alegremente iluminados e com muitos clientes. A única exceção era o primeiro restaurante da passagem, aquele que a mulher indiana grandalhona estivera limpando mais cedo. Uma cortina havia sido colocada para cobrir as janelas e uma placa pendurada na porta dizia: *Fermé jusqu'à nouvel ordre*. Fechado até segunda ordem.

Thomas viu Ajit em pé em frente da fachada de seu restaurante. Ele demonstrou entusiasmo quando viu Thomas. Ele o cumprimentou efusivamente e despejou elogios em Julia. Então, indicou uma mesa, à luz de velas, próxima à janela, e teceu comentários sobre a vista dali. Entregando os cardápios, prometeu que teriam a melhor refeição de Paris.

Quando Ajit se foi para receber outro cliente, Julia riu.

— Você, com certeza, deixou o homem muito bem impressionado.

Depois de examinar o cardápio, eles fizeram o pedido a uma jovem indiana. Ela voltou minutos depois com duas taças de vinho tinto.

— Fale-me sobre Washington — disse Julia, provando o vinho. — Eu cresci em Reston, mas nunca mais voltei depois que terminei a faculdade. Meus pais moram em Boston agora.

Thomas passou vinte minutos divertindo-a com escândalos políticos e as irregularidades administrativas encontradas no jornal *Metro*, de propriedade do *Washington Post*. Uma de suas perguntas foi sobre sua família, mas ele foi habilidoso em despistar o interesse dela sobre o assunto. Ele não mencionou Priya e ela teve a delicadeza de não insistir. Ela parecia contente em bebericar o vinho e ouvi-lo falar.

Quando a comida chegou, eles se concentraram totalmente na tarefa de apreciá-la.

Julia contou a ele sobre seus anos na Universidade de Colúmbia, incluindo algumas recordações divertidas envolvendo Andrew Porter, e falou também sobre a temporada na escola de Direito em Cornell. Ela era sociável e divertida, e o jantar passou rapidamente.

Eles permaneceram no restaurante tomando drinques até às 22h30. Quase todos os clientes já haviam partido. Ajit se aproximou e perguntou o que tinham achado do serviço. Thomas foi só elogios, porque a comida era realmente muito boa. Depois, pegou a fotografia de Sita.

Ajit assentiu com a cabeça:

— Voltarei em um instante.

Ele se aproximou de uma distinta senhora do outro lado do salão, que organizava algumas receitas, conversaram um momento e ele lhe mostrou a fotografia. Ajit retornou à mesa deles, parecendo desapontado. Ele devolveu a foto a Thomas.

— Sinto muito — disse ele —, minha mulher nunca viu sua amiga.

— E a garçonete? — perguntou Thomas. — Pode ser que ela saiba de alguma coisa.

— É claro — ele acenou para a jovem.

Acreditando que eles queriam pagar, a garçonete lhes apresentou a conta. Thomas entregou o cartão de crédito à Ajit.

— Você se incomoda se eu conversar com ela em particular?

Ajit olhou para ele de modo estranho, mas pegou o cartão e saiu. Por motivos que não conseguia explicar, Thomas deixou de lado sua história inventada.

— Eu tenho uma amiga em Mumbai — ele disse olhando a garçonete nos olhos. — Ela está procurando a irmã. Eu gostaria de saber se você a viu — e mostrou a foto. A moça, por um instante, pareceu preocupada, mas rapidamente recobrou a compostura. Ela atravessou o salão e foi procurar Ajit na caixa registradora. Eles trocaram algumas palavras, e então ele entregou a ela uma pequena pasta preta com o recibo de Thomas. Quando ela retornou à mesa deles, ela usou uma caneta para escrever alguma coisa atrás do recibo.

— Se eu fosse o senhor — disse ela —, ligaria para o serviço de informações.

Thomas assentiu e se levantou. Depois de agradecer Ajit pelo jantar, ele deixou o restaurante com Julia. Quando chegaram ao bulevar de Strasbourg, ele tirou o recibo do bolso e leu a inscrição no verso. A moça escrevera em um francês cheio de garranchos: "Encontre-me aqui amanhã de manhã, às 9 horas".

Thomas sentiu um calafrio. Ele estava correto em seu pressentimento. A jovem sabia de algo. Ele passou o recibo à Julia. Seus olhos se arregalaram com a surpresa.

— Posso vir com você? — perguntou ela.

Thomas forçou um sorriso.

— Sua presença provavelmente vai deixá-la mais à vontade. Eu costumo causar o efeito oposto.

Julia riu.

— Existe alguma coisa errada com vocês, advogados. Andrew era assim também.

Eles caminharam depressa até a estação de metrô, procurando se abrigar do frio. Depois de passarem pela roleta, Julia lhe deu um beijo no rosto. Dessa vez, um só.

— Você quer que eu a acompanhe?

Ela riu novamente.

— Você é um amor, mas tenho certeza de que não é faixa preta em judô.

— Nessa você me pegou.

— *À demain*[40] — disse ela e se foi, deixando Thomas intrigado sobre o motivo de ela não ser comprometida com alguém.

***

Na manhã seguinte, eles se encontraram na entrada da grande arcada, sob um céu cinzento. O ar estava frio e o chão, coberto por uma leve camada de neve. Em contraste com a alegria da noite anterior, a expressão de Julia agora refletia uma postura profissional. Ela cumprimentou Thomas com um breve sorriso, e caminharam juntos pela Passagem Brady.

A garçonete esperava na calçada ao lado do portão de ferro batido. Quando os viu, ela se virou sem dizer uma palavra e caminhou para o norte ao longo da rua do Faubourg-Saint-Denis. Thomas trocou um olhar com Julia e os dois seguiram a jovem, mantendo uma discreta distância entre eles.

A moça entrou à direita na rua do Château d'Eau e caminhou alguns quarteirões antes de entrar em uma rua paralela. Ela parou na esquina da viela e olhou para eles, enquanto levantava a gola do casaco. Ela falou baixinho com Julia.

— Meu nome é Varuni. A moça que procuram é Sita. Ela trabalhava em um dos restaurantes na Passagem Brady até alguns dias atrás. Os donos me disseram que ela era aparentada com eles, mas não acreditei. Durante o dia, Sita trabalhava também para um casal de russos. Sua casa é aquela ali — disse ela apontando para um conjunto de portas duplas. — O nome do homem é Vasily, mas não sei o nome da mulher.

— Você sabe para onde Sita foi levada? — perguntou Julia delicadamente.

— Eles não me contaram — disse a jovem. — Um dia ela estava lá e depois foi embora.

— Você sabe o tipo de trabalho que ela fazia para os russos? — perguntou Thomas.

Varuni pareceu amedrontada.

---

[40] No original em francês: "Até amanhã". (N. T.)

— Não sei nada além do que lhes contei.

Julia tocou o braço de Varuni para tranquilizá-la.

— Tudo bem. Sabemos como você precisou ser corajosa para nos ajudar.

A jovem olhou para Julia.

— Eu gostava muito de Sita. Espero que nada de mal lhe tenha acontecido — ela fez uma pausa. — Por favor, não contem a ninguém que eu os trouxe até aqui. Eu estaria em apuros.

— Não se preocupe — respondeu Julia. — Vamos manter segredo.

Varuni assentiu e desapareceu dobrando a esquina.

Thomas chegou mais perto das portas duplas e viu o sensor de alarme. As portas não possuíam maçaneta e nem se moveram quando ele as empurrou. Julia pegou o celular e fez uma ligação para seu escritório. Ela deu o endereço da residência e solicitou informações sobre seus ocupantes.

Quando recebeu a resposta, ela desligou.

— Vasily e Tatiana Petrovich — disse ela. — Ucranianos. Possivelmente com conexões com grupos do crime organizado da Europa Oriental. Sem confirmação. Sabemos que a BRP tem estado de olho neles há algum tempo, mas os motivos não são claros. Não é um caso nosso, e eles não compartilham informações, a não ser que seja necessário.

Eles saíram da porta da casa e atravessaram a rua.

— O que fazemos agora? — perguntou Thomas.

— Vou repassar o que Varuni nos contou para os agentes da BRP e solicitar a expedição de um mandado.

— Você acha que concedem?

Julia ergueu os ombros.

— Pode ser. Mas se essas pessoas são alvo de grande interesse da BRP, podemos ter que esperar na fila.

Thomas já ia responder quando as portas da residência dos Petrovich começaram a se abrir. Alguns instantes depois, o carro preto apontou, saindo do pátio. Um jovem de cabelos loiros estava na direção e, ao lado dele, no banco do passageiro, havia uma mulher de meia-idade de pele escura, gesticulando animadamente com as mãos. Thomas não conseguiu ver claramente, mas ela lhe pareceu vagamente familiar.

O rapaz loiro olhou intensamente para eles antes de acelerar para sair com o carro. A janela traseira era recoberta com uma película escura, que impedia a visão do assento traseiro.

Thomas se lembrou da mulher quando o carro se aproximava do cruzamento com a rua do Château d'Eau. Ele saiu correndo. Julia chamou por ele, mas não havia tempo para explicações. A senhora que ele viu no banco do passageiro não usava roupas ocidentais. Ela estava vestindo um sári indiano.

Era a mulher que ele viu limpando o restaurante na Passagem Brady, o mesmo restaurante que agora se encontrava fechado, e que também vestia um sári. Quando o carro passou, ele teve um vislumbre do tecido púrpura e azul, era a mesma mulher. Tinha que ser!

Thomas estava a quinze metros quando o carro desapareceu na esquina. Ele disparou como se corresse para salvar a própria vida, mas, na avenida, ele não tinha a menor chance. Quando ele alcançou o cruzamento e olhou ao longo da rua do Château d'Eau, o carro já não estava mais à vista.

Ele olhou para o alto, lutando para recuperar o fôlego. Ainda estava ofegante quando Julia o alcançou.

— O que foi toda essa correria?

— A mulher no banco da frente — disse ele, respirando fundo —, eu já a vi antes.

— Onde?

— Ontem à tarde quando eu vim para mostrar a fotografia de Sita pelas redondezas. Ela estava limpando um daqueles restaurantes na Passagem Brady. Ontem à noite, havia no restaurante um cartaz avisando sobre o fechamento.

— Você conseguiu ver a placa do carro?

Ele sacudiu a cabeça:

— Foi tudo muito rápido.

— Eu vou conseguir o mandado para você — ela disse, pegando o telefone. — Não vou deixar a BRP fingir que não há nada acontecendo.

Capítulo 22

"Longo é o tempo da minha jornada, e longo é o caminho."
Rabindranath Tagore

Paris, França

Minutos antes, Sita estava em pé no pátio, ao lado do carro, tremendo de medo e de frio. Enquanto ela observava, Dmitri se sentou ao volante e girou a chave de ignição, colocando o motor para funcionar suavemente. Shyam sentou no meio do banco traseiro, *tio-ji* se sentou em uma das pontas e *tia-ji* foi com Dmitri para o banco da frente. Sita foi a última a embarcar. Ela respirou fundo, se lembrando dos bilhetes aéreos. Agora tinha certeza de que não eram apenas para o casal. Um deles seria para ela.

Sentada ao lado de Shyam, olhava pela janela tentando ignorar a dor causada pela enorme ferida em seu couro cabeludo. Ela podia se lembrar de cada passo que dera ao atravessar o pátio na noite anterior. Natalia, à frente deles, olhando para trás, horrorizada. Dmitri a puxando pelos cabelos. Todos entrando no saguão do apartamento onde as meninas eram mantidas prisioneiras. Sendo arrastada escada acima e jogada contra a parede no quarto de Natalia. Natalia implorando a Dmitri que tivesse misericórdia. O rosto de Dmitri a poucos centímetros do seu, seu hálito quente e pesado de álcool. E ele sussurrando em seu ouvido.

Ela nunca esqueceria essas palavras:

— Sei que você sabe o que acontece no porão. Se você fosse ficar, eu lhe ensinaria a gostar disso. Mas meu pai fez um acordo mais rentável com Dietrich.

Natalia saiu com Dmitri e reapareceu logo depois vestindo camiseta e shorts. Ela estancou o sangue na cabeça de Sita com um tecido que encontrou em uma das gavetas da cômoda e ofereceu a cama a ela. Sita se deitou e chegou para o lado, dando espaço para a menina ucraniana. Natalia se deitou ao lado dela e abraçou Sita com força.

— Sinto muito — disse ela. — Dmitri é homem ruim.

Pela manhã, Dmitri veio buscar Sita e jogou sobre a cama um casaco de lã marrom.

— Minha mãe mandou — disse ele com desprezo. — Se dependesse de mim, deixaria você congelar — e então a levou para o carro.

***

Sita olhou através dos vidros escuros enquanto as portas duplas se abriam e Dmitri saiu com o carro. Ela viu um casal na calçada em frente olhando para eles. O homem era alto e tinha cabelos escuros, e a mulher vestia um casaco vermelho. Enquanto o carro avançava, ela se voltou e olhou pela janela traseira observando o casal. Alguma coisa naquele homem chamou sua atenção. Ela sabia que ele não podia vê-la, mesmo assim, sentiu como se a olhasse dentro dos olhos.

Subitamente, o homem começou a correr atrás do carro. Ela apertou o suporte de braço, confusa e perplexa com a cena. Ela percebeu que o carro acelerava e compreendeu que Dmitri também os havia notado. O carro alcançou o final da rua e virou a esquina apressadamente. O movimento brusco jogou seu corpo contra a porta, e ela perdeu o homem de vista.

Quando conseguiu olhar novamente para trás, ele havia desaparecido.

Logo depois, ela percebeu que Dmitri a encarava pelo espelho retrovisor. Ele fez uma ligação do celular e disse algumas palavras incompreensíveis. Recordando a visita de Navin ao restaurante, surgiu na mente de Sita um pensamento que a enchia de esperança: será que aquele homem andava procurando por ela? Ela forçou a memória tentando se lembrar se já conhecia aquele rosto, mas não conseguiu. "Ele não parecia ser da polícia", pensou ela, "mas, se não era, por que correu atrás do carro?".

No banco da frente, *tia-ji* tagarelava sobre a *élégance* e o *cosmopolitisme* da família de Dmitri, e *tio-ji* simplesmente apreciava a paisagem da janela, sentado atrás dela, sem se dar conta da perseguição que começou e terminou tão de repente. Sita olhou para Shyam e viu que ele a observava. Seu olhar lhe dizia: "eu também vi".

Ela se recostou no banco e fechou os olhos, tentando afastar a incômoda sensação de temor que parecia acompanhá-la constantemente naqueles últimos dias. Depois da aventura e da decepção da noite anterior, a exaustão tomou conta dela e ela adormeceu.

***

Despertou com o som da voz do *tio-ji* e com Shyam sacudindo seu braço. *Tio-ji* estava dizendo:

— Sita, acorde — ela abriu os olhos e viu que estavam fora da cidade. Logo passaram por uma placa que indicava que o aeroporto estava a dois quilômetros dali. Ela firmou a vista no rosto do *tio-ji*.

— Nós vamos para Nova York — disse ele, parecendo nervoso. — Você tem que agir como se fosse nossa filha até chegarmos aos Estados Unidos. É muito importante que você siga as nossas instruções. Se não o fizer, sofrerá as consequências.

Ele entregou a ela um passaporte. A foto era idêntica à do passaporte que Navin havia comprado, mas agora seu nome era Sundari Raman e ela era uma cidadã francesa naturalizada.

— Estamos viajando em férias — prosseguiu *tio-ji*. — Você não deve conversar com nenhum estranho. Fale somente conosco e usando o híndi. Nós diremos tudo o que for necessário.

Sita recebeu a notícia do destino da viagem com desespero. Ela deixou a Ásia para ir para a Europa, acreditando que um dia encontraria um modo de se reunir à irmã em Mumbai. Era apenas um sonho, sim, mas não parecia uma louca fantasia. Agora, estava prestes a deixar a Europa para ir à América do Norte.

Os Estados Unidos e a Índia ficavam em lados opostos do globo. Como seria possível que ela encontrasse seu caminho de volta através de mais de quinze mil quilômetros?

Grossas lágrimas escorreram por seu rosto e ela as limpou. Ela tentou pensar em uma forma de escapar, mas não via como. Vasily e Dmitri já haviam provado ser poderosos e implacáveis. Eles controlavam o destino de seis mulheres jovens e conseguiram providenciar vários passaportes falsos em questão de dias. Se ela atravessasse seu caminho outra vez, eles fariam muito mais do que deixar uma cicatriz em sua cabeça.

Dmitri os deixou no terminal dois do Aeroporto Charles de Gaulle. Ele colocou a bagagem na calçada e se abaixou em frente de Sita.

— Você já nos causou muito problema — disse em voz baixa. — A partir de agora, deve fazer tudo que lhe ordenarem. Se não fizer, nossos associados em Nova York vão fazer você sentir muita dor. Ficou claro?

Ela fez que sim com a cabeça.

— Ótimo — disse ele, tocando seus cabelos para reforçar a ameaça. Dito isso, entrou no carro e partiu em velocidade.

Tia-ji destinou à Sita a mala mais pesada, e *tio-ji* foi na frente mostrando o caminho até o terminal. Eles validaram os bilhetes no balcão da empresa aérea e se encaminharam para a verificação de segurança. Os agentes de segurança franceses examinaram os quatro, mas Sita não fez nenhuma tentativa de falar com nenhum deles.

Eles foram liberados e se sentaram na sala de espera. Ao meio-dia, foi anunciado o embarque do seu voo. Quando alcançaram a barreira de embarque, *tio-ji* entregou os passaportes à funcionária da empresa, enquanto *tia-ji* passava a mão sobre a cabeça de Sita para dar melhor impressão. A funcionária do embarque sorriu primeiro para Shyam e depois para Sita.

— *Bon voyage* — disse ela e devolveu os documentos ao *tio-ji*.

Eles foram até seus assentos na metade da grande aeronave. *Tia-ji* ficou reclamando sobre os lugares escolhidos e a falta de espaço individual. *Tio-ji* virou os olhos e continuou a conversar calmamente com Shyam. Sita olhava através de uma janela próxima e os ignorava. Enquanto observava um avião decolando à distância, tentou recordar cada detalhe do rosto de sua irmã. Seus grandes olhos e cílios grossos. Sua covinha e os lábios volumosos. Sua pele amendoada e seus cabelos brilhantes. Cada pedacinho era digno do seu amor. E para sempre ela sentiria saudade de cada um deles.

Quando o avião se moveu para trás e taxiou em direção à pista, Sita fez uma promessa a Deus e à si mesma. Ela sempre se lembraria da irmã. Ela se lembraria da pessoa que ela foi e da Índia que conheceram antes de toda aquela loucura. O mundo podia roubar sua liberdade; podia acabar com a sua inocência; podia destruir sua família e arrastá-las por caminhos para além de seu entendimento. Mas não podia privá-las de sua memória. Apenas o tempo tem esse poder, e Sita iria resistir a todo custo.

O passado era tudo o que restava para ela.

* * *

O voo vindo de Paris aterrissou no Aeroporto Internacional Newark Liberty no final da tarde. Sem contar as três benditas horas que passou cochilando, *tia-ji* passou o restante da viagem reclamando. Ela se mexia sem parar, jogando o peso do corpo de um lado para o outro e dando cotoveladas em *tio-ji* de um lado e em Sita, do outro. Os passageiros em volta fuzilavam-na com o olhar, mas ninguém tomou a iniciativa de mandá-la calar a boca. Ninguém além do *tio-ji*. Contudo, até mesmo suas súplicas encontravam ouvidos moucos. A intenção de *tia-ji* parecia ser compartilhar sua desgraça com todos que estivessem ao alcance de suas palavras. Quando finalmente o avião pousou, passageiros em dez fileiras suspiraram aliviados.

Sua arenga continuou enquanto caminhavam até a área da alfândega. Sita olhou para os agentes da imigração norte-americana e se lembrou das palavras de Dmitri. Agora, ela se encontrava do outro lado do Atlântico, mas ele tinha comparsas em Nova York. Ela não podia se arriscar contando sua história à polícia.

Eles esperaram uns vinte minutos até serem encaminhados para uma cabine ocupada por um agente de imigração de origem hispânica. O agente examinou os passaportes e tirou suas impressões digitais e fotografias utilizando o sistema US-Visit. Então, ele interrogou longamente o *tio-ji* a respeito do propósito da viagem. A história de *tio-ji* era quase inteiramente verdadeira, e ele a contou com confiança, apesar de seu inglês capenga.

O agente se voltou para *tia-ji* e fez perguntas sobre seu período de residência na França, sobre seu lugar de origem e sobre Shyam e Sita, a quem chamava indistintamente de Sundari. *Tia-ji* respondia com tanta boa vontade que o agente olhou para ela com desconfiança. Percebendo a inquietação do homem, *tia-ji* se virou para Sita tocando seus cabelos.

— Diga a ele como está animada para conhecer Nova York — instruiu ela.

Sita ficou paralisada, enquanto sua mente buscava uma resposta apropriada.

No fim, contou a mentira que lhe ocorreu.

— Todo mundo na França comenta sobre Nova York. Sempre tive vontade de visitar.

— Como é que pode falar um inglês tão bom? — perguntou o agente, estreitando os olhos.

A resposta veio sem esforço:

— Nós aprendemos inglês na escola.

A resposta pareceu satisfazer o agente e sua atenção se voltou novamente para os documentos. *Tio-ji* ficou rígido, com Shyam ao seu lado, e *tia-ji*, pelo menos dessa vez, teve o bom-senso de ficar calada. Depois de uma longa espera, o agente carimbou os passaportes e os despachou com um aceno de mão.

— Bem-vindos aos Estados Unidos — disse ele já com a atenção voltada para o próximo da fila.

Eles recolheram a bagagem e se sentaram, pensativos, próximos às cabines telefônicas. Nem *tio-ji* nem *tia-ji* explicaram à Sita o que estavam esperando. Apenas Shyam parecia alheio à tensão do momento. Ele se levantou e começou a dançar a coreografia de um filme de Bollywood, se exibindo para Sita se alegrar.

— Você viu *Kabhi Khushi Kabhie Gham*? — perguntou a ela. — É um filme com Amitabh Bachchan e Shahrukh Khan.

— *Cupa raho!* — disse *tio-ji*, zangado, mandando o menino ficar quieto. — Aqui não é a Índia. Aqui é a América. Você não deve fazer cena.

— Desculpe, baba — disse Shyam, parecendo magoado. — Eu só estava tentando animar Sita.

— Sita não precisa ser animada. E nós não precisamos assistir a você dançando. Sente-se.

Shyam se sentou ao lado de Sita e abaixou a cabeça. Quando *tio-ji* se virou para o outro lado, Sita fez um carinho na mão de Shyam, com a ponta dos dedos.

— Tudo bem — sussurrou ela —, eu gostei da dança.

Com esse sinal de afeição, a tristeza de Shyam pareceu ir embora. Depois de alguns instantes, ele juntou toda sua coragem e tocou de leve na mão de Sita, em retribuição.

***

Dez minutos depois, um homem eslavo de meia-idade, que se parecia demais com Vasily, atravessou as portas deslizantes do terminal. Ele olhou em volta até localizá-los e, então, caminhou em sua direção. Ele examinou Sita por um longo tempo.

— Sigam-me — disse ele bruscamente, virando as costas e se encaminhando para a saída, sem nenhuma intenção de ajudar com a bagagem.

Eles deixaram o terminal atrás do sósia de Vasily e cruzaram o estacionamento até chegar a um veículo branco. Eles embarcaram e o sósia de Vasily entrou na frente, no banco de passageiro. O motorista era um homem grande, de olhar duro e barba por fazer. Assim que todas as portas foram fechadas, ele saiu com o carro, entrando em uma rampa de acesso à rodovia.

Passado um tempo, eles atravessaram um longo túnel e emergiram sob a sombra dos arranha-céus. Sita ficou impressionada com a selva de pedra da área metropolitana de Nova York. Mumbai era mais populosa, mas Nova York era construída nas alturas.

O motorista dirigiu no congestionamento até que chegaram a um hotel de aparência decadente chamado Taj. O sósia de Vasily abriu a porta traseira do furgão e *tio-ji* e *tia-ji* saltaram do carro, recolhendo a bagagem. Sita estava descendo depois de Shyam, mas o eslavo bloqueou sua passagem.

— Você vem conosco — disse ele.

Sita congelou e olhou para o *tio-ji*, com o medo crescendo dentro dela. *Tio-ji* fixou o olhar em um ponto qualquer da calçada. E ela soube imediatamente. Outro acordo havia sido feito. Chennai, Mumbai, Paris, Nova York. Quando isso terminaria?

O sósia de Vasily agarrou-a pelo braço e a forçou a entrar outra vez no furgão.

— Para onde estão me levando? — perguntou ela.

— Sem perguntas — ordenou ele — ou entrego você ao Igor.

O motorista, Igor, olhou para ela com um sorriso malicioso.

— Alexi sempre diz verdade — disse ele com sua voz gutural que mais parecia um rosnado.

O sósia de Vasily, Alexi, trocou umas poucas palavras com *tio-ji* e este lhe entregou um passaporte. Shyam começou a protestar, com os olhos arregalados fixos em Sita.

— Por que ela não vem conosco? — perguntou ele, sua voz chegando até o furgão. Ele apertou a mão do pai. — Por favor, baba, não a deixe para trás.

Tio-ji parecia envergonhado, mas não respondeu nada ao menino.

Alexi voltou ao furgão e se sentou no banco do passageiro. Igor ligou o carro e saiu. Sita ficou olhando pela janela traseira com os olhos fixos em Shyam. O menino acenava e seus lábios se moviam, mas ela não conseguiu entender suas palavras. Ela o viu desaparecer na distância, seu pequeno corpo ainda menor em contraste com as imensas torres da cidade.

A profundidade de sua tristeza a surpreendeu. Ela colocou a mão sob o sári e esfregou Hanumam com seu polegar. Ela tentou rezar, tentou acreditar que o macaco não era apenas um pedaço de cerâmica, que o verdadeiro Hanumam vivia e procurava por ela, mas sua fé não foi capaz de sustentar o peso de seu temor.

Ela se virou para a frente e acalmou sua respiração. Ficou observando enquanto Igor manobrava o carro, em meio à confusão do trânsito, quando saiu do túnel. O sol do final de inverno se punha por trás de uma camada de nuvens e a luz do crepúsculo infundia um brilho pálido à paisagem urbana.

Eles seguiram pela rodovia até Newark e pegaram uma saída logo depois do aeroporto. Depois de muitas voltas, Igor parou o furgão no estacionamento de um shopping a céu aberto. A única coisa que diferenciava o lugar era um edifício iluminado por luzes de neon localizado no canto do fundo, ao lado de um motel. A entrada do prédio era pintada em rosa flamingo e a placa acima da porta dizia Platinum VIP.

Igor estacionou o carro perto de uma porta lateral e Alexi gesticulou mandando Sita descer do banco de trás. Embrulhada no casaco de Tatiana, ela o seguiu passando pela porta e descendo até um corredor mal iluminado. As paredes eram mal conservadas, com pintura antiga, e decoradas com recortes de revistas pornográficas.

Alexi abriu a porta que dava para um pequeno quarto. A mobília consistia em uma cama, pia, vaso sanitário e um aparelho de televisão. Ele ligou o interruptor e a luz proveniente de uma extravagante luminária dourada se acendeu. O quarto não tinha janelas e parecia malcuidado. Um ventilador empoeirado pendia do teto, com as pás que não se moviam.

— Você fica aqui — disse ele, saindo e trancando a porta atrás de si.

**

Sita ficou sentada na cama por horas. Ela estudou o quarto e planejou rotas de fuga imaginárias, todas elas pareciam extraordinariamente bem-sucedidas do seu ponto de vista e pura estupidez do ponto de vista de seus captores. Quando se cansou disso, ela se distraiu com jogos mentais. De vez em quando, escutava o ruído de passos no corredor e o som abafado de conversas.

Com o tempo, o ruído de passos se tornou mais regular. Ela podia ouvir vozes femininas falando em uma língua estrangeira. Seu sotaque era similar ao de Dmitri, mas ela não conseguia saber se elas falavam russo. Um homem saudou as garotas e gritou uma ordem. Uma das meninas começou a implorar. Sita ouviu o som de uma bofetada e depois de algo batendo contra a porta. Sita ouviu um som agudo de dor. O homem tornou a gritar. Outra pancada na porta. Sita ouviu o que pareciam unhas arranhando a madeira. Ela colocou o queixo sobre os joelhos e seu coração acelerou.

A porta se abriu e uma mulher jovem entrou. Ela era loira e vestia uma blusinha com decote em "V" e minissaia. Igor entrou no quarto atrás dela sentindo prazer no que fazia e olhou atravessado para Sita. Ela pulou da cama e se agachou no canto atrás da televisão. A moça loira olhou para ela e se virou para Igor, com os olhos arregalados e cheios de pavor.

Igor gritou outra ordem. A moça sacudiu a cabeça. Igor ficou impaciente e a jogou sobre a cama. Quando ele desabotoou o cinto, a garota começou a chorar. Sita virou a cabeça para o outro lado e fechou os olhos, recitando um mantra que aprendera quando criança. Presenciar o sofrimento da garota era mais do que ela podia suportar.

Poucos minutos depois, Igor se levantou da cama, respirando pesadamente. Ele puxou as calças e saiu do quarto sem mais uma palavra. A garota ficou deitada sobre o colchão fino. Sita abriu os olhos e viu sua silhueta imóvel. Ela temeu que Igor tivesse deixado a moça inconsciente, mas então ela começou a se mexer. Ela se sentou e arrumou suas roupas, com o rosto sem nenhuma expressão. Igor veio buscá-la e ela o seguiu, deixando o quarto sem olhar na direção de Sita.

Mais tarde começou a tocar música e não parou, por horas. O ritmo pulsante reverberava através das paredes e penetrava em seu cérebro. Ela se deitou na cama, exausta por causa do *jet lag*[41] e de tanta ansiedade, tampou os ouvidos e enterrou a cabeça nos lençóis imundos.

Um pouco antes do amanhecer, a música cessou e ela ouviu sons arrastados pelo corredor. A porta foi aberta novamente e Igor entrou com uma garota diferente. A garota não protestou quando Igor a encostou na parede. Ela fez o que ele mandou sem dizer nada. Sita selou olhos e ouvidos para todo aquele horror. Ela queria tomar um banho, lavar sua alma da sujeira daquele lugar. Por que estava ali? O que queriam dela? Será que Igor queria lhe dar uma lição estuprando as garotas diante dela?

Quando terminou, Igor saiu e a garota foi atrás dele. Sita fechou os olhos e, uma vez mais, tentou dormir. Ela acordou assustada com o som da maçaneta girando. Subitamente, Igor estava em pé na soleira da porta, sozinho dessa vez. Ele espiou o corredor dos dois lados e entrou no quarto, batendo a porta depois. Ele se virou para Sita e sua boca se contorceu em um ricto que era metade escárnio, metade sorriso. Sita se agachou no canto e pôs os braços em torno dos joelhos, apertando-os contra o peito.

---

[41] Fadiga causada pela descompensação física diante de grandes mudanças de fuso horário ocorridas em viagens de avião. (N. E.)

Igor avançou lentamente em sua direção, com as mãos musculosas pendendo ao lado do corpo. Ele se ajoelhou em frente a ela e começou a desabotoar o cinto.

— Alexi dizer não tocar você. Dietrich vem — disse Igor abrindo o zíper e colocando a mão através da abertura. — Alexi não fica sabendo se você tocar eu.

Sita fechou os olhos, incapaz de olhar o que ele queria lhe mostrar. Seus dentes começaram a bater uns contra os outros. Ela sentiu as mãos dele segurando sua cabeça e puxando para perto de si. Ele recendia a suor e bebida barata.

— Abre boca — sussurrou ele.

— Por favor — implorou, sentido uma ânsia de vômito súbita. — Não faça isso.

— Abre boca — ele ordenou outra vez, aumentando a pressão sobre sua cabeça.

De repente, a porta se abriu com um tranco. Sita olhou para cima enquanto Alexi entrava no quarto como um furacão, o rosto transfigurado de raiva.

Igor se virou e se apressou em se cobrir. Antes que Igor pudesse liberar as mãos, Alexi deu um soco em seu queixo. Sita ouviu um ruído que lembrava um galho se partindo, e depois Igor ganindo de dor. Ela assistiu, perplexa, quando Alexi levantou Igor pelos ombros e o jogou contra a parede. Atordoado e com a boca sangrando, Igor desabou no chão e apertou o rosto.

Alexi estalou as articulações dos dedos e recuou um pouco, examinando suas mãos. Ele se voltou para Sita e falou como se a violência não o afetasse de maneira nenhuma.

— Ele tocou em você?

Ela sacudiu a cabeça.

— Ele não me machucou.

— Não foi isso o que perguntei.

— Ele segurou minha cabeça — respondeu ela. — Nada mais.

Alexi olhou para Igor que lutava para ficar em pé. Igor se apoiou no umbral da porta, com a mandíbula pendendo frouxa, e deixou o quarto sem olhar para eles.

— Ele não vai tocar em você outra vez — disse Alexi.

Quando Alexi saiu, Sita descansou a cabeça contra a parede. Ela tentou encontrar consolo nas palavras dele, mas não conseguia afastar o cheiro de Igor nem a ameaça nefasta de Dimtri. O sono a chamava, brincava com ela, mas, no final, a enganou. A visão e os sons da depravação humana eram fortes demais para serem esquecidos.

"É isso o inferno?", o pensamento passou por sua mente.

"Se não é, onde está Deus?"

Capítulo 23

"Não têm, porque não pedem."
O Livro de Tiago

Paris, França

Após o incidente com o carro preto, Thomas acompanhou Julia até a Praça de la Concorde e a deixou no saguão da Embaixada Norte-Americana. Ela prometeu ligar assim que a BRP lhe passasse alguma informação.

Thomas deixou a embaixada inquieto. Ele havia realizado o que Léon considerava um milagre, conseguira uma dica que levou a uma pista. Ele vira a mulher, provavelmente a tia de Navin, no carro. Não tinha a menor ideia de para onde ela tinha ido, mas a residência dos Petrovich não podia estar vazia. Alguma verdade se escondia atrás daquelas portas duplas, algo que podia levá-lo à Sita. Contudo, a pista teria que ser processada e verificada pelos burocratas da polícia. Era de enlouquecer.

Ele perambulou em direção ao sul, atravessando a grande Praça de la Concorde, tentando encontrar uma forma de se livrar de sua irritação. Cruzou a ponte sobre o Sena e caminhou para o oeste pela margem esquerda do rio. As nuvens se abriram e o rio cintilava à luz do Sol.

Ele caminhou depressa até a Torre Eiffel. Desviou-se da multidão de turistas amontoada na base do imenso monumento e se dirigiu para sudeste através do Parc du Champ de Mars, que se estende desde a torre até o complexo da Escola Militar. Sentou-se em um banco e ficou olhando os passarinhos brincando, em meio à turbulência do vento.

Depois de alguns minutos, ele pegou seu celular para telefonar para Priya. Era fim de tarde em Mumbai. Ela atendeu no segundo toque, com a voz cansada, mas feliz por receber notícias dele.

— Como está aí? — perguntou ela.

— *Magnifique* — disse ele —, e como está Mumbai?

— Cada dia mais quente. Sua busca pela menina vai indo bem?

Ele fez um resumo dos acontecimentos dos últimos dois dias. Priya ficou impressionada. — Você teve mais sucesso do que eu esperava.

— Dois passos para a frente, um para trás. Como está seu pai?

Priya suspirou de leve.

— Ele ainda não voltou de Varanasi.

— Bem, quando se encontrar com ele, dê lembranças minhas.

— Pode deixar — Priya fez uma pausa. — Estou orgulhosa de você, Thomas.

Suas palavras de encorajamento deram a ele novo ânimo.

— O que eu lhe disse, foi sincero. Traga Sita para casa.

Thomas se levantou do banco e caminhou ao longo da margem do gramado até a Escola Militar. Na intersecção entre a Praça Joffre e a avenida Tourville, ele virou à esquerda depois do Hôtel des Invalides. Ele passeou pelas idílicas ruas do sétimo e sexto *arrondissements* antes de parar em um café e pedir um sanduíche. Ele verificava o smartphone regularmente, pensando que Julia pudesse ter enviado uma mensagem de texto ou um e-mail, mas sua caixa de entrada continuava vazia.

Depois do lanche, ele caminhou para o leste pelos Jardins de Luxemburgo e subiu a colina ao longo da rua Soufflot até o Panteão. Ele parou diante da fachada de pedra da Bibliothèque Sainte-Geneviève e começou a ler os nomes dos grandes estudiosos e intelectuais inscritos abaixo das janelas da biblioteca: Da Vinci, Erasmo, Newton, Bacon, Kepler, Lavoisier. Quando era estudante, esses nomes eram uma inspiração para ele. Agora, deixavam-no perturbado. Todos eles foram visionários, corriam riscos para desafiar o *status quo*, frequentemente por um grande custo pessoal. Então, ele se lembrou de algo, das palavras de Priya quando aceitou o emprego na Clayton: "Eles vão transformar você em um mercenário", ela havia dito, "e você vai vender sua alma". Ele não concordava com ela. Mas os filósofos e cientistas, santos e sábios nas paredes da biblioteca falavam com autoridade muito maior. Quantos deles, se estivessem vivos, teriam concordado com ela?

Ele se virou e caminhou ao longo do pavimento de pedras da praça até a Igreja Saint-Étienne-du-Mont. Ele parou em frente da igreja e as palavras de Jean-Pierre Léon ecoaram em sua mente: "O senhor é um homem religioso, senhor Clarke?". Por alguma razão, as palavras do francês mexiam com ele. Ele jamais teria considerado pedir ajuda aos céus em sua missão de busca por Sita. Contudo, o pensamento persistia, como um zumbido que não queria cessar.

Um casal de idosos deixava a igreja e Thomas deu uma espiada lá dentro, antes que a pesada porta se fechasse. O santuário era vasto, com teto triangular, arcadas abobadadas, pilares ornamentados e janelas com elaborados trabalhos de traçados. Ele se sentiu atraído pelo lugar. E, subitamente, decidiu dar uma olhada.

Os ruídos da rua desapareceram assim que a porta da igreja se fechou atrás dele. O silêncio no santuário era absoluto. Ele caminhou vagarosamente através da grande arcada que ladeava a nave central. Raios de Sol atravessavam os vitrais e as velas votivas tremulavam nas sombras diante de ícones de santos. Uma placa indicava que o preço das velas era de dois euros. Ele hesitou, cheio de dúvida, mas de repente suas objeções lhe pareceram mais reativas do que racionais. Que mal poderia fazer rezar?

Ele depositou na caixa uma moeda de dois euros e pegou uma vela, acendendo o pavio com a chama de uma vela já acesa. Colocou sua vela votiva na fileira mais baixa do estrado e caminhou até uma cadeira ao lado da nave, fez o sinal da cruz, como fazia quando era garoto, e se ajoelhou no chão de pedra, abaixando a cabeça, com as mãos postas em oração.

Num primeiro momento, ele pensou em pedir sorte na busca, mas a ideia lhe pareceu sacrílega. Então, ele orou pedindo a graça de Deus. Este conceito, que ele aprendera no catecismo, era pesado, embolorado e frágil como uma folha de papel muito antiga, e ainda assim reverberava de uma forma que ele não conseguia explicar. Fez a prece e abriu os olhos. A igreja estava como antes, do mesmo jeito, e o mundo também permanecia o mesmo. Mas, pela primeira vez, desde a morte de Mohini, sentiu o que era a paz.

***

Ele saiu da igreja e caminhou sobre as pedras da Praça Sainte-Geneviève.

Ele verificou o celular, mas Julia ainda não havia entrado em contato. Ele passou em uma loja de livros usados e depois comprou um pedaço de queijo em uma *fromagerie*, antes de retornar ao hotel. Ele tinha vontade de ligar para ela, mas sabia que não devia ficar incomodando.

Finalmente ela ligou, um pouco antes das 18 horas.

— Oi, Thomas, desculpe ter demorado tanto a ligar. Eu passei a tarde toda em reuniões. Mas consegui seu mandado.

Thomas ficou estupefato.

— Como é que você arrancou isso deles?

— Um pouco de persuasão e muita sorte. Nós já sabíamos que a BRP estava de olho nos Petrovich, mas não sabíamos o porquê. Acontece que eles vêm operando um serviço de acompanhantes e um site pornográfico, usando garotas vindas da Europa Oriental. Os agentes da BRP estão tentando apanhá-los há mais de um ano, mas não havia evidência suficiente. Até agora. Uma das moças falou. E eles estão planejando a operação há uma semana. A minha dica sobre o caso de Sita confirmou a história da moça. A BRP vai agir amanhã de manhã.

Thomas estava chocado. Sita acabou sendo levada para uma zona de guerra.

— Quais são as chances de que me deixem acompanhar a operação? Julia riu.

— Chance zero. Eles não nos deixam nem chegar perto de sua área de atuação, e, ainda que abrissem uma exceção nesse caso, o que definitivamente não vão fazer, eles nunca dariam permissão a você. Vamos ter que observar a distância.

— Quando terminarem, vão avisar você?

— Meu contato na BRP prometeu me ligar. Quando é que vai acontecer essa ligação, ninguém sabe. Temos que esperar.

***

A noite se arrastava com uma lentidão excruciante. Quando amanheceu, Thomas desistiu de tentar dormir. Ele foi até um café, na esquina do hotel, e bebeu um expresso duplo enquanto lia um exemplar do *Le Monde*.

Julia ligou para ele às 7 horas. Ela parecia sem fôlego.

— A invasão ocorreu como planejada — disse ela. — A BRP resgatou seis mulheres ucranianas da casa dos Petrovich. Mas a família havia desaparecido.

— Como podem ter desaparecido? — perguntou Thomas. — Acabamos de ver um deles... — A voz dele falhou quando entendeu o que devia ter acontecido. — Nós demos a dica a eles, não foi? Eu levantei a lebre quando saí correndo atrás do carro.

— Não sei dizer.

— E Sita?

— Não havia sinal dela. Sinto muito.

— E as garotas? Se Sita trabalhou na casa, uma delas deve saber.

— Você tem razão — ela disse, parecendo hesitar.

— O que foi?

— É que eu já cobrei todos os favores que me deviam para que pudéssemos chegar até aqui. Entrar em contato com as garotas está fora do meu alcance. Os protocolos são extremamente rígidos, principalmente porque os Petrovich ainda estão soltos por aí. Elas provavelmente já estão em um lugar seguro. Eu não sei onde e a BRP não vai me contar sem uma razão muito boa — ela fez uma pausa. — A palavra de uma garçonete indiana não é suficiente.

— Eu compreendo — disse Thomas. O silêncio entre eles perdurou até se tornar constrangedor.

— Droga! — exclamou ela. — Eu sabia que ia dar nisso. Olha, eu queria poder ajudar mais, mas não posso. Ultrapassar os limites nesse caso pode me comprometer de todos os lados: com os franceses, com a agência e com o embaixador.

— Sinto muito.

Ela ficou em silêncio refletindo por um bom tempo e finalmente suspirou.

— Eu preciso de um tempo — ela fez uma pausa. — Não me ligue. Eu ligo para você.

— Obrigado — disse ele.

— Tenha paciência, está bem?

— É o que eu mais tenho.

Ela deu um sorriso irônico.

— Por algum motivo, eu duvido que seja assim.

***

Julia tinha razão. Esperar sempre fora uma maldição para Thomas. Priya dizia que era um defeito de nascença, um problema genético. E, por isso, os três dias posteriores à conversa com Julia foram uma forma de tortura agonizante. Ele perambulou a esmo por Paris, como um fantasma, embarcando em trens de que não conhecia o destino, explorando as áreas para além do bulevar Périphérique, observando os barcos que navegam no Sena de cima da Pont Neuf, e espreitando em torno da Praça Pigalle depois da meia-noite, observando a fila de homens procurando uma mulher que transformasse suas fantasias em realidade.

Na noite do terceiro dia, ele estava em seu hotel, sentado em uma poltrona próxima à janela, bebendo conhaque e vendo as luzes de Paris despertarem para a noite, quando recebeu a ligação. Ele ficou olhando o visor do aparelho em choque momentâneo, com o som da chamada vibrando em sua mente, mas pegou o celular, pressionando-o contra o ouvido.

— Julia?

— Quero que você me encontre às 6h30 de amanhã na estação Montparnasse — disse ela.

— Com quem você conversou?

— Amanhã às 6h30. Não se atrase.

Ela desligou sem mais uma palavra.

Capítulo 24

"Vocês têm tirado de mim os companheiros e as pessoas que amo; a escuridão é minha melhor amiga."

Os Filhos de Korah

Elizabeth, New Jersey, Estados Unidos

Algumas horas depois do incidente com Igor, Sita perdera a noção do tempo, Alexi lhe trouxe um prato com uma sopa sem gosto e um pacote de bolachas.

O eslavo não falou, apenas colocou a comida perto da cabeceira da cama. Ele tirou uma pequena câmera digital de seu bolso e gesticulou para que ela ficasse em pé. Ela obedeceu, embora hesitante. Ele tirou duas fotos dela e saiu. Sita se concentrou em comer e tentou não pensar no motivo das fotos.

O restante do dia se passou em silêncio. A certa altura ela ligou a televisão. O aparelho fez um barulho e ligou, mas mostrava apenas estática. Ela abriu a porta do móvel sob a TV e encontrou um videocassete velho e uma pilha de filmes pornográficos. Afastou-se da televisão e foi se sentar no canto mais distante do quarto.

A TV fazia barulho e emitia um brilho esquisito, mas ela não conseguia se mover para desligar o aparelho. Sexo escorria pelas paredes do clube e flutuava em torno dela como uma nuvem imunda. Quando caiu a noite, ela se viu aguardando ansiosa pelo som de vozes.

As garotas vieram, como na noite anterior, conversando em sua língua ininteligível. Sita prendia o fôlego, esperando que a qualquer minuto Igor arrastasse uma delas até o quarto, mas a porta permanecia fechada. A música começou de repente e não parou, o que pareceu uma eternidade. Sita fechou os olhos e tentou descansar, mas outra vez não conseguiu conciliar o sono.

Quando finalmente a música parou, Sita se arrastou para fora da cama e foi se sentar no canto. Ela ouviu passos no corredor. A porta se abriu. Igor e um homem que ela ainda não tinha visto empurraram uma garota para dentro do quarto. A moça resistia e torcia o corpo na tentativa de escapar, mas eles a jogaram na cama e levantaram sua saia. Sita cobriu a cabeça com as mãos e rezou até que os gritos da garota se transformaram em soluços. Os homens se foram e a garota caiu de joelhos, encostada na cama.

Sita olhou para ela e sentiu profunda compaixão. Ela sabia que em algum momento Igor retornaria, mas sentiu uma sensação perversa de confiança na proteção de Alexi. Ela atravessou o quarto e se ajoelhou perto da menina.

A garota olhou para ela, envergonhada.

— O que você quer? — murmurou ela.

Sita não respondeu, apenas se inclinou e segurou uma das mãos da menina. A menina enrijeceu o corpo, mas não afastou a mão de Sita. Ela então ficou sentada, em silêncio, por um longo tempo, transmitindo consolo através do toque de suas mãos. Ela se lembrou de sua mãe. Quantas vezes Ambini havia se sentado a seu lado e segurado suas mãos quando ela era uma criança pequena. Era um tipo de ternura que ela podia passar adiante, mesmo em meio a tanta escuridão.

Depois de um tempo, ela retirou a mão para secar uma lágrima que escorria no rosto da menina.

— Meu nome é Sita — disse ela.

O olhar da menina encontrou o seu.

— Eu sou Olga — murmurou ela. Olga abaixou a cabeça. — Você viu o que eles fizeram?

Sita sacudiu a cabeça.

— Eu não olhei.

Foi como se uma represa se rompesse no coração de Olga e ela começou a chorar.

— Eu tenho família em Novgorod — disse ela —, eu vou à faculdade em São Petersburgo, mas eu sair quando meu papa ficar doente. Ele precisar dinheiro para remédio. Então eu conhecer um homem. Ele disse que tinha esse amigo de Nova York. Ele disse eu podia ser boa babá de criança. Ele disse eu podia fazer dinheiro para meu papa, para todo mundo. Ele era um mentiroso.

— Conte-me sobre sua família — disse Sita, segurando novamente a mão de Olga.

Olga falou sem hesitação e as lembranças pareciam acalmá-la. Quando Igor veio buscá-la, minutos depois, sua vergonha havia se transformado em resignação. Ela o seguiu, submissa, mas olhou para Sita e agradeceu inclinando a cabeça antes que Igor puxasse a porta.

Distraída pela história de Olga, Sita não percebeu que a porta não havia sido trancada. A percepção veio lentamente e a deixou confusa. Ela ficou concentrada na maçaneta e prestou atenção até que os sons no interior do edifício desaparecessem por completo. Ela pegou Hanumam do bolso de seu casaco e tornou a escondê-lo sob as dobras do sári. Então, foi até a porta e tentou girar a maçaneta. Ela girou sem resistência.

Seu coração batia acelerado, mas ela não fez nenhum movimento para abrir a porta. Ela tocou a ferida em seu couro cabeludo, recordando a ameaça de Dmitri. Se ela tentasse escapar outra vez, não poderia falhar. Ela hesitou até pensar em Igor se ajoelhando na sua frente, mandando que abrisse a boca.

Agarrando a maçaneta, ela abriu a porta. O corredor estava vazio e envolto em sombra. A única luminosidade vinha do sinal de saída pendurado acima da porta no final do corredor. Ela olhou para o outro lado e viu uma saída coberta pelo que parecia ser uma cortina. Não sabia que horas eram, mas imaginou que fosse o começo da manhã. O clube estava silencioso. Ela tentou a porta no final do corredor, mas a porta não cedeu. Então, se dirigiu até a porta do outro lado, coberta pela cortina. A cortina era formada por uma cascata de contas. Por trás havia um camarim com espelhos, maquiagem, banquinhos, almofadas e uma arara de roupas colantes. Uma luz pálida emanava de um sinal de saída.

Ela entrou na sala e procurou se orientar. A sala possuía duas saídas adicionais, uma abertura protegida por uma cortina de contas e uma porta disfarçada. Ela caminhou hesitante em direção à abertura e viu um palco, uma fileira de mesas fracamente iluminada pelos sinais de saída e uma luz sobre o bar.

O palco tinha a forma de uma passarela guarnecida com plataformas e em cada uma havia uma barra para dançarinas. O caminho mais curto até as saídas era através do palco, mas a ideia de cruzá-lo enchia Sita de medo.

Ela se virou e tornou a entrar no camarim, se aproximando da porta disfarçada. A maçaneta girou com facilidade. Ela passou por uma fileira de sofás antes de sair no piso do clube. Tentou a primeira saída sem sucesso, foi até a segunda saída, mas também estava trancada. Desesperada, ela olhou em volta procurando outra forma de escapar dali, mas não viu nenhuma.

Ficou parada por um longo tempo, sem saber o que fazer. Então, seu estômago roncou e ela percebeu que estava com muita fome. Em trinta horas, tudo o que havia ingerido fora a sopa e meia caixa de bolachas. Ela foi até o bar e vasculhou os armários. Encontrou várias latas que continham castanhas e doces. Comeu um monte de cada e, depois, repôs as latas, tomando o cuidado de deixá-las exatamente onde estavam antes.

Ao lado dos armários havia uma pequena geladeira. Ela abriu a porta e piscou os olhos por causa da claridade. Dentro havia garrafas de cerveja importada e um jarro plástico com água. Ela pegou o jarro e bebeu metade do conteúdo, se sentindo ligeiramente refrescada. Um relógio digital colocado na parede chamou sua atenção. Eram 9 horas. Desde que chegara ao clube, os dias e as noites estavam invertidos para ela.

Voltou atrás e pensou em retornar ao seu quarto, quando uma ideia lhe ocorreu. Ela examinou cuidadosamente o palco elevado. Embaixo dele havia uma fachada metálica que alcançava o chão, caminhou em volta do palco procurando atentamente. Quando chegou ao lado oposto, encontrou o que estava procurando: a maçaneta de uma porta de acesso. A porta se abriu com facilidade, revelando apenas escuridão atrás dela. Sita respirou fundo e ponderou sobre o que estava planejando fazer.

O pensamento a deixou horrorizada, mas ela não conseguia pensar em outro plano.

Alexi a havia comprado por alguma razão e, a julgar pelo tipo de gente com quem andava, o motivo certamente era algo repulsivo.

Ela voltou ao quarto que ocupava para pegar seu casaco e retornou ao clube. Ajoelhou-se em frente da porta de acesso e engatinhou através da escuridão, bateu a cabeça com força em alguma coisa e gritou de dor, parou para massagear o lugar da batida e fechou a porta atrás de si. Felizmente não havia nenhuma fechadura ou ferrolho. Uma barra de ferro a mantinha fechada. Abaixando a cabeça e mantendo uma das mãos a sua frente, ela conseguiu se mover ao longo da face interna da fachada até alcançar a primeira plataforma circular e se escondeu no canto de uma plataforma. Quando Igor ou Alexi descobrissem o quarto vazio, iriam procurar no clube. Onde estava, não poderia ser alcançada por um facho de luz de lanterna.

Dobrando o casaco, ela o colocou sobre o chão e descansou a cabeça sobre ele. Pela primeira vez, desde que chegara aos Estados Unidos, conseguiu cair no sono rapidamente.

***

Sita despertou ao som de uma discussão acalorada. Ela reconheceu a voz de Alexi e a fala arrastada e incoerente de Igor. Logo Alexi começou a berrar. Sita ouviu o som de um tapa e, depois, o barulho de uma mesa tombando no chão. E, então, um corpo bateu contra a fachada do palco, bem próximo de onde ela estava escondida. A briga durou alguns minutos, mas Alexi recebeu uma chamada no celular.

Eles se distanciaram e passou um bom tempo até que retornassem. Ela ouviu os passos a distância e depois uma série indecifrável de pancadas, rangidos e arranhões.

Eles procuravam por ela.

Seu coração acelerou até que começou a bater feito um tambor dentro do peito. A busca durou, pelo que lhe pareceu, muitas horas. Ela ouviu o tilintar de copos e o som da geladeira sendo aberta. Igor exclamou como se tivesse encontrado uma pista. Seu coração deu um pulo. O jarro de água estava pela metade. Ela lutou para acalmar sua respiração. O que o jarro podia provar?

Passos se aproximaram. Igor falou. Sita deu um salto. Sua voz parecia tão próxima que ele devia estar em pé ao lado dela. Ela postou as mãos em prece, e sussurrou muitas súplicas a Lakshmi.

De repente, a porta de acesso se moveu. Ela prendeu a respiração. Após um momento, um facho de luz surgiu na escuridão. Ela esperou, contando os segundos. A luz se movia de um lado para o outro sob o palco, mas não conseguia penetrar o interior das plataformas. Ela esperou para ver se eles se arrastariam por debaixo do palco para procurá-la. E, subitamente, a luz desapareceu e a porta se fechou. Ela respirou aliviada.

Horas depois, a música começou novamente a tocar. O palco rangia e ela percebia as passadas sobre sua cabeça. Ela contou quatro dançarinas. Uma delas subiu justamente na plataforma onde ela se escondia. Ela se mexia vagarosamente, com movimentos ritmados que Sita, dificilmente, conseguia imaginar.

Logo o clube se transformou em uma caixa de ruídos. A música pulsava, o palco tremia e ecoava, e os homens gritavam obscenidades. Sita se moveu lentamente, se arrastando até a porta de acesso. Quando a alcançou, ela se sentou de costas e tentou visualizar a área do clube. A saída mais próxima se encontrava a cerca de seis metros. Na lateral do palco, havia um corredor que lhe daria acesso à porta de saída. A questão principal era saber se a porta estava sendo vigiada. Se estivesse, seus planos estariam fadados ao fracasso. Só um pensamento a enchia de esperança: era uma porta de emergência. Ela esperou até que o primeiro grupo de dançarinas retornasse ao camarim e uma nova leva tomasse seu lugar, deu um beijo na fronte de Hanuman e o colocou de volta no bolso do casaco. Então, respirou fundo, como nunca antes em sua vida, e abriu uma fresta da porta de acesso.

Ela podia ver os perfis de homens, iluminados pelo brilho que refletia do palco. Todos pareciam enfeitiçados pela performance. Ela espiou por entre as pernas dos clientes na direção da saída, mas não conseguia ver bem o suficiente para ter certeza de que a porta estivesse sendo vigiada. Ela teria que arriscar.

Abriu a porta mais um pouco. Ninguém percebeu. Arrastou-se para fora e olhou na direção da porta de saída. Seu coração saltou de alegria. A saída estava limpa. Um homem em uma mesa próxima a viu e ficou encarando. Ela simplesmente o ignorou e se dirigiu rapidamente até a porta. Ninguém impediu sua passagem. Ela alcançou a porta e empurrou a alavanca. A porta destravou. Um alarme soou assim que ela abriu a porta, mas ela não se importou.

Ela correu pelo estacionamento na direção do motel, prestando atenção para ver se havia alguém correndo atrás dela, mas não escutou nada além do som do alarme. Abriu depressa a porta da entrada do motel e olhou em volta, desesperada. Não havia ninguém na recepção, mas ela podia ouvir o barulho de uma televisão na sala por trás do balcão. Havia uma placa onde se lia: "Toque a campainha e nós atenderemos".

Sita tocou a campainha até que surgiu uma mulher. Ela era pálida, de aparência pouco saudável, com cabelo cortado bem curto e olhou Sita de cara fechada.

— O que você quer?

— Por favor, preciso de ajuda — Sita começou dizendo, lutando para manter o fôlego. — Os homens do clube estão me mantendo presa contra minha vontade. Por favor, chame a polícia.

A mulher olhou para ela de um jeito estranho.

— Você está me dizendo que é prisioneira deles ou algo do tipo?

— Por favor, me ajude. Eles virão atrás de mim.

— Venha para os fundos — disse a mulher, examinando Sita cuidadosamente. — Vou chamar os guardas.

A mulher levou Sita até a sala dos fundos e saiu para fazer a ligação.

Sita ouviu que ela trancou a porta. Ela olhou para a televisão e viu que a mulher estava assistindo a um programa sobre extraterrestres. A sala estava uma bagunça, com papel de doce, caixas de pizza e saquinhos de batata frita esparramados.

Ela ficou em pé no centro da sala, esperando. Ela não tinha ideia do que esperar dos policiais, mas estava pronta para confiar em qualquer um que a resgatasse das mãos de Alexi e Igor e da ameaça de Dietrich.

Finalmente, a porta foi destrancada e a mulher entrou na sala, seguida por Alexi. Sita ficou paralisada, em choque, quando viu seu captor. Ela havia sido enganada.

Alexi acenou para que a mulher saísse e os deixasse sozinhos. A mulher aquiesceu e fechou a porta novamente.

Sita permaneceu imóvel enquanto Alexi se aproximava dela. Ele balançou a cabeça de um lado para o outro, com uma tristeza fingida.

— Estou tão desapontado com você, Sita — disse ele —, eu pensei que você tivesse aprendido a lição com Dmitri. — Ele andou em torno dela e colocou a mão sobre seu ombro. — Agora você vai entender quais são as consequências.

De repente, ela sentiu uma dor aguda na base do pescoço. Ela engasgou e instantaneamente se sentiu atordoada. Sua visão ficou embaralhada e ela perdeu a consciência antes mesmo de cair no chão.

**

Quando recobrou a consciência, estava em um câmara escura, com a cabeça girando e doendo ao mesmo tempo. Ela piscou e viu estrelas. Ela piscou novamente e não viu nada. Ela tateou em redor com a mão e encontrou alguma coisa metálica. A superfície era fria. Ela ouvia um som a distância, como água correndo ou o vento, não tinha certeza. Prestou mais atenção e conseguiu escutar um ronco baixo. O tempo foi passando e o ruído foi ficando mais baixo até desaparecer.

Subitamente, ouviu um estalido e o teto da câmara se elevou ligeiramente. E imediatamente ela entendeu: estava no porta-malas de um carro. Ela ficou esperando que alguém erguesse a tampa, mas ninguém apareceu. Os segundos se transformaram em um minuto, depois em dois. Finalmente, tomou coragem e ela mesma levantou a tampa.

Fez isso lentamente, até que pudesse enxergar o que havia atrás do carro. Do outro lado de uma grande extensão de água escura, havia uma grande cidade brilhando na noite. As luzes se refletiam na água e seu brilho alcançava o céu, bloqueando a luz das estrelas. "Nova York", pensou ela.

Empurrou a tampa do porta-malas mais um pouco, até que conseguisse se erguer e olhar para os lados. Havia luzes em toda volta, luzes dos estaleiros, das docas e do cais. Empurrou a tampa até o limite e olhou em volta. O carro estava estacionado em um píer deserto. Ela podia ouvir o som das ondas batendo contra os *pilotis*. O ar estava frio e úmido. Ela tentou entender o que estava acontecendo. Por que estava ali? Onde estava Alexi?

Então, ouviu o barulho de um homem limpando a garganta. O som vinha da lateral. Ela deu um pulo de medo e virou a cabeça para olhar. Ele estava em pé, no escuro, a meio metro de distância. Como ele aparecera sem fazer nenhum barulho, ela não tinha ideia.

Ele baixou os olhos em sua direção, com uma expressão tão distante quanto o céu.

— Sabe, Sita — ele disse suavemente —, na Rússia nós faríamos as coisas de um jeito diferente. Na Rússia, você viraria comida de peixe. Mas aqui é a América, e você vale muito para ser assassinada.

Ele levantou as mãos e mostrou a ela uma corda amarrada a uma rede cheia de pedras pesadas.

— Se tentar fugir outra vez, vou entregar você ao Igor. E depois vou jogá-la no rio.

Ele guardou a rede no porta-malas e fechou a tampa. As pedras tinham um cheiro forte de maresia. Ela as afastou, horrorizada, e sentiu a vibração do motor quando Alexi ligou o carro. Com um tranco, o carro arrancou e deixou o píer, em direção ao clube de sexo.

A dor de ter falhado novamente caiu sobre ela como uma avalanche. Ela apostou e perdeu. "Outra vez!" Ela sentiu que alguma coisa dentro de si se partia. Foi como se toda a felicidade que conhecera houvesse se esvaído instantaneamente, deixando apenas uma leve impressão de um dia melhor.

Ela tentou recordar o rosto de Ahalya, mas só conseguiu lembrar alguns traços de sua sombra. Sua irmã se fora. O passado não existia mais. Era esse o seu carma.

Sita descansou a cabeça sobre as mãos e ficou escutando o barulho das rodas sobre a superfície das ruas. Passou por sua cabeça que havia um modo de acabar com toda aquela loucura. Pela primeira vez desde a destruição causada pelas ondas, ela contemplou o suicídio. O pensamento durou só um breve momento e ela o afastou com energia. Mas a ideia permaneceu guardada no fundo de sua mente.

Ela fechou os olhos e tentou não pensar no que o dia seguinte reservava para ela.

Capítulo 25

"O mundo é um espelho de beleza
infinita, mas ninguém o vê."
Thomas Traherne

Paris, França

Às 6h15 de 1º de março, Thomas pegou um táxi de seu hotel no quinto *arrondissement* até a estação Montparnasse para encontrar Julia, conforme haviam combinado. O motorista deixou-o na lateral do terminal com estrutura de vidro. Ele entrou na estação e viu Julia em pé ao lado de uma cabine para compra de bilhetes, segurando uma valise. Seu casaco vermelho parecia magenta filtrado pela luz âmbar. Ela o saudou com um olhar que traía seu nervosismo e lhe entregou uma passagem. Ele olhou o bilhete e viu o destino: Quimper.

— Uma casa segura na Bretanha — disse ele. — Eu nunca teria adivinhado.

— Essa é apenas a primeira das surpresas — disse ela — e eu devo ser louca para estar fazendo isso.

— E por que você está se arriscando? — perguntou ele, examinando sua expressão.

— Não tenho certeza. — Ela sorriu e sua ansiedade pareceu desaparecer. — Acho que você me inspirou. Então, está com fome?

— Morto de fome.

— Eu comprei *croissants*.

Eles caminharam pelo saguão do terminal até a estação de trem. Seis reluzentes trens-bala TGV[42] prata e azul estavam estacionados sobre trilhos paralelos. Os dois se sentaram em um banco de metal e comeram os *croissants* enquanto a plataforma se enchia de passageiros.

Eles embarcaram poucos minutos antes das 7 horas e se dirigiram ao seu compartimento. Logo depois, o trem deixou a estação. A velocidade era controlada dentro da área urbana e se acelerava drasticamente quando atingia a área rural.

Julia tirou seu notebook da valise e se lembrou de algo.

— Eu queria lhe contar, meu contato na BRP finalmente recebeu notícias

---

[42] TGV (Train à Grande Vitesse) é o trem francês de alta velocidade. (N. T.)

da embaixada em Mumbai. Parece que a ACI tentou entrar em contato com a polícia francesa, mas foram impedidos pela burocracia. As pessoas na embaixada dizem que isso acontece o tempo todo. A ACI repassou a informação que obteve através de Navin, e a polícia francesa está trabalhando para rastrear o paradeiro do tio dele. Eles também abriram uma investigação sobre as atividades de Navin. Eles acham que ele vive na França sob falsa identidade.

— Fico impressionado de ver como criminosos conseguem ficar completamente invisíveis para as autoridades — ressaltou Thomas. — O submundo é tão grande quanto o mundo real.

— É tudo a mesma coisa — concordou Julia —, menos as regras do jogo. — Ela abriu o notebook e digitou uma senha. — Você se importa se eu adiantar um pouco meu trabalho? Eu prometi ao meu chefe que entregaria um relatório sobre os Petrovich amanhã de manhã.

— Ele sabe o que nós estamos indo fazer?

Ela deu um sorriso conspiratório.

— Eu contei a ele que a BRP nos quer participando da investigação, o que é verdade. Os Petrovich provavelmente já deixaram o país, e nossa rede é melhor que a deles. Em troca, eu convenci meu contato na BRP a liberar nosso acesso às garotas.

— E o pessoal na Bretanha?

— Eu contei a eles sobre Sita, e eles prometeram ajudar, com bastante discrição.

Thomas assobiou.

— Estou impressionado. Eu te devo uma.

— Deve sim — respondeu Julia —, mas agora eu preciso trabalhar.

— Fique à vontade — disse ele tirando seu próprio notebook da mochila.

Na noite anterior, ele havia baixado da internet alguns artigos sobre tráfico humano na Europa Oriental do site do Projeto de Justiça. Ele queria chegar na casa de segurança minimamente informado sobre a experiência vivida pelas garotas raptadas por Petrovich. Os casos divulgados pela imprensa e por artigos acadêmicos eram aterrorizantes. Tinha-se a impressão de que o antigo bloco soviético executava uma sangria de jovens mulheres, muitas das quais acabavam aliciadas pelo comércio sexual. O fenômeno era tão bem documentado que até um nome fora cunhado para essas jovens — as Natashas.

Elas vinham da Moldávia, Ucrânia, Bielorrússia, Romênia, Bulgária, Lituânia e Rússia. Para os clientes, no entanto, eram todas russas.

Após uma hora de leitura angustiante, ele foi até o vagão-restaurante onde comprou um expresso e um sanduíche, voltou ao seu assento e ficou observando a paisagem em movimento. Depois de um tempo, ele abriu um novo documento em branco, pensando em fazer algumas anotações de viagem para

Priya. Era uma tradição do início, quando começaram a namorar, e que mantiveram durante o casamento. No entanto, como tudo mais que os unia, havia sido perdida nos dois anos de turbilhão enquanto trabalhava no caso Wharton.

Ele pensou um pouco, com os dedos sobre o teclado, e então começou a escrever. Para sua surpresa, as palavras que lhe ocorreram se pareciam mais com um poema do que com um diário de viagem, mas ele considerou que, como amante de poesia, Priya apreciaria ainda mais.

> A bordo do trem-bala. A emoção do quase voo. Um rio de vidro. Casas de fazendas ilegalmente ocupadas, com persianas meio abertas, meio fechadas. Silos de pedra transbordando de feno. Canteiros bem formados, prontos para o plantio. O céu, livre de nuvens, dança no azul. É a primavera ao alcance das mãos. Uma árvore repleta de brotos, depois duas, então uma clareira. Um estaleiro à margem de um grande rio assinala a proximidade do mar. Um garanhão a galope em campo aberto. Gaivotas em pleno voo. Montes se elevando a nossa frente. Estamos em Quimper.

***

Eles alugaram um carro na estação e seguiram para oeste em direção à Bretanha. Julia fez uma ligação de seu celular e confirmou a reunião, em francês. Seu nervosismo retornou quando ela digitou o número, mas o homem do outro lado da linha parecia ter um poder calmante sobre ela.

Ela desligou e respirou fundo.

— Está tudo bem? — perguntou Thomas.

— Está — disse ela. — Padre Gérard é muito gentil. Ele está ansioso para nos encontrar.

— Padre? A casa de segurança está vinculada à Igreja?

— Você verá.

Vinte minutos depois, Julia saiu da rodovia para entrar em uma via de cascalho ladeada por muros de pedra e árvores muito antigas. Eles contornaram um pasto margeado por um bosque e chegaram a um portão de ferro batido, guardado por um segurança. O vigia verificou seus documentos e liberou-os. Eles entraram em uma via circular e estacionaram em frente a um castelo francês do século XII emoldurado por um jardim bem cuidado.

— É aqui a casa de segurança? — perguntou Thomas. — É uma mansão.

— Sim, vou deixar padre Gérard contar a você a história.

Eles saíram do carro e foram saudados no pátio por um homem vestido com uma batina. O homem começava a ficar calvo e usava óculos e sua face lembrava a de uma coruja. Ele beijou o rosto de Julia e apertou a mão de Thomas. Seu inglês era surpreendentemente bom.

— *Bonjour*, sejam bem-vindos — disse calorosamente. — É um prazer recebê-los.

— Obrigada por concordar em nos receber — disse Julia.

O padre olhou para Thomas.

— Esse lugar é secreto. Está bem assim? A senhorita tem o credenciamento adequado. O senhor, não. Eu preciso da sua garantia. Não vai contar sobre isso a ninguém.

— Tem minha palavra — respondeu Thomas.

O padre aquiesceu.

— Sendo assim, vamos por ali.

Padre Gérard os conduziu até um hall decorado com mobília rústica escura e, depois, até uma porta que dava acesso a um jardim. O ar era mais quente que em Paris e tinha o cheiro bom de grama recém-aparada. Eles foram por uma trilha até um prado com uma fonte de pedra ao centro. Três mulheres jovens estavam sentadas em um banco ao lado da fonte, conversando calmamente. Uma delas vestia o hábito de freira.

— Essa propriedade chegou-nos como uma doação feita por um homem muito atormentado, que encontrou a paz no final da vida — contou o padre. — Ele a deixou para a diocese de Quimper, mas não tinha utilidade para ela. O bispo teve o bom-senso de procurar saber se outra diocese poderia estabelecer um projeto cristão aqui, antes de colocar a propriedade à venda. Isso foi em 1999. Naquele tempo, eu trabalhava com uma ONG em Marselha. O governo era simpático a nossa causa, mas as leis não ajudavam. Muitas das mulheres que conseguíamos resgatar eram deportadas e, novamente, exploradas. Eu tive a ideia de criar uma casa de segurança, mas não tínhamos dinheiro para adquirir uma propriedade. E, então, ouvimos falar do castelo. O bispo nos recebeu de braços abertos. O resultado é o *Sanctuaire d'Espoir*. Em sua língua, "Santuário da Esperança".

Eles seguiram pela trilha até um campo cercado. Dois cavalos quarto de milha pastavam ali. Uma brisa suave vinha do oeste e do mar.

— Quais são os critérios do governo para determinar quem vem para cá? — quis saber Thomas.

— A polícia nos manda aquelas que estão em situação de perigo. Em geral, são mulheres que eram mantidas em cativeiro pelo crime organizado ou aquelas cujos captores ainda não tenham sido presos. Nós as mantemos conosco até que seu caso seja julgado ou que possam voltar para casa. As leis estão melhores hoje em dia. Asilo e residência permanente são algumas das opções quando as mulheres cooperam com as autoridades.

— Como estão passando as meninas novas? — perguntou Julia.

Padre Gérard fez uma pausa.

— Todas elas têm feridas profundas, porém, umas têm mais força que outras. Uma delas é particularmente forte. Acho que foi ela que informou o caso à polícia.

Thomas se dirigiu ao padre.

— Podemos falar com elas?

O padre olhou para ele.

— Essa é uma questão delicada. A maioria diria que sou um tolo por permitir seu acesso a elas tão precocemente. Algumas pessoas não conseguem entender pelo que essas moças foram forçadas a passar. Mas seu objetivo é salvar uma vida, e isso está acima de tudo. Vou tomar as providências.

***

O padre os levou de volta ao castelo e os acomodou em uma grande sala de visitas decorada com antiguidades e retratos dos ancestrais do antigo proprietário. Ele fez um gesto para que se sentassem. Pouco depois, retornou com uma das jovens mais belas que Thomas já havia visto. Ela era alta como as modelos de passarela e caminhava com uma graça natural que não se pode ensinar. Contudo, seus claros olhos azuis expressavam apenas sofrimento. Quando ela olhou para Thomas, ele desviou o olhar, perturbado por sua vulnerabilidade e pela pungência de seu olhar.

Ela se sentou de frente para eles em um sofá de brocado e olhou para o padre, esperando por um sinal. Padre Gérard a tratava com muita gentileza, mas nunca a tocou ou invadiu seu espaço pessoal. Ele falou lentamente em inglês, enunciando cada palavra com cuidadosa precisão.

— Natalia, gostaria de lhe apresentar Thomas Clarke e Julia Moore.

A moça inclinou a cabeça.

Thomas veio dos Estados Unidos e Julia trabalha na Embaixada Norte--Americana em Paris.

A menina pareceu não entender a conexão com os Estados Unidos. Ela manteve o olhar sobre o padre, esperando uma explicação.

— Thomas gostaria de lhe fazer algumas perguntas. Você se incomoda?

Natalia sacudiu a cabeça.

— Meu inglês não muito bom — disse ela suavemente, com um forte sotaque. — Eu tentar entender, mas não sabe. Vai falar devagar?

— Vou — disse Thomas. Ele então pegou a fotografia que Ahalya lhe dera e passou para a jovem. — Você já viu essa menina? — perguntou apontando para Sita.

Natalia pegou a fotografia e examinou com cuidado. Lágrimas brotaram em seus olhos e escorreram por seu rosto. Ela as limpou e olhou para Thomas com uma expressão carinhosa.

— Sim — disse ela.

Thomas respirou e perguntou:

— Pode me dizer onde?

Natalia baixou os olhos.

— Era um... Quarto — começou a dizer. — Ele levava nós lá e estuprava. Um dia ele deixou eu sozinha e essa menina veio. Ela diz... — Natalia parou no meio da frase e começou novamente a chorar. — Ela diz ela rezar para mim. Eu pensar ela um anjo, mas ela Sita. Ela empregada. — Natalia fez uma pausa. — Eu encontrar ela de novo. Ela tentar fugir. Mas ela não conseguir... Escapar. Dia seguinte tinha sumido.

— Você sabe para onde ela foi? — ele perguntou, lutando para conter sua emoção.

Natalia sacudiu a cabeça.

— Você sabe se mais alguém falou com ela?

Ela ergueu os ombros.

— Talvez. Vou perguntar.

Ela se levantou e deixou a sala, voltando um pouco depois com outra moça de características eslavas. O padre se levantou, e Julia e Thomas fizeram o mesmo.

— Esta é Ivana — disse Natalia —, ela não falar inglês, mas sabe coisas.

Natalia trocou algumas palavras com Ivana em russo. Ivana assentiu e respondeu baixinho.

— Ela cozinhar — Natalia os informou. — Sita ajudar na cozinha.

As duas trocaram mais algumas palavras ininteligíveis.

— Ela dizer casal indiano veio casa semana passada. Eles falar de viagem para Estados Unidos.

A revelação de Ivana deixou Thomas ao mesmo tempo exultante e desapontado. O tio de Navin havia levado Sita para fora da França, e os Petrovich tinham algo a ver com isso. Mas para os Estados Unidos? Deve haver cinquenta voos diários de Paris com destino às cidades norte-americanas. O único entrave verdadeiro para ingressar no país era a guarda de fronteira no aeroporto. Depois de passar pela alfândega, uma pessoa podia desaparecer sem deixar vestígios.

— Eles disseram para onde, nos Estados Unidos, pretendiam viajar? — perguntou ele.

Natalia traduziu a pergunta e Ivana sacudiu a cabeça.

— *Nyet*. — Foi a primeira e única palavra que ela disse que Thomas conseguiu compreender.

— Eu falar todas as moças. Só Ivana ter informação.
— Obrigado — disse Thomas, tentando disfarçar seu desapontamento.
— Já é alguma coisa.

Natalia se dirigiu a ele, cravando-o com seu olhar.
— Você encontrar essa garota?
— Vou fazer tudo o que puder — respondeu ele.

Ela foi até ele e pegou sua mão.
— Então somos amigos — disse ela. — *Da svidaniya.* — Dizendo isso, ela se virou e desapareceu no hall.

A pele de Thomas formigava à lembrança de seu toque. Quantas pessoas já haviam lhe pedido o impossível: Ahalya, Priya, Julia e agora Natalia. Será que ela acreditava mesmo que ele conseguiria? Ou será que ele era tolo o suficiente para tentar? Quaisquer que fossem as razões, ele agora tinha consciência de que a tarefa excedia sua capacidade. Se Paris já era muito difícil, os Estados Unidos eram como um buraco negro. Para resgatar Sita, ele precisaria mais do que seus pressentimentos, instinto e a ajuda de amigos.

Ele precisaria de uma intervenção divina.

Capítulo 26

> "Pela abundância do teu comércio, o teu coração se encheu de violência, e pecaste."
> O Livro de Ezequiel

Elizabeth, New Jersey, Estados Unidos

Após a tentativa de fuga de Sita, Alexi tomou muito cuidado para garantir que ela permanecesse trancada no quarto de estupros de Igor. Toda noite, depois de fechar o clube, ele ia pessoalmente verificar se ela estava no quarto e trancava a porta quando saía. No final da manhã, ele aparecia novamente trazendo um pouco de comida para ela.

O tempo ia passando e a escuridão aumentava em seu coração. Ela não recitava mais poesia, não se distraía mais com jogos mentais, não mais fantasiava ter Ahalya ao seu lado. Ela desistiu de procurar a felicidade no portal da memória. Passava a maior parte do tempo olhando fixamente a parede e refletindo sobre a inexplicável natureza do carma.

Na noite de domingo, antes de o clube abrir as portas, Alexi veio procurá-la. Ele permaneceu na soleira da porta e deu a ela a ordem com uma única palavra:

— Venha.

Ela se levantou e o seguiu pelo corredor. Ele passou com ela pelo camarim — que estava todo aceso, porém vazio — e foram até o salão com sofás. Um homem de cabelos loiros, elegantemente trajado com um conjunto de calças e blazer, estava sentado em uma das poltronas, assistindo a uma corrida de cavalos pela televisão. Ele cumprimentou Alexi e fez um gesto para que Sita ficasse diante dele. Ele falava inglês com clareza, mas com um leve sotaque.

— Ela é bonita — disse ele, examinando Sita de alto a baixo com penetrantes olhos azuis. — E também muito jovem. Devo cumprimentar seu irmão por essa aquisição.

— Vasily sabia que você iria aprovar — retrucou Alexi.

O homem caminhou em torno de Sita, acariciando sua nuca com a ponta dos dedos. Então, parou diante dela com um sorriso tênue. — A cor de sua pele é escura o suficiente para ser exótica, mas clara o bastante para ser atraente. Ela exigirá um pagamento alto.

Sita sentiu o estômago embrulhado e uma enorme fraqueza. Esses homens falavam dela como de um animal no mercado.

— Eu pago por ela vinte mil — disse o homem.

Alexi não gostou.

— Ela vale quarenta. E não vendo por menos.

Eles discutiam o preço e Sita fechava os olhos. Uma outra transação estava sendo acertada. Aquele estranho era o próximo elo na cadeia de seu destino.

O negócio foi fechado em trinta e cinco mil dólares. O homem loiro entregou o pagamento em dinheiro, dentro de um envelope, e desapareceu pela porta de saída do clube.

***

As duas noites seguintes foram passadas em relativa calma. Sita ouvia Igor grunhir com as garotas no corredor, mas ele se manteve longe de seu quarto. Seu isolamento era rompido apenas pelas breves visitas de Alexi. Ela começou a imaginar se não teria entendido mal a negociação. Talvez o homem loiro não a tivesse adquirido e estivesse apenas pagando Alexi. Mas isso não explicava a presença dela no clube, nem a violenta reação de Alexi às investidas de Igor. Além do mais, Igor havia dito que Alexi a estava reservando para Dietrich. E quem seria Dietrich?

Uma parte da resposta para essa charada foi dada na terça-feira e tinha a figura de um homem negro de óculos escuros e uma grossa corrente dourada em torno do pescoço.

— A vadia vai direto para Harrisburg? — ele perguntou quando Alexi abriu a porta do quarto onde estava Sita.

— Vai direto para lá — respondeu Alexi. — As outras vão para a Filadélfia.

— Tô sabendo, para a convenção Tech. Manuel me falou sobre isso. — Ele olhou atravessado para Sita. — Tá pronta, vadiazinha?

Sita olhou para Alexi, esperando uma explicação.

— Você vai com o Darnell, agora — ele disse.

— É isso aí — confirmou o homem chamado Darnell —, e eu não tô com tempo nem paciência pr'uma vaca cheia de atitude. — Ele abriu o casacão e mostrou a ela o coldre de um revólver. — Se aprontar comigo, eu te apago. Entendido?

Apavorada, Sita fez que sim com a cabeça. Ela vestiu o casaco e Darnell a segurou pelo braço, arrastando-a para fora do clube até um furgão parado no estacionamento. Já havia três garotas do clube sentadas no banco de trás. Um latino musculoso ocupava o banco do passageiro. Ele estava com o nariz afundado em uma revista e não prestou atenção em Sita.

Ela se sentou no primeiro banco e olhou pela janela na direção da rua. Era perto do meio-dia e o trânsito estava pesado. Ninguém reparou naquele furgão, igual a muitos outros, nem em sua carga humana. Passou, inclusive, um carro da polícia, que seguiu em frente como os outros.

Darnell saltou para o banco do motorista e arrancou com o carro, saindo do estacionamento. As ruas da cidade estavam muito congestionadas, mas o trânsito desobstruiu assim que entraram na rodovia. Eles viajaram por noventa minutos sem nenhuma parada. Sita estava com sede e precisava usar o toalete, mas tinha medo de pedir. As garotas no banco traseiro não falavam e ela não olhou para trás nenhuma vez.

Darnell entrou em uma ponte de acesso à Filadélfia e depois pegou a saída para a Broad Street; então, entrou com o furgão na rampa de acesso ao Hotel Marriott e fez uma ligação de seu telefone celular. Logo depois, um homem branco, vestindo um terno risca de giz, saiu pelo saguão e foi em sua direção. Ele cumprimentou Darnell e olhava as garotas, apreciando-as à medida que iam descendo do furgão.

O homem branco entregou um envelope a Darnell e disse:

— Isto aqui é o adiantamento. Você recebe o restante quando vier buscá-las.

Darnell grunhiu:

— Põe essas vacas para trabalhar.

O homem branco deu um sorriso tênue.

— Elas vão trabalhar bastante. Temos trinta e dois clientes na fila e a convenção ainda nem começou.

— É assim que eu gosto.

***

O homem branco escoltou as garotas até o hotel e o latino voltou a se sentar no banco do passageiro. Darnell manobrou o furgão e voltou ao tráfego. Eles fizeram uma parada rápida em um posto de gasolina para que Sita pudesse usar o toalete, e seguiram viagem outra vez. Viajaram durante toda a tarde, parando apenas para pôr gasolina e uma vez em um *drive-thru* do McDonald's para pedir o jantar. Sita estava morta de fome, mas apenas beliscou o hambúrguer que Darnell lhe deu. A carne gordurosa e a mistura doce e salgada dos temperos agrediram seu paladar.

Eles chegaram a Harrisburg meia hora antes do pôr do sol. Darnell saiu da rodovia e entrou em uma parada de caminhão, passou pelo pátio onde algumas carretas já estavam estacionadas e entrou no estacionamento de um motel.

— A garota não sabe como é gostosa — Darnell disse para Manuel. — Se eu fosse o chefe, ela ia trabalhar muito pra mim. Eu ensinava ela o que é ter consideração.

Manuel riu.

— É por isso que você é só o motorista.

— Cala essa boca — retrucou Darnell.

Eles deram a volta por trás do motel e estacionaram o carro. Manuel destrancou a porta de um quarto de hóspedes; Darnell arrancou Sita de dentro do furgão e a jogou sobre a cama. Ela se sentou depressa e abraçou um travesseiro, com medo de que estivessem planejando estuprá-la. Darnell ficou um longo tempo olhando atravessado para ela e então explodiu em gargalhadas.

— Tá vendo, Manuel — disse ele —, ela tá com medo.

Manuel ignorou o comentário e ligou a televisão. Ainda rindo, Darnell pegou uma revista e se trancou no banheiro.

***

Começou a escurecer e a noite caiu. Darnell foi até o Burger King comprar alguma coisa e Sita, relutantemente, resolveu comer. Às 22 horas, Manuel recebeu uma ligação em seu celular. Ele grunhiu qualquer coisa e foi até a janela, olhar pela abertura da cortina.

— Eles estão chegando — disse puxando as cortinas para mostrar uma caminhonete estacionada na sombra, ao lado de uma fila de caçambas de lixo. Sita observava enquanto sete meninas jovens desciam do carro e se espalhavam pelo pátio, agora lotado de caminhões. Todas elas pareciam ser menores de idade.

— Vadia de estrada rodando a bolsinha — disse Darnell. — Quanto você acha que elas faturam essa noite?

Manuel pensou um pouco.

— Dois mil, talvez um pouco mais. O pátio está lotado.

Darnell riu.

— Os caminhoneiros não vão se sentir sozinhos essa noite.

Sita examinava a trama da colcha desbotada sob seu corpo. A situação daquelas prostitutas partiu o que restava do seu coração. Que tipo de ser humano conseguia fazer piada sobre a profanação do corpo de crianças? E novamente ela tentou imaginar quais seriam seus planos para ela. O que justificaria uma compra de trinta mil dólares?

***

À meia-noite, Manuel recebeu outra ligação no celular. Ele ouviu o que foi dito e olhou para Darnell. — Está tudo pronto.

Darnell desligou a televisão e pegou o braço de Sita com brutalidade.

— Hora de ir.

Manuel abriu a porta e Sita pôde ver a lateral da caminhonete a uns seis metros de distância. Estava estacionada atrás de uma fila de carros, com o motor ligado. Uma mulher obesa estava em pé, atrás do carro, com os braços cruzados. Darnell levou Sita através dos carros e a entregou à mulher. Essa mulher empurrou Sita na direção de um homem que estava encostado na traseira da caminhonete. O homem agarrou-a pelo casaco e jogou-a no compartimento de carga. Quando seus olhos se ajustaram à penumbra, ela percebeu que não estava sozinha. Ela estava cercada de prostitutas de estrada.

O homem fechou o compartimento e depois passou a trava. Sita só o viu de relance nas sombras. Ele tinha a barba por fazer e um cigarro pendia de seus lábios.

O interior da caminhonete era preto feito breu. Nenhuma das meninas dizia nada, mas uma delas chorava. A caminhonete deu um tranco e começou a se mover. A cadência do motor sufocou o lamento da criança invisível. Sita envolveu os braços sobre si e fechou os olhos. Seus pensamentos estavam confusos e, sua respiração, curta e rápida.

A caminhonete andou por vinte minutos, parou e deu marcha a ré. Quando o motor foi desligado, Sita escutou o silêncio. Em algum lugar distante dali, um cachorro latia. Depois, passou um carro por perto. As meninas permaneceram sentadas até que o homem com o cigarro na boca abrisse a porta. Estavam diante de um tipo de garagem. As meninas se levantaram ao mesmo tempo e desceram da caminhonete. O homem fez um sinal para que Sita as seguisse.

Ela foi atrás de uma jovem menina negra de quadris estreitos e saia com estampa de oncinha, atravessou a garagem e desceu para o sótão. Apenas uma lâmpada iluminava o cômodo subterrâneo. As meninas esperavam, encolhidas, com os olhos baixos. A mulher gorda desceu a escada e afastou uma estante para armas, revelando uma porta secreta. Ela girou uma trava de segurança e abriu a porta. Era possível ver que havia muitas cobertas espalhadas pelo chão. As meninas entraram sem protestar, e a mulher fechou a porta novamente.

No mesmo instante, começou uma briga entre as meninas. Sita protegeu a cabeça com os braços e recuou até um canto, escorregando na parede até que seus joelhos encostassem no queixo.

— Larga, sua vadia! — gritou uma das meninas.

— Esse lugar é meu, sua vaca traidora — gritou outra.

Então, uma voz encorpada falou:

— Cassie, Latisha, calem a boca! Deixem pra lá, caramba!

E, finalmente, as meninas ficaram quietas.

— Que diabos têm de errado com vocês duas? — a voz forte perguntou. — Esse lugar já é ruim o suficiente sem as duas reclamando.

— Ela é que está sempre pegando o meu lugar — uma das meninas resmungou.

— E você está sempre mentindo — disse a outra.

— Eu não aguento mais esse lugar — disse uma quarta voz engasgando e tossindo.

A voz encorpada retrucou:

— Você pode tentar fugir, se quiser, mas vai arriscar a própria pele. Da última vez que tentei, eles me queimaram com pontas de cigarro.

Sita fechou os olhos e tentou não tossir. O cômodo fedia a suor e urina. Ela apertou a estatueta de Hanuman no bolso de seu casaco e começou a chorar. Ela tentou se lembrar das cores e dos sons da Índia, mas as lembranças escapuliam antes que ela conseguisse agarrá-las. E, em seu lugar, surgia o rosto de Suchir e Navin e Dmitri e Igor e o rosto imaginário dos caminhoneiros que haviam pagado para fazer sexo com as meninas.

Ela encostou a cabeça na parede e esfregou os braços, tentando se aquecer. Sentia câimbras e desconforto por todo o corpo, e não tinha ideia do que fazer para conseguir dormir. Depois de um tempo, a menina deitada perto dela se virou e a ponta de um cobertor tocou sua mão. Ela o puxou devagar sobre os joelhos e se sentiu aquecer um pouco. A menina tornou a se mexer e seu braço pousou sobre a perna de Sita.

Sita respirou fundo e fechou os olhos.

Ela encontraria um modo de vencer a noite.

Capítulo 27

"Raramente a verdade é pura e nunca é simples."

Oscar Wilde

Paris, França

Thomas e Julia compraram seus bilhetes de volta a Paris no TGV do final da tarde. Thomas encontrou um cibercafé em Quimper e reservou um voo matinal para Mumbai. Da estação de trem, ele enviou duas mensagens: a primeira para Andrew Porter, informando que Sita fora traficada para os Estados Unidos, e a segunda para Jeff Greer, na Aces, prometendo retornar ao trabalho na segunda-feira. Depois disso, ele telefonou para Priya e deu a ela as informações sobre seu voo. Quando foi anunciada a partida de seu trem, ele embarcou e tentou não pensar sobre sua fracassada viagem.

A convite de Julia, ele passou a noite em seu pequeno apartamento no quinto *arrondissement*. Ela preparou sua cama no sofá, mas ele precisou lutar para conciliar o sono, prisioneiro do tempo e de suas próprias reflexões. Cada minuto que passava levava Sita para mais longe dele. Chegou a pensar em pegar um avião para Washington e se encontrar com Porter, mas ele sabia que seria uma viagem improdutiva: não tinha nenhuma pista confiável e seu acesso à informação junto ao Departamento de Justiça seria bastante restrito.

Algum tempo depois da meia-noite, ele se levantou do sofá e ficou caminhando pela sala, se sentindo dominado e aprisionado por uma ansiedade que não conseguia expressar em palavras. Ele perambulou pela cozinha e abriu a geladeira só para perceber que não estava com fome, voltou à sala e foi até a janela observar as luzes de Paris. Em circunstâncias normais, o cenário o deixaria comovido. Mas, naquela noite, ele estava preocupado demais para sequer notar a beleza da cidade.

"Onde está você, Sita Ghai?", pensou ele. "Para onde a levaram dessa vez?"

De repente, ele sentiu uma mão em seu ombro. Ele se virou e viu Julia em frente a ele, vestida de camisola e roupa íntima. Ele fitou seus grandes olhos disfarçados pela sombra e o olhar dela expressava empatia. Ela pegou sua mão e a segurou com firmeza. O clima era tão inesperado que Thomas não respirava, não pensava, apenas retribuía seu olhar.

— Você está bem? — perguntou ela, com a voz pouco mais alta que um sussurro.

Ele considerou mentir, mas não conseguiu.

— Já estive melhor — respondeu.

Ela se inclinou e pousou a cabeça sobre o peito dele.

— Sei como se sente — murmurou passando os braços em torno dele. — Eu também me senti assim quando perdemos minha irmã.

Ele permaneceu imóvel, congelado na indecisão. Pensou em Priya, em Mumbai, a mais de seis mil quilômetros de distância. Lembrou-se de Cambridge, de Charlottesville, de Georgetown e de todos os anos que passaram juntos. Mas sua força não era páreo para o poder persuasivo do carinho de Julia. Sua resistência cedeu até o ponto em que sua mente e seu coração se fundiram em um só desejo: retribuir seu abraço. Ele passou os braços em torno dela e enterrou o rosto em seus cabelos perfumados.

Eles permaneceram abraçados por um longo momento, até que Julia levantou o rosto para ele, com o olhar formando um ponto de interrogação. E ele viu o momento pelo que ele era: um ponto sem retorno. Um alarme soou em sua cabeça, mas ele não fez nada para se afastar dela. Quando ela pressionou os lábios contra os seus, ele não recuou. Quando ela o pegou pela mão e o levou até o quarto, ele não protestou. Passou por sua mente que acontecera do mesmo jeito com Tera. Mas ele havia ultrapassado o ponto de se importar com isso. Ele queria que acontecesse. Ele precisava disso.

Quando entraram no quarto, Julia se virou e segurou suas duas mãos. Ela o puxou para si e levantou o rosto para beijá-lo outra vez. Foi então que ele percebeu a vela sobre a cômoda e o pesado espelho atrás dela. A lembrança retornou no mesmo instante. Luz de velas refletida em copos de cristal, sua chama afastando a escuridão. Priya esperando na cama, pedindo que ele fizesse amor com ela. O abandono do êxtase, a alegria da libertação. A noite em que Mohini foi concebida.

Ele soltou as mãos de Julia e tocou a faixa de pele onde sua aliança de casamento repousou um dia. Ele havia tirado o anel quando Priya partira e se esquecera do que ele representava em sua partida precipitada para Mumbai. O anel o fazia se lembrar de seus votos. "Eu, Thomas, te recebo, Priya..." Ele havia sido ingênuo, como todo mundo diante do altar. "Com esse anel, eu te desposo." Ele percebeu que se deitar com Julia seria uma traição não apenas ao seu casamento, que começava a florescer novamente, mas também uma traição à memória de Mohini.

— Não posso fazer isso — murmurou ele.

Julia deu um passo para trás e cruzou os braços.

— Por que não?

Ele respirou fundo.

— Eu sou casado. Minha mulher está em Mumbai.

Ela se sentou sobre a cama e segurou seus joelhos. Ele ficou imóvel, olhando para ela. Não era justo com ela, ele entendeu. Ele permitiu que se formasse um elo emocional entre eles, uma ligação que qualquer tolo perceberia que estava surgindo. E, então, quando ela agiu de acordo com seus sentimentos, confiando em seus instintos, ele levantou a guarda e rejeitou sua investida.

O silêncio se prolongou até que Julia perguntou:

— Qual é o nome dela?

— Priya.

— Ela é indiana?

— É, mas passou a maior parte da vida no Ocidente.

Julia digeriu a informação.

— Você a ama?

Ele assentiu vagarosamente, sabendo que era verdade.

Ela virou o rosto, corando levemente.

— Eu sinto muito — disse ele, tornando a encontrar a própria voz. — Eu devia ter lhe contado.

Ela se levantou lentamente da cama.

— É — disse ela —, você devia ter me contado. Mas acho que não faria diferença. — Ela o beijou de leve no rosto. — Teria sido muito bom — murmurou ela.

Ele fechou os olhos, lutando contra o desejo repentino de se esquecer de tudo e tomá-la nos braços outra vez.

— Boa-noite, Julia — ele disse, deixando o quarto.

Ele voltou ao sofá e cobriu a cabeça com o travesseiro, escutando o distante tique-taque do relógio. Tentou dormir novamente, mas seus pensamentos eram assombrados pela lembrança do abraço. Os minutos se transformaram em horas e a noite virou dia. O alvorecer chegou para ele como uma forma de emancipação.

Ele tomou uma chuveirada rápida e guardou suas coisas enquanto Julia preparava um café com *croissants* na manteiga. Durante o café da manhã, eles conversaram sobre coisas sem importância. Quando terminaram de comer, ela o acompanhou nos três quarteirões até a estação do metrô. Eles pararam diante da catraca e olharam um para o outro. Depois de uns instantes, Julia quebrou a magia do momento e lhe deu um abraço.

— Sinto muito sobre Sita — disse ela.

— Nós fizemos todo o possível. Ninguém teria feito melhor.

Ela lançou-lhe um olhar encorajador.

— Quem sabe Andrew tenha mais sorte?

— Nunca se sabe. — Ele fez uma pausa. — Cuide-se, Julia.

Ela sorriu para ele com seu jeito espontâneo.

— Vai para casa, Thomas.

Ele assentiu e se foi, intrigado com as palavras que ela escolheu.

Ele tomou o trem até o Aeroporto Charles de Gaulle e embarcou em um voo da Air France para Mumbai no meio da manhã. Exausto pela noite de insônia, tentou descansar. Foi inútil.

Quando se cansou de fingir que repousava, pegou a fotografia que Ahalya lhe entregara. Sita sorria para ele pela centésima vez, uma criança flertando com a maturidade de uma mulher. Ela era tudo que ele havia sonhado que Mohini seria. O pensamento o sacudiu com a força da revelação. Teria sido isso que o levara para a França? Seria sua atitude a lembrança da filha que perdera fazendo eco a uma vida que ainda poderia ser salva?

O avião pousou em Mumbai pouco antes da meia-noite. O céu escuro sobre a cidade estava pesado de poluição e umidade.

A temperatura durante a noite era apenas uns poucos graus mais baixa que durante o dia. Ele se encontrou com Priya na esteira de bagagens e ela o surpreendeu com um abraço caloroso.

— Bem-vindo de volta — disse ela com o olhar brilhante —, senti sua falta.

— Sentiu? — perguntou ele, surpreso pelo alívio que sentia em sua presença.

Ela fez que sim com a cabeça e pegou sua mão.

— Tenho uma surpresa para você. — Ela procurou em sua bolsa e retirou dois bilhetes da Jet Airways.

— Goa — disse ele, com a voz mais alegre.

— Amanhã viajaremos em férias. Eu preciso sair dessa cidade.

Ela olhou para ele com uma expectativa tão sem disfarce que ele não fez outra coisa senão rir.

— É uma boa ideia — ele disse, sentindo uma súbita onda de afeição por ela. — Você está bonita — completou.

Priya piscou sem entender, a princípio, mas então seu sorriso se tornou radiante.

— Vamos embora daqui — disse ela, puxando-o para a saída.

***

Eles passaram a noite no apartamento de Dinesh em Bandra. O amigo estava fora a negócios e Thomas ocupou o quarto dele. Depois das manifestações de afeto no aeroporto, ele esperava que Priya fosse ficar com ele. Mas não teve tanta sorte. Ela o deixou com um abraço e um sorriso tímido e foi se deitar no quarto de hóspedes.

Pela segunda noite seguida, ele dormiu muito mal. Por volta das 3 horas ele acordou, com o temor irracional de que Mohini estivesse sufocando no quarto ao lado. Assustado, ficou olhando em volta sem saber onde estava. Depois, ficou deitado, sem conseguir dormir, ouvindo os ruídos distantes da cidade e contemplando os paradoxos em sua vida.

Como podia ser que, ao perseguir a honra, ele a houvesse perdido, e, ao mesmo tempo, ao perder o amor, ele houvesse começado a encontrá-lo novamente? Como podia ser que a mesma dor profunda, que uma vez lhe parecera tão destrutiva, agora ressurgisse trazendo bonança? O caso Jogeshwari. O resgate de Ahalya. A busca por Sita. Priya dormindo em paz no quarto ao lado. As promessas da viagem a Goa. Como podia ser que ele houvesse vivido trinta anos nesse planeta, tivesse obtido dois títulos de doutor e terminasse com mais perguntas que respostas?

Na manhã seguinte, ele encontrou Priya no terraço vestindo uma camiseta de dormir e bebendo uma xícara de *chai*. O sol já estava forte, embora ainda fosse bem cedo, mas a brisa trazida do mar dava um certo alívio.

— Você parece cansado — disse ela, se sentando em uma cadeira.

— Não dormi muito bem — confessou ele, esfregando os olhos.

— Estava pensando em Sita?

Ele assentiu, escolhendo a resposta mais simples.

— O apartamento de Dinesh é muito bom — comentou ela.

— Ele se deu bem aqui.

— Parece que ele se sente à vontade em Mumbai — ela disse, em um tom de voz melancólico.

— E você não?

— Depende do dia e do meu humor.

— Você gostaria de viver permanentemente aqui? — perguntou ele, tentando adivinhar o curso dos planos dela.

— Não tenho certeza. E você?

Ele deu de ombros, porque não queria mentir.

— Não sei.

Ela se levantou bocejando e fez um carinho na mão dele.

— Vamos, precisamos nos aprontar.

— Tenho apenas que fazer uma coisa antes de ir — disse ele.
Ela olhou para ele com curiosidade.
— O avião parte ao meio-dia.
— É no caminho. Tenho apenas que fazer uma ligação.

***

Na escola do *ashram*, Ahalya estava sentada em sua carteira, olhando o vazio. Eram 8h30, e a professora — irmã Elisabeth — explicava as funções de seno e cosseno, para o desalento das meninas. Ahalya, no entanto, já conhecia a matéria. Ela havia estudado trigonometria básica havia um ano no St. Mary. A tutora que a Aces conseguira para ela a desafiava com um programa mais avançado, mas só vinha às segundas e quartas-feiras. Nos outros dias, as irmãs pediam que Ahalya frequentasse as aulas regulares com as outras meninas.

Novamente, Ahalya se perdia no passado. Ela se recordava das coisas em seus mínimos detalhes, se concentrando nos rostos e nos maneirismos até que quase desse vida novamente aos personagens de sua memória. Ela projetava suas personalidades no futuro, imaginando a forma como seriam, imaginava o rosto de sua mãe com as linhas que o tempo acrescentaria, pensava em seu pai no dia de seu casamento, via Sita como uma mulher feita. Suas fantasias se desenrolavam e ela perdia a noção do tempo. Na verdade, ela fazia isso com tanta frequência que as irmãs do *ashram* começaram a ralhar com ela.

— Ahalya — disse irmã Elisabeth, apertando os olhos —, qual é o seno de 90 graus?

— Um — respondeu ela.

— E o cosseno de 180 graus?

— Menos um — disse ela, vendo as funções em sua cabeça.

Irmã Elisabeth suspirou e se virou para o quadro-negro novamente.

Às 8h45, irmã Ruth surgiu na soleira da porta. As alunas olharam para ela de modo estranho. O que teria acontecido para que a irmã superiora aparecesse sem ser anunciada?

— Ahalya — disse irmã Ruth —, por favor, me acompanhe.

Ela se virou para a religiosa, estranhando seu tom de voz, mas se levantou e seguiu a irmã até fora da escola. A freira caminhou por uma trilha que ia até a entrada do *ashram*, sem dizer uma palavra. Ahalya ficava mais confusa a cada passo. Não é que irmã Ruth fosse taciturna, mas parecia que ela sempre tinha algo a dizer.

Quando chegaram ao lago onde Ahalya plantou a nalini, irmã Ruth parou e apontou para o banco.

— Espere ali — disse ela —, você tem uma visita.

— Quem? — perguntou Ahalya, ao mesmo tempo excitada e aterrorizada. Anita, da Aces vinha às terças-feiras. Era quinta-feira. O visitante deveria ser alguém especial.

Irmã Ruth não respondeu. Em vez disso, virou e caminhou em direção ao portão de entrada. Ahalya se sentou no banco, ignorando a constante sensação de náusea que a acometia por várias semanas. Ela examinou a planta de nalini. O pote de barro estava visível sob a superfície da água do lago. Acima, haviam se formado dois brotos, mas ainda era muito cedo, no ano, para uma flor. Ela se inclinou e tocou a superfície da água. Havia vida no pote. A nalini iria desabrochar. Tinha que desabrochar, porque o espírito de Sita estava nela.

— Cresça — ordenou ela —, você é a razão para eu me levantar todas as manhãs.

***

Irmã Ruth recebeu Thomas no portão do *ashram* com a fisionomia excepcionalmente grave.

— O senhor Jeff telefonou avisando que você estava a caminho — disse ela, dando uma olhada em Priya, que esperava no táxi. — Você tem novidades para Ahalya?

Thomas assentiu com a cabeça.

— É sobre Sita? — perguntou irmã Ruth.

— Sim — respondeu ele.

— Se forem más notícias, talvez não seja bom para ela escutá-las. Ela está em um estado frágil.

— Existem boas notícias misturadas com uma ruim. — Ele passou o dedo sobre a pulseira *rakhi* em seu braço. — Eu devo a verdade a ela. Acredito que ela gostaria de saber.

A freira ponderou sobre o que ele disse e consentiu.

— Ela é uma menina determinada. E não fala em outra coisa que não seja Sita.

— Preciso apenas de cinco minutos — disse ele.

A freira abriu o portão e o conduziu através da propriedade.

— Ela está no lago.

Quando chegaram ao lago, encontraram Ahalya fitando a água. A menina levantou o rosto enquanto se aproximavam. Ela focalizou o rosto de Thomas e seus olhos se arregalaram. Ela se levantou e foi ao encontro dele.

— Você voltou — disse ela —, então deve ter notícias de Sita.

Encarando o seu olhar, Thomas pôde sentir o peso de sua perda.

— Talvez você devesse se sentar — disse ele, indicando o banco.
Ahalya cruzou os braços.
— Ela não está com você.
— Não — ele retrucou.
Ele se sentou no banco e olhou na direção do bosque. Em alguma árvore próxima, um passarinho cantava.
— O homem que a comprou de Suchir a levou para a França — disse ele. — Ela ficou trabalhando em um restaurante nos últimos dois meses. A polícia de Mumbai capturou o homem, mas não se moveram com a rapidez necessária. Poucos dias atrás, Sita foi levada para os Estados Unidos. Ninguém sabe para onde, nem por quê.
Ahalya começou a soluçar, seu corpo tremendo como uma planta jovem na ventania. Thomas respirou fundo. Talvez irmã Ruth estivesse certa ao questionar sua visita. Talvez fosse melhor que ele não tivesse ido. Ele olhou para o vaso de nalini brotando, pensando em algo que pudesse animá-la.
— Eu enviei a foto que você me deu para um amigo que trabalha no Departamento de Justiça — disse ele, finalmente — e contei a ele que Sita está agora nos Estados Unidos. Tenho certeza de que ele vai notificar o FBI. E haverá gente procurando por ela.
Ahalya continuava com os olhos fixos na superfície da água, mas, lentamente, recobrou seu autocontrole. Ela tornou a olhar para ele, com os olhos vermelhos e o rosto coberto de lágrimas.
— Eu tenho um recado para o seu amigo — murmurou ela.
Ele aquiesceu.
— Eu transmito.
Ela colocou a mão sobre o ventre.
— Diga a ele que agora somos dois esperando por Sita.
E, com isso, ela foi subindo a trilha que levava até o prédio da escola.
Thomas se voltou para irmã Ruth, sem entender.
A freira respondeu ao seu olhar confuso.
— Ela é muito corajosa. A maioria não teria contado nada.
— Contado o quê?
— Ela está grávida.
A respiração de Thomas ficou entrecortada.
— Do bordel? — ele perguntou.
A irmã assentiu.
— É comum acontecer. Mas tínhamos esperança que não, porque ela não ficou lá por muito tempo.
Uma onda de vertigem atingiu Thomas.
— Ela vai ter essa criança?

Irmã Ruth o encarou.

— Trata-se de uma vida — disse ela de modo áspero. Mas, depois, abrandou o tom. — Nesse momento, a criança é a única família que possui.

Thomas observou Ahalya desaparecer entre as árvores. Ela se parecia com qualquer outra adolescente indiana, com seu *churidaar* verde-claro e sandálias. Ela era encantadora, inteligente e bem-educada, e tinha um inglês excelente. Antes do *tsunami* estaria destinada a grandes conquistas: universidade, talvez Direito ou Medicina, ou, no mínimo, um bom casamento. E agora carregava o filho do homem que roubou sua inocência. Se antes disso seu futuro era precário, agora estava despedaçado.

— Você acha que Sita será encontrada? — perguntou a freira.

— É possível — respondeu ele —, mas pouco provável.

Irmã Ruth fez o sinal da cruz.

— Às vezes, eu não consigo entender os caminhos traçados por Deus.

— Então, somos dois.

***

O voo da Jet Airways para Goa foi misericordiosamente breve. Priya havia reservado um quarto para eles em um refúgio em Agonda, bem ao sul e longe da agitação dos turistas, ao norte de Goa. Ele não disse muita coisa a ela sobre seu encontro com Ahalya e, pela primeira vez, ela não se mostrou curiosa. Havia tanto tempo que ele não a via tão feliz, que não tinha intenção de estragar o momento.

A viagem de táxi até a praia de Agonda durou a maior parte da tarde. Thomas abaixou a janela e permitiu que a paisagem aliviasse o fardo que pesava em seu coração. Na confusão, entre bangalôs e plantações de eucalipto, ele conseguiu não pensar sobre o bebê de Ahalya, Sita e a pulseira em seu punho. Ou em Tera e Clayton e nas mentiras que contou a sua esposa. Seu único consolo era ter resistido em Paris. Ele estava no quarto com uma bela mulher que o desejava e, mesmo assim, não cedeu à tentação.

Pouco depois das 16 horas, o táxi entrou em uma rua de terra ladeada por lojas e quiosques de praia. O motorista os deixou na entrada do Gateway Resort e Hotel, no final da rua. O lugar era exatamente como na propaganda: limpo, despretensioso e perto da praia.

O proprietário, um agradável senhor de cabelos brancos vestindo uma espalhafatosa camisa havaiana, recebeu-os em inglês fluente:

— Estão em lua de mel? — perguntou.

— Sim — respondeu Priya, para surpresa de Thomas —, é nossa segunda vez.

— Um brinde aos novos começos! — disse o homem lhes entregando as chaves.

Eles caminharam de mãos dadas até o bangalô e guardaram suas coisas em um baú colocado em frente aos pés da cama. Priya usou o banheiro para trocar de roupa e reapareceu em uma camisa de linho branco e um sarongue de estampa floral. Ela observou Thomas dos pés à cabeça enquanto ele vestia sua bermuda de surfe, sandálias e camiseta. Ela foi até ele, colocou os braços em torno do seu peito e fez um carinho com o nariz. Ele a abraçou com tanta paixão, que, nesse momento, percebeu o quanto sentira a falta dela.

Depois de uns instantes, ela deu um passo atrás e falou:

— Vamos caminhar um pouco.

— Onde?

— Na praia.

Eles desceram por uma trilha de terra sob a sombra de palmeiras. O caminho levava a uma escarpa e através de dunas até o mar. Eles se livraram de suas sandálias e caminharam descalços até a linha da água. A areia era grossa e dava uma sensação esplêndida ao ser pisada. O Sol tropical pairava sobre o horizonte, dando à água reflexos dourados.

Priya pegou a mão de Thomas e eles caminharam até um amontoado de pedras. Ela subiu ao topo da pedra maior. Thomas foi atrás. Sentaram-se em uma parte plana no alto da pedra, e ficaram observando o pôr do sol. Ele colocou o braço sobre seus ombros e ela encostou a cabeça em seu peito.

— Por que a vida precisa ser tão difícil? — ela perguntou.

— Ela é o que é — replicou ele —, mas o que tentamos fazer não foi fácil.

— Eu me arrependo de tanta coisa — ela disse baixinho.

— Shhh! — ele fez colocando o dedo sobre seus lábios.

— Não, eu preciso colocar isso para fora — retrucou ela. — Eu feri você. Foi terrível conviver comigo. Eu não sabia como lidar com a dor. Eu pensei que, voltando para a Índia, as coisas ficariam mais fáceis. Mas não ficaram. Toda manhã ouço a voz dela. Vejo seu pequeno rosto e toco seus cabelos macios. Eu me lembro como foi dar à luz a ela.

Thomas sentiu como se estivesse sendo partido ao meio. Ele percebeu o quanto ainda a amava e nunca deixara de amá-la. Nem mesmo quando sua filha morreu. Nem mesmo quando seu olhar se tornou cruel e, sua língua, cortante. Se fosse preciso, ele se casaria com ela novamente. Ela era a melhor coisa que lhe acontecera na vida.

— Acho que esse sentimento nunca irá embora — ele disse. — Ela é parte de nós.

Priya ponderou sobre o que ele disse.

— Você tem pesadelos?

Ele fez que sim com a cabeça.

— Eu acordo encharcado de suor e a ouço chorando. Era pior quando eu estava em casa. Eu sentia como se estivesse vivendo com um fantasma.

Eles observaram o Sol mergulhar no oceano, tingindo o céu com tons de rosa.

— Dizem que é possível recomeçar — ela disse, pegando sua mão e passando os dedos de leve sobre a palma. — Não sei se acredito nisso.

— Não saberemos se não tentarmos.

Eles ficaram abraçados nas pedras até que o Sol fosse só uma lembrança e as primeiras estrelas começassem a surgir.

— Você está com fome? — ela perguntou.

— Quando você também estiver — disse, se virando para ela e aspirando o perfume de jasmim de seus cabelos. Isso lhe trouxe recordações. Todas elas, boas.

Ela o fitou e entreabriu os lábios. Ele a beijou, primeiro de modo hesitante e, depois, com vontade, apertando-a em seu abraço.

— Por que não deixamos o jantar para lá? — murmurou ela.

Ele tomou seu rosto entre as mãos.

— São as palavras que eu mais queria ouvir.

***

As terras de Goa fizeram desabrochar todo o brilho do mundo. O mar nunca havia sido tão azul, a areia nunca havia sido tão macia e o Sol nunca havia brilhado tanto quanto naqueles dias. Os dois passavam mais tempo no bangalô do que ao ar livre. Priya parecia nunca se cansar dos carinhos de Thomas, e, para ele, não era nenhum problema satisfazê-la. Cada vez que ele trazia a esposa para o seu abraço, sentia como se estivesse desenredando um dos nós do tempo perdido.

Na manhã do segundo dia, eles alugaram uma pequena motocicleta em uma loja de Agonda. Priya se sentou de lado e o envolveu pela cintura. Tendo crescido em Mumbai com um irmão que adorava motocicletas, ela se sentia totalmente à vontade sobre duas rodas. Eles se dirigiram para o norte através do relevo acidentado da rodovia costeira até a fortaleza Cabo da Rama. O ar estava úmido e carregado de maresia, e o céu traçava um arco entre os horizontes verde e azul.

Eles seguiram as placas indicando Margao e encontraram seu caminho por plantações de arroz e bosques de palmeiras. Até que alcançaram um platô árido acima da linha das árvores. A oeste se via o nebuloso azul do mar. A fortaleza ficava a catorze quilômetros de Agonda, mas o motor de dois tempos percorreu a distância em pouco tempo. Ao final da estrada, eles encontraram as ruínas centenárias de uma muralha que fora ocupada em diferentes ocasiões por reis indianos, mongóis e portugueses.

Eles estacionaram a motocicleta perto de um retorno e subiram a trilha até um canhão abandonado, de onde se tinha uma visão panorâmica da baía. O terreno despencava centenas de metros até uma praia de basalto negro. As ondas batiam contra as pedras, esguichando espuma até bem alto. Eles ficaram no parapeito por muito tempo, apreciando a paisagem.

— Com uma vista como essa, é difícil imaginar que o mundo possa ser tão desagradável — disse Thomas.

— É assim mesmo que estava previsto — replicou Priya. — As coisas ruins acontecem por culpa nossa.

***

Por volta das 17 horas, eles tomaram a estrada costeira em direção ao sul, até Palolem, uma comunidade marítima a quatro quilômetros de Agonda. A entrada para a frente da praia era tomada por quiosques e vendedores ambulantes, que apregoavam suas mercadorias. Eles estacionaram no final da rua e caminharam para a praia, passando por uma fileira de barcos de pesca descansando na areia.

A praia em Palolem era maior e mais cheia de gente do que a de Agonda. Os habitantes de Goa, vestidos com mangas compridas e sáris, passeavam com seus filhos, enquanto os turistas vindos da Europa, Austrália e América desfilavam em trajes de banho e dançavam ao som de música alta nos bares de palhoça. O contraste não tinha como ser mais marcante, porém, ninguém parecia perceber ou se importar.

Eles se sentaram na varanda de uma casa de drinques e pediram *piña colada*. O Sol afundava lentamente em direção à península em torno da baía. Na areia da praia, um menino indiano balançava um taco de críquete ao lado das estacas enfiadas na areia para formar a meta. Ele se virou e acenou vigorosamente na direção da água, gritando palavras que eram engolidas pelo vento. Logo, outros meninos se juntaram em torno do garoto. Eles discutiram um pouco e então se separaram, um para a bola, outro com o bastão, outro para rebater e o último para o campo.

O jogo improvisado cativou Thomas. Ele retirou um bloco de anotações do bolso e fez uma descrição da cena. Quando a leu para Priya, ela disse:

— Você deveria se interessar mais por escrever. Esqueça o Direito. O mundo já tem muitos advogados.

Ele pegou sua mão, com um sorriso nos olhos.
— Eu deveria me interessar mais por você.
Eles observaram as luzes que começavam a se acender.
— É bom estar aqui com você, Thomas — disse ela com simplicidade.
Ele se virou para ela.
— Isso significa que eu estou fazendo progressos?
Ela piscou os olhos.
— O que você acha?

***

Na manhã de domingo, Thomas foi despertado pelo canto de um pássaro e o farfalhar do vento nas palmeiras. Ele se virou na cama e viu que Priya já havia se levantado. Sua ausência não o deixou muito preocupado. Em casa, ela costumava se levantar mais cedo para saudar o dia. Ele esfregou os olhos. Eles haviam saído na noite anterior, para aproveitar a agitação da praia de Palolem. Ele havia bebido demais, o suficiente para deixá-lo com dor de cabeça.

Tentou ouvir se o chuveiro estava ligado, mas não escutou nada. Ela devia ter saído para caminhar. Foi até o banheiro e se olhou no espelho: não fazia a barba havia quatro dias e os pelos estavam começando a incomodar. Ele pegou o aparelho e se barbeou. Eles voltariam para Mumbai em um voo no meio da tarde. Não estava muito animado para voltar, mas férias perpétuas eram uma fantasia. O trabalho é que fazia o mundo funcionar.

Ele foi até sua mochila e pegou uma sunga e uma camiseta; ainda tinham aquela manhã para aproveitar, não havia necessidade de sair correndo para o aeroporto. Ele se virou e caminhou em direção à porta esperando encontrar Priya na praia. Foi só então que ele viu seu telefone sobre a mesinha do café junto com um bilhete. Ele olhou para o pedaço de papel e seus olhos se arregalaram com a surpresa.

Priya havia escrito apenas "Como pôde?".

Ele pegou o telefone, que estava no modo de espera. Então apertou um botão do teclado e a tela do aparelho se iluminou. Ele viu a mensagem que havia entrado e imediatamente tudo se encaixou.

Tera havia escrito:

Thomas, sei o porquê você se foi. Tenho um palpite que ainda não consegui confirmar. Eles deram um ultimato a você, não foi? Precisavam de um bode expiatório. Meu Deus, não acredito que fizeram isso. Mas, assim, tudo faz sentido. Você deve estar se perguntando como descobri: há uns dias, a equipe de limpeza pegou Mark Blake com uma estagiária em seu escritório. A empresa pediu que ele se demitisse. Eu procurei e acabei encontrando uma pessoa que falaria comigo sobre o que houve. Não precisa mais fugir, Thomas. O ar vai clarear, as lembranças vão desaparecer. Desde que se foi, eu percebi o quanto quero estar novamente com você. Por favor, não me deixe mais tempo sem notícias. Nós nos entendemos bem.

Ele jogou o aparelho sobre a cama. Como é que Priya tinha a ousadia de ler seus e-mails? Como é que Tera tinha a ousadia de xeretar seus assuntos pessoais? Como é que o mundo tinha a ousadia de ferrar tanto com ele? Seu amor por Priya era verdadeiro. Sim, ele havia viajado para a Índia confuso em relação a seus sentimentos, mas seu interesse na reconciliação era real. Os últimos dias não foram uma ilusão. Eles conversaram sobre um futuro juntos, pelo amor de Deus! Tera havia sido um erro no julgamento, mas era compreensível sob as circunstâncias e ele havia tentado romper seus laços com ela.

Ele tornou a pegar o telefone e saiu pisando duro do bangalô e caminhando a passos largos até a praia. A areia estava quase deserta quando ele chegou. Um vento úmido soprava do mar, arremessando a espuma das ondas para o alto. Ele a viu sentada perto da linha-d'água, caminhou até ela, ensaiando o que iria dizer, mas nada parecia o correto. Parecia que ele estava destinado a fazer de si mesmo um bobo ou um bruto.

Ela o viu se aproximando, levantou e começou a correr para longe dele. Ela era rápida, mas ele era mais. Ele a alcançou há poucos passos do amontoado de pedras onde haviam trocado o primeiro beijo da viagem.

— Vá embora, me deixe sozinha! — gritou ela, puxando o braço quando ele a tocou. — Como pôde, Thomas? Eu confiei em você — ela tentou se desvencilhar outra vez.

— Pare, pelo amor de Deus — disse ele, interceptando sua passagem. — Vamos conversar sobre isso.

— Nós não temos nada para conversar! — disse ela. — Você mentiu sobre Tera e mentiu sobre Clayton. Basicamente, é isso.

— Esse fim de semana não foi uma mentira — ele se defendeu.

— Esse fim de semana foi a maior mentira de todas. Eu fiz amor com você. Eu comecei a acreditar no futuro outra vez. E agora? — Ela balançou a cabeça. — Meu pai sempre esteve certo.

Thomas ficou perplexo.

— Como pode dizer uma coisa dessa? Como pode dizer isso? Fellows Garden não foi mentira. Nosso casamento não foi mentira. Mohini...

— Não pronuncie o nome dela — gritou Priya, com lágrimas brotando em seus olhos. — Não ouse dizer o nome dela, seu filho da mãe. Fui eu que dei Mohini à luz. Fui eu que cuidei dela enquanto você se matava de trabalhar por aquela palhaçada autopromocional de 500 dólares a hora que você chama de emprego. Fui eu que a vi crescer enquanto você curtia a vida no quarto de Tera.

Ele cerrou os punhos.

— Eu não estava dormindo com ela, Priya. Eu lhe disse a verdade. Mas eu não tinha com quem conversar. Você estava catatônica. E Tera estava lá quando precisei de alguém para me ouvir.

Ela deu um passo em direção a ele e colocou o dedo em riste sobre seu peito:

— Olhe dentro dos meus olhos e me diga que nunca dormiu com Tera Atwood.

A culpa em seus olhos o traiu.

— Eu sabia! — ela gritou enfurecida. — Eu sempre soube. Era por isso que eu lia seus e-mails. Eu sabia que você estava mentindo para mim.

— Você lia meus e-mails porque estava paranoica! — disse ele, dando vazão a sua raiva. — Eu não dormi com ela até que você correu de volta para a casa do papai.

Ela se jogou contra ele, dando socos em seu peito.

— Vá para longe de mim! — disse ela. — Deixe eu ficar sozinha!

Eles recuaram e se olharam de frente.

— Sabe de uma coisa — disse ele, recobrando o controle —, é uma pena, porque eu realmente amo você, Priya. Eu cometi alguns erros, mas vim até aqui de boa-fé. Eu queria seguir com a nossa vida. Tera me mandou essa mensagem porque não aceitou o ponto final que coloquei na relação. Eu não tenho como impedir suas fantasias nem como obrigá-la a desaparecer, mas ela está do outro lado do mundo. E eu estou em Goa com você. Eu fui mais feliz nesse fim de semana do que tenho sido em muitos anos. Eu desejo o futuro sobre o qual conversamos. Mas acho que isso não é o suficiente.

Priya se virou para o oceano, seus cabelos negros voando ao vento. A profissão de fé dele abriu suas defesas, ele pôde perceber. Mas não a ponto de fazê-la se render.

— Você é tão cheio de si, Thomas Clarke — ela disse —, que, para você, um pedido de desculpas não é nada mais do que uma admissão da própria imperfeição. Você me enoja.

— Então, você quer que eu vá embora? — ele perguntou.

Ela balançou tristemente a cabeça.

— Eu não ligo. Eu só não quero ver você nunca mais.

Ele permaneceu firme até ter certeza de que ela não mudaria de ideia.

— Você venceu — disse ele, virando-se para ir embora, de volta ao bangalô. A angústia daquele momento o deixou arrasado.

"Você sempre vence", disse ele a si mesmo.

Capítulo 20

> "A Clemência e a Justiça os desdenharam.
> Mas deles não falemos; olha e passa."
>
> Dante

Harrisburg, Pensilvânia, Estados Unidos

Durante a noite toda Sita só conseguiu cochilar e despertava a cada vez que a menina ao seu lado se mexia. Ela não tinha ideia do tempo que havia se passado quando a mulher gorda tornou a abrir a porta do cômodo subterrâneo. A mulher entregou um saco de maçãs e um jarro de água, e fechou a porta outra vez.

Como aconteceu para dormir, as meninas brigaram pela comida. O estômago de Sita doía de fome, mas ela não queria participar do combate. Ela ficou quieta em um canto, esperando que uma das meninas sentisse no coração o desejo de compartilhar. Nenhuma fez isso.

O tempo passava. As meninas falavam apenas o necessário para reclamar sobre alguma coisa. Sita queria perguntar se sabiam onde estavam, mas tinha medo de falar. Mais tarde, a mulher retornou para que elas pudessem utilizar o banheiro que ficava por baixo da escada. A descarga do vaso sanitário não estava funcionando e a bacia estava quase transbordando. Sita tapou o nariz e fez suas necessidades, torcendo para não fazer a bacia derramar.

A luz no porão permitiu que ela tivesse uma noção melhor da aparência de suas companheiras. Quatro delas eram negras; três, brancas. Algumas eram bonitinhas, porém, todas tinham aspecto pouco saudável. Sita imaginou que a mais nova, uma criança de olhar frágil, pele muito pálida e cabelo vermelho, devia ter 13 anos, e a mais velha, aquela com a voz potente da noite anterior, devia ter 18 anos.

Depois que a menina ruiva terminou de usar o banheiro, o homem gordo desceu as escadas e a pegou pelo braço, levando-a para o andar de cima. A menina abaixou a cabeça e seguiu-o, submissa. A mulher olhou para elas com raiva. Uma das meninas arrastou os pés. A mulher se virou e deu um tapa em sua cara.

— Eu não falei nada — resmungou a menina, passando a mão no rosto.
— Não me responda, sua vaca! — gritou a mulher, cobrindo a menina de socos até ficar exausta. Ofegante, ela se sentou nos degraus e esperou até que a menina ruiva retornasse ao porão. A menina caminhava devagar, com os olhos voltados para o chão. Ela se escondeu no fundo do cômodo subterrâneo e afundou a cabeça entre as mãos.
— Entrem logo, desgraçadas! — gritou a mulher, empurrando as meninas em direção à porta.

Sita disparou para dentro antes que a mulher pudesse alcançá-la e se sentou perto da menina de cabelos vermelhos. As outras se espalharam pelo cômodo e a mulher trancou o lugar, deixando-as na escuridão. Sita colocou o braço em torno da menina e a abraçou. A menina chorou por um longo tempo e depois ficou quieta.

Ela pousou sua mão sobre a de Sita e a deixou lá.

***

Algum tempo mais tarde, a porta se abriu novamente e a mulher as despachou para o andar de cima. O homem gordo estava de pé no alto da escada e o homem do cigarro, que mais parecia uma chaminé, esperava por elas atrás da caminhonete. As meninas subiram na caçamba e se sentaram. Sita não tinha ideia do horário, mas já estava escuro do lado de fora. O homem gordo disse qualquer coisa para o Chaminé sobre ter que dirigir a noite inteira. Sita observou a expressão das meninas, se perguntando se elas sabiam para onde estavam sendo levadas.

A mais velha comentou:
— Lá vamos nós outra vez.

O motor da caminhonete foi acionado e o Chaminé fechou a porta.

A menina ruiva se sentou ao lado de Sita e segurou sua mão. Encorajada pela manifestação de amizade da menina, Sita começou a lhe fazer perguntas. Ela falava em um tom alto apenas o suficiente para ser ouvida acima do ruído do motor.

Ficou sabendo que o nome da menina era Elsie, que ela tinha 15 anos, não 13, como supunha Sita, e que vinha de uma pequena cidade nas montanhas a oeste de Pittsburgh. Sua história era a própria definição de pesadelo. Seu padrasto a molestara por anos, com o consentimento de sua mãe. Quando ele começou seus avanços sobre sua irmã mais nova, Elsie ameaçou ir à polícia. O padrasto colocou uma faca em seu rosto e ameaçou fazer picadinho dela se ela dissesse algo para qualquer pessoa. Ela fugiu no dia seguinte.

— Para onde você foi? — perguntou Sita.

— Consegui uma passagem de ônibus para Nova York — disse Elsie. — Você conhece o programa *Top Model*?

Sita sacudiu a cabeça.

— Enfim, eles estavam procurando novos talentos. Eu achei que podia ter uma chance. Talvez não logo de cara, sabe como é, mas pensei que poderia fazer alguns amigos e que eles me ajudariam. — Elsie gaguejou, apertou a mão de Sita e prosseguiu seu relato. — Acabei na mão do Rudy...

Aconteceu que Rudy puxou papo com ela do lado de fora de uma loja de conveniência. Ele prometeu lhe conseguir um emprego de modelo. Por isso ela o seguiu até um depósito, onde ele a violentou e gravou a cena. Então, disse que enviaria a gravação aos pais dela, se ela não fizesse o que ele queria. Rudy a levou até o seu apartamento e a violentou até que se cansou dela. Então, ele a vendeu para um homem que a levou para uma casa mais distante da cidade e a trancafiou em um porão. Lá, ela encontrou outras três garotas. Os homens vinham, tarde da noite, até essa casa, para fazer sexo com elas.

Poucas semanas depois, as meninas foram levadas a outro bordel. A cada duas semanas elas mudavam de lugar. De vez em quando, meninas novas chegavam e outras iam embora. Algumas vezes elas eram forçadas a posar sem roupa e a realizar cenas de sexo diante das câmeras.

Sita recordou o estúdio de Vasily e estremeceu.

— O que eles faziam com as fotos?

— Provavelmente colocavam na internet — respondeu Elsie. — Meu pai ficava olhando fotos como essa o tempo todo quando eu era pequena. Ele também mostrava as fotos para mim.

No ano passado, a rede de prostituição a levara de um lado para o outro, por toda a parte leste do país. Ela nunca tinha folga, nem mesmo quando estava doente. E, embora os clientes pagassem entre 40 e 120 dólares por seus serviços, ela nunca recebera um tostão. Parecia haver uma fila interminável de clientes. Eles a adoravam porque era novinha e tinha lindos olhos, pelo menos era o que lhe diziam. Ela já havia trabalhado como prostituta de estrada uma vez, mas não se lembrava direito a data.

Sita perguntou para onde os homens as estavam levando.

Elsie deu de ombros.

— Pode ser para qualquer lugar.

Eles viajaram por muitas horas, parando apenas para abastecer e uma vez, em um pasto, para que as meninas pudessem urinar. Elsie pediu a Sita que contasse sua história, e ela contou sobre o *tsunami* e sobre como foi tirada da Índia.

— Você fala o maldito inglês muito bem — disse Elsie.

— Nós aprendíamos na escola — replicou Sita — e praticávamos em casa.
— E por que não falavam em sua própria língua?
— Porque no mundo todo se fala inglês.
Elsie concordou:
— É porque o Estados Unidos é o melhor país do planeta.

***

De repente, Sita percebeu que a caminhonete estava diminuindo a velocidade e entrando em uma área de estacionamento. O Chaminé veio abrir a porta da caçamba. Do lado de fora, o céu estava acinzentado e ainda estava escuro. Eles estavam em uma zona de casas degradadas, pavimentação estragada e prédios abandonados. Do outro lado da rua, Sita viu uma placa em que se lia: "Mercado de Vine City — O melhor de Atlanta".

O Chaminé gesticulou para que as meninas descessem. Quando Sita se preparava para ir com elas, ele ergueu a mão e sacudiu a cabeça.

Elsie olhou para ela:
— A gente se vê por aí — murmurou ela.

Eles seguiram viagem por mais uma hora até que a caminhonete tornasse a parar. Sita ouviu o som abafado de pessoas conversando e depois o Chaminé abriu a porta. Ele estava em pé em uma entrada para veículos ladeada por pinheiros muito altos. Ao lado dele havia um homem esquisito, vestido de preto. O homem tinha feições asiáticas e olhos escuros. Ele deu uma olhada superficial em Sita.

— Desce daí — disse o Chaminé —, agora o Li vai tomar conta de você.
Ele a ajudou a descer da caminhonete e a entregou para o asiático.

O homem chamado Li a conduziu pela entrada, em direção a uma elegante casa de fazenda. Em torno da residência, havia um grande gramado e jardins floridos. Sita podia ouvir o som do tráfego à distância, mas a propriedade era cercada por pinheiros e não era possível enxergar nada para além de seu perímetro.

Sita foi atrás de Li até o hall, onde ela foi recebida por uma mulher magra e loira de meia-idade. Ela examinou Sita de cima a baixo.

— Bem, bem — disse ela devagar. — Dietrich disse que me traria uma menina nova e de pele escura. Estamos sempre interessados em ajudar a causa da diversidade étnica. Diga, querida, qual é o seu nome?

— Sita Ghai — respondeu ela, tentando impedir que suas mãos tremessem. A menção ao nome de Dietrich a deixara amedrontada. No mesmo instante, ela fez uma conexão que lhe deu um calafrio. O homem loiro no clube de sexo havia feito um comentário sobre a cor de sua pele.

"Ela é bonita", ele havia dito, "vai render um bom dinheiro". Seria o homem loiro, Dietrich?

A mulher ficou parada em frente a ela e tirou um fiapo de algodão do ombro de seu casaco.

— Sita Ghai — ela repetiu. — Bonito nome. — E então seu olhar endureceu. — Antes de mais nada, temos que deixar uma coisa clara. Está me ouvindo?

Sita fez que sim com a cabeça.

— Ótimo — e a mulher olhou para ela no fundo dos olhos. — Você não é mais Sita Ghai. Não existe lugar nesta casa para crianças com um passado próprio — ela olhou para Li. — Leve-a daqui.

Sita não se moveu, estava paralisada de horror. Li mandou que o seguisse, mas ela não respondeu. Ele praguejou em uma língua que ela não entendeu e a segurou com força pelo braço. Ele arrastou Sita por uma sala de estar cheia de antiguidades, depois por um corredor ladeado de quadros e desceram um lance de escadas até uma adega com centenas de garrafas dispostas em armários, que eram a última palavra em acondicionamento de bebidas.

Levou-a até o fundo da adega, abriu a porta de um dos armários e girou uma das garrafas. Ouviu-se o ruído de uma fechadura sendo destravada, um motor sendo acionado e o armário se deslocou da parede e ficou aberto, apoiado em dobradiças escondidas. Por trás do armário havia um corredor com portas equipadas com fechaduras eletrônicas. Li caminhou até uma das portas, no final do corredor, e digitou um código. Empurrou a porta e mandou Sita entrar no que parecia ser um estúdio fotográfico.

Li disse a ela que ficasse em pé no meio da sala. Tirou o casaco dela e o jogou sobre um sofá encostado na parede; deu um passo atrás e a observou, debatendo consigo mesmo. Depois de um minuto, mais ou menos, ele pareceu se decidir: atravessou a sala até um closet e remexeu vários cabides de roupa, surgindo depois com um *colant* bordado com lantejoulas. Ele jogou a peça nos pés dela.

— Vista isso — disse saindo da sala e fechando a porta atrás de si.

Sita olhou para o *colant* como se a malha estivesse infectada. Ela não conseguia pegá-lo do chão. Quando Li retornou, ela ainda estava olhando para ele. Li desfiou uma lista de palavrões. Então, puxou uma faca, brandiu a lâmina diante do rosto de Sita e fez ameaças em um inglês carregado de sotaque.

— Veste isso ou eu corto sua roupa. Volto em cinco minutos.

Ela abaixou a cabeça e se ajoelhou para pegar o *colant*. Ela tirou o sári que *tia-ji* havia comprado e o colocou no chão. Ela estava vestindo o mesmo sári havia duas semanas, sem se banhar, e o tecido fedia a suor e fumaça de cigarro. Vestiu, mecanicamente, o *colant*, ignorando o desconforto do tecido esticado sobre sua pele.

Li retornou com o homem loiro do clube de sexo. Como da outra vez, ele trajava blazer e calça social. E, como da outra vez, ele sorria imperceptivelmente para ela, com seus olhos cor de gelo. Dessa vez, entretanto, ela sabia seu nome. E, no mesmo instante as vozes estavam de novo em sua cabeça. Dmitri: "Meu pai fez um acordo mais rentável com Dietrich"; Igor: "Alexi manda não tocar você. Dietrich vem".

Ela observou enquanto Dietrich caminhou até o sofá e se sentou. Na presença dele, o mudo terror da antecipação cedeu lugar à intensidade mortal do desespero. Ela ouviu outra voz. Sumeera: "Aceite a disciplina imposta por Deus e talvez você possa renascer em um lugar melhor".

Li foi até ela e estalou os dedos, tirando Sita de seu transe.

— Muito bem — disse ele, conduzindo-a pelo braço. — Venha.

Ele a levou até uma cama coberta de seda púrpura e disse a ela para se sentar, apertou um interruptor e uma luz quase a deixou cega; então, surgiu por trás da luz, com uma câmera na mão.

— Sem rir — disse ele. — Olha aqui.

Sita olhava para Li enquanto ele rodava pela sala tirando fotografias dela. Ele dava instruções sobre as diferentes poses que queria, mandando-a se encostar nos travesseiros com os joelhos no ar ou se deitar de barriga para baixo. Ele lhe entregou um urso de pelúcia para segurar e depois trocou por um pirulito. A sessão de fotos se arrastou por meia hora.

Quando Li se deu por satisfeito, colocou sobre a cama uma camiseta de algodão e calças de moletom.

— Veste isso — disse ele.

Ele pegou uma revista sobre a mesinha em frente do sofá e fingiu ignorá-la. Dietrich, no entanto, se levantou e caminhou em sua direção.

— Vista isso, Sita — disse ele. — Não existe motivo para ficar tão embaraçada.

Ela ficou imóvel por um longo tempo antes de, finalmente, obedecer. Li folheava a revista, mas Dietrich observava cada movimento dela com intensidade. A vergonha que sentiu por se despir diante dele foi insuportável. Ela desejava sumir e deixar para trás aquele mundo desprezível.

Quando ela terminou de se vestir, Dietrich se aproximou e segurou seu queixo.

— Você vai se sair bem — disse ele.

Ele trocou um olhar com Li e deixou a sala. Sita, contudo, permanecia paralisada. Ela sentia como se ele a tivesse violentado com os olhos.

Li colocou a revista de volta sobre a mesinha e a chamou com um gesto breve. Ela o seguiu até um dos quartos do corredor. Ele abriu a porta e acendeu a luz. O quarto não tinha janela e era mobiliado apenas com o essencial: uma cama, uma pilha de revistas e um aparelho de TV com videocassete.

— Banheiro no fim do corredor — disse Li. — Usa quando vem comida. Assiste filmes e *Seinfeld*. — Por algum motivo, ele achou o comentário engraçado e riu de si mesmo.

Quando Li se foi, Sita se sentou na cama e ficou olhando para a parede, repassando a sessão de fotos em sua mente. Ela conseguia se lembrar de cada clique, de cada ângulo que seu corpo assumia, de cada sombra projetada na parede, da sensação dos lençóis sobre sua pele, do brilho da luz, da textura aveludada do urso de pelúcia, do gosto do pirulito. Nem Li nem Dietrich pediram que praticasse qualquer ato indecoroso, mas ela sabia que havia uma razão sórdida por trás das fotografias. E, por essa razão, Dietrich pagara trinta mil dólares por ela. Tudo nesse lugar abandonado por Deus tinha um propósito.

Ela se recostou na cama e fechou os olhos, pensando em Hanumam, deixado no bolso de seu casaco, jogado no chão do estúdio no final do corredor. Como tudo mais em sua vida, Hanumam também se fora. Sua respiração ficou mais profunda e ela começou a divagar. A noite inquieta no cômodo subterrâneo da mulher gorda e a longa viagem na caminhonete deixaram-na exausta.

Nem a angústia causada por suas memórias nem o medo do futuro incerto tinham poder para mantê-la acordada.

PARTE QUATRO

Capítulo 29

> "A espada da justiça não tem bainha."
> Antoine de Rivarol

Goa, Índia

Thomas fez suas malas e deixou a praia de Agonda apressadamente. Ele não tornou a se encontrar com Priya, e nem esperava por isso, não depois de tudo o que ela havia dito.

O proprietário do resort chamou um táxi e ele deu uma gorjeta ao motorista para fazer o percurso no menor tempo possível. O homem achou que a remuneração extra representava uma licença para violar cada uma das leis de trânsito de Goa, mas Thomas não se importou. Ele não se importava mais com coisa nenhuma.

Ele chegou ao aeroporto apenas quarenta minutos antes do horário previsto para a partida do voo para Mumbai. Comprou seu bilhete e se sentou na sala de espera. Ele tornou a ler a mensagem de Tera e, novamente, ficou furioso. O que ele não daria para responder à mensagem com algumas palavras bem adequadas à situação. Mas isso não resolveria nada. O mal estava feito.

Continuou procurando em sua caixa de entrada e encontrou um e-mail de seu pai. O juiz era criterioso no emprego de tecnologia eletrônica e só escrevia uma mensagem pessoal quando havia algo muito importante a dizer. Ele escreveu:

> Filho, conversei com Max Junger ontem. Parece que o problema com Mark Blake já foi resolvido. Não vou entrar em detalhes aqui, mas Max foi em sua defesa contra os sócios. Você é bem-vindo à Clayton quando quiser. Max tem muita admiração por você, filho. Ele me disse que você é um dos litigantes mais brilhantes que ele já viu. É um elogio raro e precioso vindo de um homem que

costumávamos chamar de "O Triturador". Não quero me meter em seus assuntos, mas quis que você soubesse que tornou a cair nas graças de Clayton. Se continuar mantendo amigos do porte de Max Junger, você verá que o caminho até sua própria banca é muito mais fácil do que imaginava.

Thomas se recostou na cadeira. Sabia que devia se sentir lisonjeado, mas as novidades de seu pai serviram apenas para deixá-lo mais confuso. Quer dizer que os sócios finalmente perceberam que o responsável pela ameaça de processo por negligência, feita por Wharton, continuava entre eles todo esse tempo. Mas o juiz não disse nada a respeito de um pedido formal de desculpas. Clayton o jogou na fogueira e não oferecia a ele nenhuma recompensa. Nada além de um convite para voltar a fazer parte de seu quadro de funcionários.

Ele olhou a longa pista de decolagem pela janela. Será que queria mesmo ser sócio da Clayton/Swift? A magistratura era a meta, naturalmente, mas estava muito longe de acontecer, anos talvez. Entre a situação atual e seu objetivo final havia vinte e quatro horas de trabalho de segunda a domingo, coquetéis e recepções compulsórios e muita politicagem, além do incessante abuso por parte de clientes como a Wharton Coal, que despejava na empresa milhões de dólares como se fossem trocados e esperava que seus advogados caminhassem sobre as águas. Ele sabia que era assim que funcionava porque vira seu pai passar por isso durante a maior parte de sua infância. Seu pai diria que valia a pena. Mas ele não estava certo de que sua mãe concordaria, e tinha certeza de que seu irmão mais novo não concordava. Quantas coisas importantes seu pai perdera nessa missão?

Ele ouviu a chamada do seu voo e foi para a fila no portão de embarque; já ia desligar o celular quando o aparelho vibrou em sua mão. Viu que havia entrado uma mensagem de Andrew Porter. O amigo havia escrito:

Thomas, desde quando você parou de verificar seus e-mails? Encontramos Sita. Ela está no inferno. Vamos fazer uma tentativa de tirá-la de lá. Se você quiser tomar parte nisso, tem que tomar um avião para Atlanta. Agora. Ligue a qualquer hora, dia ou noite.

Ele ficou olhando para o visor e sentiu uma descarga de adrenalina. Depois do milagre em Paris e do desapontamento na Bretanha, seria possível que Sita realmente estivesse ao seu alcance? Por que Atlanta? Por que Porter havia dito que ela estava no inferno?

Com os dedos disparando sobre o teclado, ele enviou dois e-mails. Para Porter escreveu: "Estarei lá pela manhã. Esta noite confirmo info sobre o voo". E para Jeff Greer escreveu: "Recebi uma pista. Preciso de outra semana. Manterei contato". Após enviar a segunda mensagem, ele embarcou no 737 da Jet Airways e desejou que fosse um avião supersônico.

***

Naquela noite, ele tomou um voo pela Emirates até Dubai e à meia-noite embarcou em uma conexão da Delta Airlines para Atlanta. A aeronave gigantesca pousou no Aeroporto Internacional Hartsfield-Jackson, em Atlanta, sob a luz cinzenta do amanhecer. Ele passou pela alfândega e foi pegar sua única mala despachada na esteira. Andrew Porter esperava por ele na calçada do aeroporto, em um carro oficial.

Thomas jogou a mala no bagageiro do carro e pulou no banco do passageiro. Porter ligou o motor e saiu com o carro.

— Tudo o que vou lhe contar é confidencial — começou Porter. — Mexi todos os pauzinhos que podia para incluir você na missão. O pedido teve que percorrer todas as instâncias da cadeia de comando até o advogado geral da Divisão Criminal. Acontece, porém, que ele e o delegado do FBI são conterrâneos. Ele também tem grande admiração por seu pai.

— Eu já disse que você é meu ser humano favorito? — perguntou Thomas com um sorriso no rosto.

Porter revirou os olhos.

— Você já ouviu falar de uma coisa chamada mIRC?

— Vagamente.

— É um programa que permite que a pessoa participe do *Internet Relay Chat*.

— A sigla é mais assustadora do que o protocolo.

— Vai continuar a fazer piada ou quer escutar o que eu tenho a dizer?

— Desculpe.

— O mIRC não é um serviço de chat para falar de jardinagem. É um protocolo de internet organizado por canais que funcionam como salas de bate-papo, exceto que são mais complicados de acessar. Alguns canais são exclusivos. O host daquele canal controla quem pode ser convidado para a festa. Desde que o mIRC foi criado, os caras da divisão cibernética do FBI têm monitorado o que acontece ali, procurando por pornografia infantil. É a nova versão do Velho Oeste, sem regras, privacidade absoluta e com a internet na ponta dos dedos. Serve para conectar o submundo em rede. Os usuários de sites de pornografia infantil são lobos solitários. Antes da web tinham que fazer voo solo. Agora, podem se associar.

— Parece maravilhoso — disse Thomas —, uma convocação para canalhas do mundo inteiro.

— É um bom jeito de avaliar a situação. Enfim, tem um cara do FBI, no escritório de Washington, chamado DeFoe. Ele é terrivelmente inteligente, serviu na equipe de forças especiais dos Boinas Verdes e conhece tudo sobre computadores. Há anos ele vem rastreando a pornografia infantil pela web. Ninguém entende como é que aguenta, mas os psicólogos continuam deixando que ele passe nas avaliações. Ele é um guru do mIRC. O cara nunca dorme. Por muito tempo ele vem trabalhando para conseguir entrar nesse canal chamado XanaduFuk.

— Com esse nome, dá pra ver que os usuários são cidadãos de primeira classe — comentou Thomas.

— Com certeza fazem parte de um grupo de escoteiros — retrucou Porter. — Bem, DeFoe estava em uma sala de chat quando um dos caras falou daquilo, mas ninguém soube dizer como acessar. É como uma sociedade secreta. Você não pode pedir para ser convidado. O host tem que convidar você. Maravilha das maravilhas, há um mês ele recebeu uma mensagem do host. O apelido do cara na internet é Spartacus.

— Muito original — disse Thomas.

— Como você vai perceber, o cara guarda sua criatividade para outras áreas. DeFoe começou a ficar conectado ao XanaduFuk vinte e quatro horas por dia. Rapidamente, percebeu que os usuários eram turistas sexuais, porque comentavam sobre lugares como Tailândia, Camboja e Moldávia. Mas nunca falavam de crianças. Sempre se referiam a beber vinhos caros. Acontece que DeFoe é abstêmio, por isso foi comprar um livro sobre vinhos. Ele começou a dar opinião nas salas de bate-papo e um novo mundo se descortinou diante dele. É impressionante o que as pessoas confessam quando se sentem protegidas pelo anonimato.

— Não é?

— Sim e não — replicou Porter, mudando de faixa para ultrapassar uma carreta. — Paciência. Estou chegando na parte interessante. Depois de mais ou menos uma semana, DeFoe ouviu alguém falar sobre beber um vinho italiano aqui nos Estados Unidos. Então, ele perguntou a Spartacus onde poderia comprar uma garrafa. É aí que a coisa ficou brava. O cara convidou DeFoe para uma conversa olho no olho. Sem testemunhas. Totalmente privada. O cara aproveitou a oportunidade para fazer uma pergunta a DeFoe com o objetivo de separar homens de meninos. Ele perguntou a DeFoe o que achava de provar uma caixinha novinha.

— Deus do céu! — exclamou Thomas.

— Pois é. DeFoe, contudo, é profissional, e deu a ele exatamente a resposta que queria ouvir. Spartacus gostou tanto que deu um presente a ele. Enviou o endereço de um link para outro site. Quando ele foi atrás do link, encontrou um site de pornografia especializada em garotas da Europa Oriental.

O site tem uma opção de pagamento e uma senha. Ele inseriu a senha passada por Spartacus e entrou na toca do coelho. O lugar tem o nome de Kandyland.

— O que é isso?

— É um site onde meninas bonitas são vendidas a pervertidos.

Thomas fechou os olhos, horrorizado, e se concentrou no som do vento do lado de fora da janela do carro. — Você quer dizer, permanentemente?

— Não, deixe-me ser mais claro. Elas são alugadas.

Thomas abriu os olhos novamente.

— Como é que Sita se encaixa nisso?

— Vou explicar em um minuto. Mas existe uma história paralela que você precisa escutar primeiro. O Departamento de Justiça vem procurando a Kandyland há quase dois anos. Fomos desatando um nó depois do outro e descobrimos que todos os cafetões já tinham ouvido falar dela, mas nenhum sabia onde ficava. Nos últimos doze meses, vimos juntando evidências sobre a maior rede de tráfico humano da costa ocidental. É incrível a quantidade de lugares que esses caras abastecem, paradas de caminhão, clubes de striptease, serviços de acompanhantes e bordéis clandestinos do Maine até Miami.

Porter fez uma pausa para ultrapassar uma série de caminhões de entrega.

— Seis meses atrás, conseguimos uma pista de um informante, de que um homem chamado Dietrich Klein estava envolvido com a Kandyland. Nossos especialistas em computação fizeram um pouco de mágica e acabamos por encontrá-lo. Ele é natural da Alemanha Oriental, provavelmente um antigo oficial da Stasi[43] que imigrou para os Estados Unidos depois da queda do Muro de Berlim e se casou com uma daquelas garotas que faz sucesso com os meninos da escola e depois se transforma em "dançarina exótica", sabe como é. Mas vai entender. Eles vivem em um luxuoso subúrbio, ao norte daqui. Ele já esteve envolvido com investimentos e negócios imobiliários, e agora desfila por aí como consultor de sucesso, o que quer que isso signifique. Ele viaja muito. As pessoas falam muito bem dele. Paga seus impostos em dia. A renda que ele declara é menor do que se poderia supor, mas não muito baixa.

— A gente tem que se apaixonar pela nova economia.

Porter riu.

— Atualmente todo mundo é consultor. Verificamos a ficha de Klein e ele saiu limpo. Chegamos a pensar que o informante estava inventando coisas, mas ele continuava insistindo. O FBI decidiu monitorar as ligações telefônicas do celular de Klein. Demorou um pouco, porque o cara utiliza equipamentos extremamente sofisticados. Mas, no final, conseguimos montar o quebra-cabeça. Ele faz ligações regulares para telefones fixos sem

---

[43] Polícia secreta da Alemanha comunista. (N. T.)

identificação em cinco grandes cidades do leste: Newark, Harrisburg, Baltimore, Memphis e Atlanta. Nós rastreamos as ligações e colocamos escuta nos endereços: todos tinham conexões com o comércio sexual.

— Como é que a Kandyland se encaixa no esquema?

— Já vou chegar lá. O agente DeFoe acessou o site pela primeira vez há um mês. Os sovinas, que pagam cem dólares por mês, recebem apenas fotografias. Meninas pré-púberes fazendo coisas que você não gostaria nem de imaginar. Os pervertidos dispostos a gastar mais dinheiro têm acesso a uma outra parte do site. Eram convidados a participar da festa ao vivo. Por mil dólares a hora, eles podiam tirar uma foto com a menina. E por qualquer coisa entre vinte e quarenta mil dólares, podiam passar uma noite a sós com a garota. Diversas garotas eram anunciadas como virgens. Essas tinham preço mais alto.

— Isso é loucura.

— Nem me fale.

— Só por curiosidade, para onde estamos indo? — Um pouco antes, Porter pegara o acesso norte da Rodovia 19, em direção a Poswell e Alpharetta.

— Você já vai ver. Deixe-me terminar minha história.

— Por favor! Imagino que você vai chegar a algum lugar com essa conversa.

Porter continuou.

— DeFoe enviou algumas fotos para o Centro Nacional de Crianças Desaparecidas e Exploradas e colocou um outro agente para comparar as fotos com as que estão disponíveis no banco de dados da Interpol. Diversas crianças foram identificadas. Enquanto isso, DeFoe fazia o que apenas ele conseguiria fazer. Em menos de vinte e quatro horas conseguiu rastrear o site da Kandyland até um computador na República Tcheca.

— A conexão com a Alemanha Oriental.

— Talvez. Pertence a uma universidade em Praga e está infestado com um vírus chamado Cavalo de Troia. Esse vírus permite que um hacker transforme o computador infectado em "escravo" para transferir dados e até mesmo rodar programas a distância. O computador escravo protege o hacker e impede que ele seja descoberto. É como se fosse um escudo para uma identidade digital.

— Entendi.

— Então, DeFoe fez um requerimento pedindo assistência através da cadeia de comando e o FBI entrou em contato com a polícia federal da República Tcheca. Os tchecos obtiveram permissão da universidade para acessar o computador, e o FBI mandou uma equipe de agentes cibernéticos para Praga. Esses caras passavam as informações para DeFoe. Então, ele conseguiu rastrear o tráfico virtual até um provedor de internet localizado na

Carolina do Norte. A essa altura, DeFoe era o homem da hora e todo mundo fazia o que ele mandava. DeFoe veio até aqui, pensando que encontraria uma ligação com o servidor doméstico da Kandyland. Mas acontece que este provedor específico oferece a seus clientes a última palavra em termos de privacidade, acesso anônimo à internet. Sem identidade digital.

— Isso é legal?

— É o Velho Oeste, lembra? Os legisladores estão há anos-luz de distância dos inovadores. Então, o advogado geral dos Estados Unidos usou sua influência e o provedor passou a DeFoe o acesso ao seu computador central. Depois de duas semanas, ele conseguiu isolar vários computadores que enviavam dados para Praga. Também conseguiu confirmar centenas de computadores que recebiam dados de Praga.

— Você se refere aos tarados? — perguntou Thomas.

Porter assentiu.

— Exatamente. O advogado geral teve que conseguir um mandado de segurança, mas, quando o conseguiu, encontrou o filão principal. Os computadores que enviavam dados estavam registrados na conta de uma das empresas de fachada de Dietrich Klein. DeFoe não ficou sabendo disso imediatamente. Teve que usar novamente a cadeia de comando para descobrir. Quando vimos o que ele descobriu, percebemos que parte do mistério envolvendo a Kandyland estava resolvido.

Thomas pensou um pouco e percebeu um furo na história de Porter.

— Mas o fato de que Klein esteja envolvido não mostra a vocês onde as meninas são mantidas cativas.

— Verdade — concordou Porter. — Diz apenas que ele comanda uma das maiores redes de tráfico humano na história dos Estados Unidos. — Ele fez uma pausa.

— Agora vou contar o fim da história. Sita é a peça-chave. DeFoe voltou a Washington na quarta-feira à noite. Na quinta-feira de manhã, ele entrou no site da Kandyland e percebeu que uma nova galeria de fotos havia sido adicionada na parte *premium* do site. A menina parecia ser indiana. Ele enviou algumas imagens para o NCMEC[44]. Eles retornaram a mensagem imediatamente contando sobre uma nota que meu escritório havia mandado em resposta a sua mensagem de voz. Eu precisava de permissão para usá-la, mas temos uma lista de distribuição em massa, então a usei. É uma versão eletrônica dos cartazes de "procurados". Todo mundo que trabalha com as questões ligadas à exploração infantil nos Estados Unidos havia sido instruído para procurar por ela.

---

[44] National Center for Missing and Exploited Children (Centro Nacional para Crianças Desaparecidas e Exploradas). (N. T.)

Thomas balançou a cabeça, maravilhado.

— Eu não tinha ideia do que você seria capaz de conseguir.

Porter fez um gesto com a mão dispensando o cumprimento.

— Por isso, o NCMEC informou meu escritório sobre o que DeFoe havia descoberto. Eu entrei em contato direto com ele e contei sua história. Vamos dizer que ficou tocado com ela, acontece que ele também é órfão e bolou um plano para tirar Sita de lá. Mandamos o plano para o diretor-assistente responsável pelas operações de campo em Washington, e ele entrou em contato com o diretor-geral, que no princípio pareceu hesitante. Ele não queria ir para cima de Klein até que pudéssemos desmontar todos os esquemas dele. Levamos três dias preparando e coordenando a ação, mas fizemos acontecer. Vai ser hoje à noite. O FBI está trabalhando com tiras locais em oito cidades diferentes. E em Atlanta temos uma equipe da Swat de prontidão.

— Qual é o plano? — perguntou Thomas.

— É simples. DeFoe vai se fingir de pedófilo e alugar Sita por uma noite. Ele fez um depósito em dinheiro em uma conta de um banco no exterior e recebeu um e-mail do provedor da Kandyland com instruções para que vá até uma parada de caminhão ao norte de Atlanta. Ele deve ir sozinho às 23 horas, hoje. O e-mail informava também que ele seria escoltado dali em diante.

Thomas ficou impressionado com a simplicidade dos eventos descritos por Porter.

— Depois do que fizemos pra encontrá-la, tudo vai ser resolvido através de uma foto e uma chamada telefônica.

***

Porter pegou a saída North Point Mall e entrou em um estacionamento enorme, mas praticamente vazio. Ele levou o carro até o fim do terreno e estacionou ao lado de um enorme veículo cinza com a inscrição Centro de Comando Móvel do FBI.

A porta do centro móvel foi aberta assim que eles desceram do carro. Eles foram saudados por um homem negro e alto com um sorriso bem-humorado.

— Agente Pritchett — disse o homem, estendendo a mão e convidando-os para dentro do veículo com ar-condicionado. — Sou o agente especial responsável pelas operações de campo em Atlanta.

— Muito prazer — disse Thomas, observando as instalações.

A equipe do centro de comando era composta por meia dúzia de agentes e equipada com uma quantidade absurda de equipamentos eletrônicos, notebooks e monitores de tela plana. Todos pareciam muito ocupados, mas a maioria fez gestos para cumprimentar os recém-chegados.

— Este é nosso lar longe de casa — disse Pritchett. Ele sinalizou na direção do homem sentado mais perto da porta. — Gostaria de apresentar o agente especial DeFoe, o cérebro por trás dessa operação.

Com boa aparência e de uma beleza rústica, DeFoe parecia mais um oficial das antigas do que um fanático por computação. Ele se levantou e apertou a mão de Thomas.

— Andrew me falou de seu trabalho na Índia e na França. Fiquei bastante impressionado.

— O sentimento é recíproco — disse Thomas.

Pritchett lhes ofereceu um café e apontou para algumas cadeiras vazias.

— Por favor, sentem-se. Nesse trabalho ou estamos correndo apressados ou esperando sentados.

— Você vai sozinho? — Thomas perguntou a DeFoe depois de se instalar com Porter.

— Eu não conseguiria ir se não fosse assim — respondeu ele com um sorriso. — Ultimamente, eu não faço muitas operações de campo.

— Quais são as chances de sucesso?

DeFoe não pestanejou.

— Nada é garantido, mas acho que vamos conseguir sair todos vivos, inclusive os suspeitos. Esses caras da Swat são os melhores entre os melhores.

Thomas se voltou para Pritchett.

— Vocês já sabem onde as meninas são mantidas?

— Temos noventa por cento de certeza — respondeu ele. — Klein vive com a mulher em uma propriedade não muito longe daqui. Além da casa principal, existe também uma casa de hóspedes. Assim que começamos a observar a casa, passamos a monitorar a entrada e saída de veículos. Notamos um tráfego bastante frequente na casa de hóspedes altas horas da noite e cedo, pela manhã. Quando estabelecemos a conexão entre Klein e a Kandyland, tudo se encaixou.

— O homem é muito descarado — Thomas estava perplexo. — Se eu lidasse com prostituição infantil, ia manter os negócios o mais longe possível de mim.

— Na verdade, o que ele está fazendo tem muito sentido. Quando você trabalha com esse tipo especial de mercadoria, não pode confiar em seguranças contratados para cuidar do negócio.

— Tudo bem. Me fale do cara. Como é que uma pessoa se mete no negócio de comércio de escravos?

— Não é esse o ponto de vista dele. Para ele é só uma questão de finanças.

— Está bem. Mas o quero dizer é: se eu decidisse comprar e vender seres humanos, não saberia por onde começar.

— A resposta mais simples é que caiu na mão dele. A gente tem que pensar em termos de geopolítica depois da Guerra Fria. Após o colapso da União Soviética, não foi só o governo que desmoronou. Todo o sistema comunista caiu em ruínas. As pessoas ficaram sem trabalho, entediadas ou desesperadas. Todo mundo virou empreendedor. Aqueles que detinham controle sobre os recursos naturais da Rússia alavancaram seus contatos e se transformaram em oligarcas da Nova Ordem Mundial. Os que trabalhavam no serviço de inteligência da KGB e do bloco Oriental passaram a usar suas habilidades de espionagem e seus contatos para criar uma nova máfia, maior, mais letal e mais eficiente que qualquer coisa nascida na Sicília. Se estivermos corretos, Klein era alto funcionário da inteligência da Alemanha Oriental. Ele desertou e veio para os Estados Unidos. Seus talentos e seus contatos permaneceram com ele.

— Mas, pelo que Andrew me contou, ele está chefiando uma gangue americana, não uma gangue da Europa Oriental. Isso não é Hamburgo nem Milão.

— Seu ponto de vista é intuitivo, mas equivocado. O que acontece de fato é que cerca de metade das meninas negociadas por seus cafetões foram importadas da Europa Oriental. Os contatos de Klein funcionam como o instrumental tanto na fonte quanto nos países de rota de tráfico. As habilidades de um espião são muito versáteis, tanto quanto seu dinheiro. Ele pode trabalhar em praticamente qualquer país do globo. As pessoas que trabalham para ele não se incomodam com seu sotaque ou com a cor da sua pele. Eles trabalham porque Klein os paga para isso.

— Então, me diga. Como é que ele consegue trazer as meninas até aqui? Até onde eu sei, a segurança nas fronteiras chegou ao teto depois do 11 de setembro.

— É verdade, mas os criminosos estão sempre procurando novas formas de burlar o sistema. Enquanto expedirmos vistos para visitantes, os traficantes vão explorar o processo de imigração. E enquanto nossas fronteiras forem abertas, os coiotes do México e do Canadá vão continuar atravessando pessoas de forma ilegal. A demanda por sexo comercial barato nos Estados Unidos é muito alta. E as forças de mercado vão prevalecer no longo prazo. Os traficantes vão continuar inovando para acompanhar a demanda.

— Do jeito que você fala, esta parece uma guerra perdida.

— Não quero ser pessimista. A guerra pode ser vencida. Mas não colocando os traficantes atrás das grades. O tráfico vai acabar quando os homens deixarem de comprar mulheres. Até lá, o melhor que podemos fazer é vencer uma batalha de cada vez.

***

Pritchett era um excelente anfitrião e entreteve seus convidados com a mais moderna tecnologia à disposição do serviço de inteligência. Ele mostrou imagens de satélite da residência de Klein e mostrou uma simulação feita por computador da casa de hóspedes, que os técnicos haviam conseguido montar utilizando modelos arquitetônicos e muita criatividade. Além disso, ele deu a Thomas detalhes sobre o equipamento, que a equipe da Swat usaria durante a invasão.

Embora o FBI não tivesse informação sobre a capacidade de defesa de Klein, a invasão estava sendo tratada como uma operação de resgate com refém e tinha contingentes posicionados para lidar com o pior dos cenários: um contra-ataque organizado com armas automáticas e crianças sendo usadas como escudo. Eles requisitaram um helicóptero MD-530 Little Bird da Unidade Tática de Helicópteros para deixar em posição a equipe da Swat, que faria a primeira investida. A segunda equipe, um veículo blindado leve Bison, entraria pelos portões da propriedade. Pritchett reconheceu que a operação altamente mecanizada talvez fosse um exagero, mas, com crianças envolvidas, ele não queria arriscar nada.

Às 18 horas, DeFoe deixou o centro de comando móvel para uma reunião com o líder da equipe da Swat. Thomas apertou sua mão e lhe desejou boa sorte.

— Gostaria de poder ir com você — disse ele, e DeFoe sorriu.

— Acho que não. Esse povo é barra pesada e eu estarei desarmado.

Pritchett limpou a garganta, então olhou para Porter e, depois, para Thomas.

— Considerando as condições excepcionais dessa investigação, vou autorizar você e o senhor Clarke a entrar na casa depois que a propriedade for considerada segura. Vocês merecem receber essa menina pessoalmente.

— Você está falando sério?

Pritchett assentiu.

— Eu já trabalhei no escritório de Washington, e conheço seu pai. Ele é um juiz excelente e um verdadeiro patriota. Eu acredito que você vai manter isso em segredo.

Thomas assentiu, emocionado.

— Foi o que pensei — respondeu o agente responsável por aquela operação.

Capítulo 30

"O Príncipe das Trevas é um cavalheiro."
William Shakespeare

Atlanta, Geórgia, Estados Unidos

A noite caiu sobre a propriedade de Klein, e as luzes começaram a se acender na casa principal e na casa de hóspedes. O terreno, contudo, permanecia na escuridão.

Sita estava sentada na cama, com o olhar perdido na parede, enquanto uma reprise de Seinfeld passava na televisão. Ela fora trazida para aquela casa havia quatro dias e passara quase cada minuto, após a sessão de fotos, sozinha naquele quarto. A única exceção era o intervalo para o banho. Sita não tornou a ver Dietrich. Li era a pessoa que tomava conta dela. Em sua segunda noite na casa, ela acordou suando frio e com dificuldade para respirar. Na manhã seguinte, quando ouviu passos do lado de fora, sua respiração se acelerou. Conforme iam passando as horas e os dias, ela começou a ter alucinações. Sua imaginação corria solta e seu coração palpitava ao ouvir sons imaginários. Ela tornou a pensar em suicídio, mas a ideia da morte a deixava ainda mais amedrontada.

Quando Li veio buscá-la, na noite de segunda-feira, ela estava disposta a aceitar qualquer barbaridade que Dietrich e a mulher loira tivessem planejado para ela, apenas para escapar da opressão causada pelo confinamento solitário. Li a conduziu pela adega de vinhos até o piso principal e depois subiu um lance de escadas até um corredor com várias portas. Ele abriu a primeira delas e a colocou para dentro.

O quarto era decorado com madeira escura e luz suave. No centro, havia uma cama com dossel. Havia também um sofá e uma cadeira de frente para ele, um bar com bebidas diversas e um espelho no chão, em frente a uma janela com cortina.

A mulher loira estava no centro da sala esperando por ela. Ela caminhou até Sita e começou a falar em um tom de voz grave.

— Hoje à noite você vai se encontrar com um homem. Ele vai querer que você faça coisas para ele. Você não fará perguntas nem resistirá. Você se esquecerá de seu passado. Você se tornará uma cortesã. Venha. Vou lhe mostrar uma coisa.

Ela pegou a mão de Sita e a levou até uma porta francesa. Atrás da porta havia um closet. A mulher acendeu a luz.

— Esse é seu guarda-roupa — ela disse. Pode ser que o homem peça que você vista algo para ele. Você vai obedecer. Você não resistirá.

A mulher foi com ela até um banheiro com grandes espelhos e arandelas de metal.

— Pode ser que o homem peça que você se banhe com ele. Você fará como ele diz. Você não resistirá.

Elas voltaram ao quarto principal e a mulher fez seu discurso de despedida.

— Essa é sua nova vida. Dietrich pagou muito dinheiro por você. Você vai agradar o homem que lhe traremos ou vai sentir muita dor. A última menina que tentou resistir está enterrada no jardim. Você entendeu?

Sita fez que sim com a cabeça.

— Ótimo. Agora Li vai cuidar para que você tome um banho e se arrume de modo adequado.

A mulher saiu do quarto e o asiático voltou trazendo nas mãos um dos sáris mais elegantes que Sita havia visto. Ele colocou o sári e um par de sandálias douradas sobre a mesa de centro, em frente do sofá, depois a levou até o banheiro.

— Sabão para cabelo aqui — disse ele se debruçando sobre a banheira e apontando para um frasco de xampu. — Sabão para corpo aqui. Lava tudo. Eu de volta dez minutos.

Li foi pontual. Foi o tempo de Sita se banhar e enrolar uma toalha no corpo e ele já estava de volta, com um estojo de maquiagem bem equipado. Ele penteou seu cabelo e pintou seu rosto com a habilidade de um maquiador profissional. Quando terminou, mandou que ela vestisse o sári e calçasse as sandálias, e saiu do quarto outra vez. Sita conhecia essa rotina da sessão de fotos. Ela enrolou o sári verde e branco e se lembrou do sári que Sumeera havia dado a Ahalya para usar na noite em que foi encontrar Shankar. Mumbai estava do outro lado do mundo, mas tudo era tão parecido aqui.

Depois de algum tempo, Li apareceu outra vez com um saco de joias: adornou seus punhos e tornozelos com braceletes e colocou uma gargantilha de ouro com um pingente de esmeralda em seu pescoço. Para completar, colocou uma flor de hibisco vermelha em seus cabelos. Então, ele deu um passo para trás e olhou o resultado com satisfação.

— Você pronta — disse ele. — Eu volto logo.

Ele se virou e desapareceu no corredor, trancando a porta atrás de si.

Sita se sentou na beirada da cama. Esse era o fim da linha. Ela já sobrevivera a tanta coisa, mas não tinha como escapar de seu carma. Perderia sua inocência. Em um país distante quinze mil quilômetros de sua terra natal, ela iria experimentar o *sar dhakna*, o véu simbólico que cobre a cabeça das *beshyas*. "Você também se sentiu assim, Ahalya?", pensou ela. "Foi esse desespero que vi em seus olhos?" Ela começou a chorar e as lágrimas queimavam seu rosto. "Como eu queria ouvir novamente sua voz."

***

Às 22h30, o agente DeFoe deixou o armazém do governo onde estava alojada a equipe da Swat dirigindo um Ford alugado sem identificação. Ele vestia uma camisa oxford, calças esportivas e um mocassim com franja, tudo isso comprado na Brook Brothers no dia anterior. Ele sentia a falta da sua Glock 9 mm na cintura, mas sabia que o revistariam na entrada. Estava equipado apenas com seu instinto, um minigravador e um transmissor GPS escondidos no relógio de pulso.

Ele chegou ao LeRoy's Pit Stop às 22h45. A parada de caminhões ficava a segundos da rampa de acesso à I-85, e o restaurante anexo estava cheio de caminhoneiros jantando. DeFoe apertou um botão em seu relógio para ativar o gravador e o transmissor e, então, entrou no restaurante e pediu para usar o banheiro. Uma garçonete apontou para ele uma entrada no fundo.

Ele observou a área de alimentação enfumaçada e notou um homem magro com um bigodinho sentado sozinho em uma cabine perto da parede. O homem bebia uma cerveja e prestava atenção na porta de entrada. Seus olhos se cruzaram por um breve instante e o homem abaixou a cabeça, olhando para o jornal colocado a sua frente. Ficou claro para DeFoe que aquele era o olheiro. Estava ali para se certificar de que DeFoe tinha vindo sozinho.

DeFoe usou o banheiro e lavou as mãos na pia. O olheiro apareceu e usou um urinol próximo a ele. DeFoe deixou o restaurante faltando um minuto para as 23 horas. Seu telefone celular tocou assim que chegou ao estacionamento. A voz no telefone era de uma mulher. DeFoe caminhou até umas caçambas, com lixo pela boca, que ficavam atrás do restaurante, e ouviu com atenção.

— Senhor Simeon — começou a mulher, usando seu codinome —, uma limusine irá buscá-lo em dez minutos. Será uma corrida curta. Nossa amiga em comum está ansiosa para conhecê-lo.

— E eu a ela — respondeu DeFoe. — Como será feito o pagamento final?

— Depois de inspecionar a mercadoria o senhor poderá usar nosso computador para fazer a transferência para a mesma conta bancária onde fez o depósito inicial.

— Excelente!

A mulher desligou e a limusine chegou no tempo previsto. DeFoe entrou no banco de trás e se afundou no couro macio. A viagem levou menos de quinze minutos.

***

Assim que a limusine estacionou, a porta do passageiro se abriu e DeFoe foi saudado por um homem de aparência asiática, bem vestido, parado à porta de uma elegante casa de campo. DeFoe sabia, pelas fotografias tiradas pela equipe de vigilância, que se tratava da casa de hóspedes de Klein.

— Eu sou Li — disse o asiático. Ele cumprimentou DeFoe e se encaminhou para a porta de entrada. — Por aqui.

Li conduziu DeFoe até o hall e pediu que esperasse. Segundos depois, apareceu uma mulher loira de meia-idade. Ela estava vestida com um conjunto de seda adornado por um colar de pérolas e seus cabelos estavam arrumados graciosamente em um rabo de cavalo. Ela exalava competência e autoconfiança.

— Senhor Simeon, é um prazer conhecê-lo — ela estendeu a mão e DeFoe a cumprimentou, surpreso com a delicadeza em sua voz.

— Igualmente — respondeu ele.

— Imagino que tenha feito boa viagem. Não economizamos no trato de nossa clientela.

— Sim, obrigado.

— Por favor — disse ela, sinalizando para que ele entrasse na sala de estar —, sinta-se à vontade.

DeFoe permaneceu ao lado de uma antiga cadeira de balanço enquanto a mulher foi até o andar de cima. Ela retornou pouco depois com um sorriso nos lábios. Colocou-se ao lado de DeFoe e voltou seu olhar para o topo da escada.

Um minuto depois, uma jovem surgiu e desceu graciosamente as escadas até a sala de estar. Ela estava vestida como uma princesa indiana em um sári estampado com nalinis e sandálias incrustadas com joias. Ela usava maquiagem suficiente apenas para acentuar seus olhos e aumentar o volume dos lábios e a extensão dos cílios. Sua gargantilha e as pulseiras brilhavam sob a luz, e o tecido do sári cintilava enquanto ela caminhava.

DeFoe ficou surpreendido por sua aparência. Ela pouco lembrava a criança mostrada na foto do site da Kandyland. Se não fosse pela estrutura óssea de sua face, ele talvez não a tivesse reconhecido.

Ele encontrou o olhar de Sita e viu que o rubor cobria seu rosto. Ela desviou o olhar para o chão. Fazendo seu papel, DeFoe se aproximou tocando seu queixo e ombros. Então, se inclinou e cheirou seus cabelos.

— Ela é muito exótica — ele comentou com a mulher —, uma joia rara.

— Fico encantada que esteja satisfeito. Agora vamos à questão do pagamento.

Li trouxe um notebook até a sala de estar e o colocou sobre a mesa de centro. DeFoe se acomodou no sofá e usou o computador para acessar uma conta que ele havia aberto no dia anterior utilizando fundos federais. Ele selecionou a quantia correta, digitou seus dados e completou a transferência.

— Excelente — disse a mulher. — Li vai conduzi-lo a sua suíte. E retornará quando seu tempo de estadia terminar. O senhor deve sair às 5 horas da manhã.

— Compreendi — disse DeFoe, esticando o olhar para Sita, só para causar efeito.

***

Ao observar aquele estranho inserindo dados no computador, Sita sentiu como se estivesse se transformando em outra pessoa. A mocinha indiana que ela havia sido, que gostava do mar e do calor do sol, se retraiu nas sombras e uma nova menina surgiu, tomando seu lugar, uma menina sem passado e sem futuro. Essa nova garota estava amedrontada, mas também era capaz de aceitar as regras do carma. Ignorando o batimento acelerado de seu coração, ela tentou imaginar que tipo de homem seria aquele. "Será que ele é casado?" Pensou ela. "Será que tem filhos? De onde ele vem? Por que me escolheu?"

Quando terminou com o computador, Li os conduziu ao andar de cima, até o corredor cheio de portas. Ele abriu a porta da primeira suíte e desapareceu, fechando a porta. Sita foi até o meio do quarto e voltou-se, olhando o homem de frente e se lembrando das palavras da mulher loira. Seu lábio inferior começou a tremer, mas ela fez força para não demonstrar seu medo. O que quer que fosse que o homem planejasse fazer com ela, ele faria. Agora não havia mais como escapar. A única opção diante dela era escolher entre a submissão e a morte.

O homem a pegou pelo punho e a levou até a cama. Ele disse a ela que se sentasse e começou a desabotoar a camisa. Ela se recostou nas almofadas e ficou observando aquele homem, se sentindo amortecida. Ela viu que ele apertou com firmeza o botão do meio antes de continuar descendo os dedos pela dobra dos botões. Por que ele fez aquilo, ela não tinha a menor ideia. Ela começou a tremer, mesmo se esforçando para não fazê-lo.

Depois de tirar a camisa, o homem se sentou na cama de frente para ela. Passou a mão por seus cabelos e correu os dedos sobre seus lábios.

— De onde você é? — perguntou ele.

A pergunta balançou as estruturas de sua nova personalidade. Ela abaixou o olhar até a colcha da cama. "Isso não tem importância", pensou ela. "Isso tudo ficou para trás."

Quando ela não respondeu, o homem se inclinou, fingindo que beijava seu pescoço. Ele falou baixo e devagar.

— Meu nome é DeFoe e estou aqui para resgatá-la. A polícia está para invadir o local. Continue a fazer o seu papel. É uma operação muito perigosa, mas logo vai estar tudo terminado.

A princípio, Sita não conseguiu processar as palavras que tinha ouvido e, quando finalmente compreendeu, não sabia o que pensar. De repente, ela escutou o barulho distante de um helicóptero. Por um longo momento ela hesitou, sentindo a familiar garra do desespero em seu coração. O mundo só lhe trouxera sofrimento desde a chegada das grandes ondas. Ela já estava resignada em aceitar a vida de beshya. Como era possível que seu destino se alterasse tão subitamente? O ruído do helicóptero ficou mais forte.

Ela olhou para o estranho, DeFoe, e imediatamente a invenção de cortesã criada pela mulher loira se desprendeu dela, como uma pele falsa que houvesse vestido. Ela viu a verdade expressa nos olhos dele. Ele não estava lá para violentá-la. Ele tinha vindo salvá-la.

No mesmo instante, ela decidiu acreditar nisso.

Momentos depois, DeFoe ouviu um grito no corredor. A porta foi aberta de repente e Li entrou como um furacão, brandindo uma pistola.

— Que porra é essa? — perguntou DeFoe fingindo mau humor e girando o corpo para proteger Sita da arma.

— Vem agora — gritou o asiático.

— E a garota? — perguntou DeFoe, enfurecido. — Eu paguei uma fortuna por ela.

— Sem tempo pra conversa! — exclamou o asiático, brandindo novamente a arma.

DeFoe se levantou e grunhiu:

— Vou querer meu dinheiro de volta.

— Nada de reembolso! — gritou Li, apontando a pistola para ele. — Polícia!

DeFoe foi xingando enquanto se dirigia para a porta, fingindo que estava com medo. Assim que estava a uma distância em que podia atacar, ele derrubou a pistola das mãos de Li e o chutou com força entre as pernas. Li caiu de joelhos. DeFoe recolheu a arma e deu uma coronhada na cabeça do asiático. Li caiu no chão, inconsciente. DeFoe acertou o gatilho da arma em sua mão e foi em direção à porta.

Sem que o agente percebesse, surgiu uma mão diante dele. A mão empunhava uma arma. Ele ouviu o primeiro disparo e sentiu o impacto da bala. Ele interrompeu os passos, sentindo a dor se espalhar pelo seu peito. A arma disparou uma segunda vez, ele cambaleou e caiu no chão. Então, Dietrich Klein entrou no quarto. Sua fronte estava banhada de suor, mas ainda assim ele era o retrato do autocontrole. A visão de DeFoe começou a ficar borrada. Ele olhou para Sita e tentou se lembrar de onde estava a pistola. Viu Klein bater a porta, girar a tranca e apontar a arma para Sita. Ele queria poder dizer algo, mas sua boca não se mexia.

— Fique onde está — ele ouviu Klein dizendo — e não faça nenhum ruído.

A última coisa que DeFoe viu, antes de fechar os olhos, foi Klein enfiando a mão em seu bolso e pegando o telefone celular.

Capítulo 31

"Livre da corda voa para longe, ó flecha afiada pela oração."

Rig Veda

Atlanta, Geórgia, Estados Unidos

Dentro da unidade móvel, Thomas estava sentado, ao lado de Porter e Pritchett, escutando o rádio comunicador enquanto a equipe da Swat começava a invadir o local. Eram palavras esparsas; ordens concisas. A equipe conhecia seu trabalho e o executava de modo preciso.

Três minutos após o início da invasão, o líder de retirada da equipe de solo, agente especial John Trudeau, entrou na linha.

— Algum sinal das meninas? — perguntou Pritchett.

— Ainda não, senhor. A voz de Trudeau estava ligeiramente distorcida por causa da estática, mas seu estranhamento era evidente. — Nós ainda a estamos procurando.

Pritchett praguejou.

— E o casal Klein?

— Não sabemos, senhor — disse Trudeau. — A casa está tão quieta que chega a parecer sombria.

— E DeFoe?

— Espere um pouco. — Trudeau voltou ao rádio poucos segundos depois.

— Striker disse que a porta estava trancada quando ele e Evans bateram. DeFoe não respondeu.

Pritchett pôs o rádio de lado e olhou para a frente do veículo.

— Vamos nos mexer! — gritou para o motorista. — Leve-me até lá o mais rápido possível.

O enorme veículo ligou seu motor. Thomas teve que se segurar enquanto o motorista dava a partida e arrancava a toda velocidade, saindo do estacionamento. Pritchett voltou ao rádio novamente. — Diga a Striker e Evan para derrubarem a porta, se for necessário. DeFoe está lá dentro com a garota. O GPS confirma a informação.

— E se o casal Klein estiver com eles? — perguntou Trudeau.

O olhar de Pritchett ficou sombrio.

— Não faça nada até eu mandar.

De repente, o telefone celular de Pritchett começa a tocar. Ele colocou o telefone na orelha e atendeu, irritado. Mas sua expressão se transformou num instante. Ele pareceu subitamente nervoso.

— Sim, senhor — disse ele ao telefone. Escutou por mais um instante e sua boca se entreabriu. — Nossa senhora. Certo, coloque-o na linha.

Pritchett apertou um botão e a ligação ficou no viva-voz. Quando a conexão foi estabelecida, um homem começou a falar. Sua voz era carregada por um leve sotaque europeu.

— Aqui é Dietrich Klein — disse ele. — É você o comandante da operação?

A respiração de Pritchett se acelerou.

— Exatamente. Agente Pritchett.

— Muito bom. Agora, Pritchett, quero que você me escute com muita atenção. Seu agente secreto está caído no chão com duas balas metidas no peito. Eu tenho uma refém, uma menina, e minha mulher está com as outras. Elas serão mortas se você não fizer exatamente o que eu mandar. Está pronto para receber as instruções?

Os olhos de Pritchett faiscaram e ele apertou o telefone até que os nós dos dedos ficassem brancos.

— Eu estou pronto — disse ele.

— Existe um pequeno aeroporto em Cartersville. Eu quero um avião Gulfstream, com o tanque cheio, na pista de decolagem em quarenta e cinco minutos. O piloto deve ser um civil. Se estiver armado, as meninas morrem. Eu tenho um carro na garagem preparado para nos levar até o aeroporto. Sua equipe vai liberar a área. Se eu vir alguém, as meninas morrem. Não tenho interesse em voltar a conversar com você, nem com qualquer outra pessoa até que o avião esteja pronto para decolar. É um acordo simples. Eu darei as instruções posteriores ao piloto depois que estivermos no ar. Quando pousarmos, deixarei as meninas no avião. Então, temos um acordo?

— Nós temos um acordo — grunhiu Pritchett. — Você tem alguma outra exigência?

Mas a ligação já havia sido encerrada.

***

Sita observou quando Dietrich Klein desligou o telefone. Ela não conseguia parar de tremer. Ela olhava para o homem sem camisa caído no chão, o homem que havia prometido salvá-la. Ele não havia se mexido desde que fora derrubado. Ela tinha certeza de que estava morto.

Klein tornou a colocar o telefone no bolso dele. Ele se sentou em uma cadeira de ouro lado do quarto e apontou o revólver em sua direção.

— Você é minha hóspede — disse ele. — E eu sou conhecido por tratar meus hóspedes muito bem. Se fizer como eu mandar, você não será ferida.

Sita encarou-o, tentando impedir que seus músculos tremessem.

Klein sorriu.

— Eu sei, eu sei. Você está com medo. Mas tem que entender. Sou apenas um homem de negócios. Também não gosto de armas. — Ele pegou o revólver que segurava e colocou em cima da mesa a seu lado. — Você acha que eu sou um monstro, não é? Que não tenho alma?

Sita permaneceu calada e Klein pareceu não se importar.

Ele fez a ela outra pergunta:

— Você sabe por que está aqui?

Sita encontrou o seu olhar. Ela queria responder, ela queria deixar escapar o grito que a vinha sufocando desde que Kanan manobrou a caminhonete na rua de terra do apartamento de Chako e a vendeu como escrava. Mas ela não gritou. Ela não tinha voz.

Klein respondeu à própria pergunta:

— Você não está aqui porque eu sinto prazer no comércio sexual. Você está aqui porque existem homens que gostam de pagar por sexo. Eu sou apenas o intermediário. Alguns homens de negócios vendem objetos. Outros vendem conhecimento. Eu vendo fantasias. É tudo a mesma coisa.

Ele consultou o relógio.

— Eles têm ainda trinta minutos. — Klein se inclinou para escutar se havia algum som que denunciasse a presença humana. Mas a casa estava em completo silêncio.

— Você já esteve na Venezuela? — ele perguntou olhando novamente para ela. — É um lugar miserável, mas tem sua utilidade. Logo você verá.

***

O comando móvel chegou na propriedade dez minutos depois da ligação de Klein. Pritchett se comportava como uma fera selvagem, grunhindo palavras pelo rádio. Thomas assistia à transformação com uma sensação de mau presságio. O desconforto de Pritchett só podia significar uma coisa: Dietrich Klein tinha a última palavra.

— Michaels — gritou Pritchett para uma técnica que se encontrava do outro lado do veículo. — Qual é a situação do avião?

— Temos um Gulfstream IV em Hartsfield-Jackson — ela respondeu.

— É um jato corporativo. Da empresa Biotech. Estamos tentando contatar o proprietário. Já temos um piloto de prontidão.

— Quem é o piloto? Podemos confiar nele?

— Nela, na verdade — corrigiu Michaels. — Ela já foi piloto da Força Aérea. Atualmente pilota jatos comerciais contratados por empresas. Ela estava no hangar quando eu liguei.

Pritchett assentiu.

— Mande a polícia para lá. E se você não conseguir entrar em contato com o proprietário em dois minutos, faça uma ligação para o chefe. Eu me responsabilizarei pelo confisco da aeronave.

Pritchett tornou a falar pelo rádio.

— Trudeau, onde está Kowalski?

— Ele está se colocando em posição nesse momento — respondeu Trudeau.

— Diga a ele para ir mais depressa com isso — Pritchett retrucou. — Nosso tempo está se esgotando.

***

Do outro lado da propriedade dos Klein, o agente especial Kowalski escutava a ordem de Trudeau.

— Só mais alguns metros — sussurrou no intercomunicador. — Já consigo avistar a janela, mas ainda não tenho o ângulo.

Ele continuou se arrastando sobre o galho de carvalho, medindo seu progresso em centímetros. O chão estava quase oito metros abaixo, muito alto para uma queda, especialmente se você tem um rifle pendurado em suas costas. O carvalho era a árvore mais alta da propriedade, com uma clara linha de visão para a janela do andar superior da casa de hóspedes, mas a casa estava a sessenta metros de distância.

Ele levou quatro minutos para alcançar o posto de observação que havia escolhido do solo. Ficava no meio do caminho entre o tronco e o final do galho e, nesse ponto, os ramos exteriores se voltavam para fora, deixando um buraco aberto para o céu. Se ele tinha alguma chance de executar o tiro, sua linha de fogo não poderia estar obscurecida. Dobrou os joelhos e plantou os pés firmemente nos galhos ao redor; então, tirou o rifle das costas e o colocou sobre o galho à sua frente. Ele engatou um tripé no cano da arma e equilibrou-o sobre o galho. Depois de se colocar em posição de tiro, ele olhou pela mira com imagem térmica e balançou o rifle até que pudesse enxergar o andar de cima da casa de hóspedes.

Ele os viu imediatamente.

Quatro fontes de calor.

A primeira era compacta e parecia levitar acima do chão. "Talvez a menina esteja sentada na cama", inferiu ele. A segunda e a terceira estavam caídas no chão, mas o sinal de calor era diferente. Um era normal, o outro estava esvanecendo. Kowalski praguejou. DeFoe estava morto, exatamente como Klein havia dito. "De quem seria o outro corpo caído?", pensou ele. O quarto corpo parecia estar sentado em uma cadeira.

— Peguei você, filho da mãe — disse ele em voz alta, concluindo o raciocínio em sua mente. Agora, só temos que conseguir um jeito de fazer você vir até a janela.

***

O rádio chiou.

— Kowalski em posição — disse Trudeau. — Ele consegue vê-los. Mas Klein não está na frente da janela.

Pritchett consultou o relógio.

— Temos vinte e cinco minutos até o fim do prazo. O avião está sendo abastecido. O proprietário já autorizou seu uso. Estamos trabalhando na desobstrução do espaço aéreo, mas o tempo de voo é de dez minutos até a aterrissagem.

— Quanto tempo até o avião estar na pista? — perguntou Trudeau através da estática.

— A piloto disse que precisa de dez minutos para encher os tanques, e mais cinco minutos para taxiar.

— Isso não nos dá muito tempo para manobras.

— Grande novidade você está me dizendo. Quem é o agente mais próximo à janela?

Trudeau voltou à linha alguns segundos depois.

— Striker.

— Diga ao Striker para encontrar umas pedras e arrastar o rabo até debaixo do parapeito da janela.

***

No interior da casa, os minutos passavam com uma lentidão agonizante. Sita, sentada na cama, observava a estampa floral dos lençóis e tentava não ceder às lágrimas. A explosão de adrenalina que sentira, mais cedo, desaparecera. Ela se lembrou de todos os mortos que tinha visto. Seus pais, afogados pelas ondas. Sua avó, morta na sala de casa. Jaya, que não conseguiu ser rápida o suficiente para escapar. O herói abatido diante de seus olhos, com duas balas no peito. O mundo não fazia sentido.

— Quinze minutos — disse Klein, olhando para ela e passando os dedos sobre o revólver. — Você acha que vão conseguir?

Sita ergueu os ombros e se envolveu com os braços. A flor de hibisco caiu de seus cabelos e pousou sobre a cama. A súbita aparição da flor fez as lágrimas rolarem pelo rosto de Sita, que não tentou disfarçá-las. Ela se lembrou do dia em que Ambini pegou um hibisco do jardim e colocou nos cabelos de Ahalya. Ela estava fazendo 16 anos. A flor nos cabelos era um símbolo de que ela começara a desabrochar como mulher.

— Muitos rapazes vão se interessar por você — tinha dito Ambini. — Mas você terá apenas um marido. Espere por ele. E chegará o dia em que você se vestirá de vermelho e dançará o *saptapadi*.

Ahalya havia acreditado. As duas acreditaram. E agora, Ahalya era uma *beshya* em Mumbai e ela estava do outro lado do mundo, sentada de frente para um homem que segurava um revólver.

* * *

Pritchett olhou para o relógio e praguejou outra vez. — Dez minutos para o fim do prazo — esbravejou ele — e o avião ainda não está no ar. Por que diabos está demorando tanto?

Michaels respondeu:

— O problema foi na pista. A piloto teve que utilizar uma pista secundária para taxiar porque a pista principal estava lotada.

— Mas que droga! — Pritchett perguntou a Trudeau: — Striker está em posição?

— Confirmado. Ele encontrou cascalho em uma trilha atrás da casa.

— Kowalski está preparado?

— Kowalski está de prontidão.

— Hora do plano B. Diga a Striker para fazer a quantidade de barulho apenas suficiente para trazer Klein até a janela. E diga a Kowalski que a ordem de fazer fogo está liberada. Mande atirar, mas que faça valer a pena.

* * *

Sita piscou da primeira vez que ouviu o ruído. Ela ficou prestando atenção e tornou a escutar uma ligeira batida. Ela viu Dietrich Klein se voltar para a janela e pegar a arma. Ele esperou até que o ruído surgisse pela terceira vez. Então, se levantou lentamente.

Klein olhou para ela e ela o encarou. Ele parecia confuso, mas seu ar confiante permanecia inabalável. Ele atravessou o quarto, pisando com cuidado, focalizando a janela. Sita escutou o ruído pela quarta vez, só que agora a pancada parecia mais forte. Klein ficou imóvel, pensando no que fazer. Então, foi até a janela, com a arma em punho.

***

Kowalski observou, através da mira térmica, enquanto Klein se pôs em pé e atravessou o quarto. A linha da cadeira até a janela era oblíqua, de modo que ele não poderia atirar até que Klein estivesse totalmente de frente para a janela. Kowalski avaliou o vento e recalculou a trajetória de sessenta metros. Era minúscula, mas mesmo assim dava margem a erro.

De repente, Klein parou no meio do quarto.

— Qual é — disse Kowalski frustrado. — Vem pra cá!

Então Klein começou a se mover novamente.

Kowalski manteve o dedo firme no gatilho.

— Mais meio metro...

Sua voz foi sumindo e seus olhos grudaram no corpo de Klein. E, subitamente, ele estava na mira, em pé, na frente da janela, seu corpo entrando na linha de tiro, seus braços esticados para frente, como se estivesse segurando uma arma. Um tiro no peito não iria funcionar. A única opção era um tiro certeiro na cabeça. Kowalski posicionou o centro do padrão reticulado da mira diretamente sobre a parte mais quente da cabeça de Klein.

E, então, puxou o gatilho.

***

Sita deu um pulo de medo quando escutou o disparo. No silêncio da noite, o som agudo despertou todos os seus sentidos. Ela ficou ainda mais aterrorizada quando Dietrich Klein desabou no chão, em frente à janela, com o sangue jorrando de sua cabeça. Ela ficou ali, sentada, por uns segundos até que ouviu barulho irrompendo no andar de baixo. Botas batendo sobre o assoalho e vozes gritando comandos. Quando os passos pesados alcançaram as escadas, ela começou a balançar o corpo, para a frente e para trás, próxima da loucura.

Logo depois, a porta foi aberta com uma pancada e vários homens entraram no quarto, vestidos de preto e cáqui, empunhando metralhadoras. Um dos homens foi até o corpo de Dietrich Klein e tomou seu pulso. O outro colocou algemas em Li, que permanecia inconsciente. Um segundo homem correu até DeFoe e se ajoelhou ao seu lado, cerrando-lhe as pálpebras.

— Liberado — disse o primeiro homem.

— Liberado — disse o segundo homem quase simultaneamente.

O primeiro homem se aproximou da cama e retirou a máscara.

— Você deve ser Sita — disse ele.

Ela olhou para ele, extremamente confusa. Com seu capacete e uniforme de combate, ele parecia mais um monstro assustador. Contudo, a voz soava como a de um homem comum.

Ela hesitou e voltou a respirar normalmente.

— Sim — respondeu simplesmente.

— Você está bem?

Ela fez que sim com a cabeça.

— Eu sou Evans — disse o agente. — Este é Garcia. Você consegue andar sozinha?

Sita jogou os pés para fora da cama e se levantou.

— Eu estou bem.

Ela seguiu os homens até o corredor. A casa de hóspedes estava cheia de homens encapuzados e armados. Evans a conduziu pela escada até o andar de baixo e a sala de estar, com Garcia atrás deles. Evans fez um gesto para que Sita se sentasse no sofá, e então ele e Garcia foram conversar com outro homem. Sita conseguiu ouvir o que diziam.

— Onde estão as outras meninas? — perguntou o terceiro homem.

Evans ergueu os ombros.

— Ela estava sozinha.

Sita se levantou e tocou seu ombro.

— Com licença — disse ela.

O homem virou-se em sua direção.

— Vocês não encontraram as outras meninas porque estão escondidas.

— Onde? — perguntou Evans gentilmente.

— No porão.

O terceiro homem então falou:

— Sou o agente Trudeau. Estou no comando desta operação. Apenas conte-nos o que sabe e nós assumimos daí em diante.

Sita fez que não com a cabeça, se sentindo flutuar com a liberdade de dizer não.

— É difícil explicar. Tenho que mostrar a vocês.

— Você tem certeza que quer fazer isso? — perguntou Trudeau.
Ela assentiu.
— Então, está bem. Vou acatar sua decisão.

***

Sita entrou na escuridão da adega de vinhos como uma celebridade cercada por guarda-costas. O agente Trudeau seguia na frente dela, com a arma preparada, e Evans e Garcia logo atrás. Trudeau encontrou o interruptor. As garrafas de vinho brilharam sob a luz, porém, além de garrafas, não havia mais nada na adega. Eles pararam por um momento para escutar, mas estava tudo em silêncio.

Sita foi até o final da adega e abriu a porta do armário, que, se lembrava, Li havia selecionado. Olhou para as prateleiras e abençoou sua memória tão perfeita em guardar detalhes. A garrafa que Li manipulara tinha o rótulo preto e dourado. Ela encontrou a garrafa e virou o rótulo para baixo. O motor entrou em funcionamento e abriu a câmara secreta.

O agente Trudeau fez um gesto para que Sita se afastasse e ele e Evans entraram no corredor, apontando suas armas na direção das portas. Tornaram a parar para escutar, mas não ouviram nada. Trudeau e Evans batiam em cada uma das portas e repetiam:

— FBI! Abram a porta! — mas nenhuma delas se abriu. Evans permanecia ao lado de Sita, protegendo-a com seu corpo. Ela bateu em seu ombro.

— Eu vi quando ele digitou o código para a sala no final do corredor.
— Você se lembra dos números?
Ela fechou os olhos e tentou se lembrar.
— Eu sei apenas a posição das teclas.
Evans chamou Trudeau e repassou a informação.
Trudeau olhou para Sita.
— Você digitaria o código para nós?
— Sim — murmurou ela e foi atrás deles pelo corredor até a porta do estúdio.

Ela ficou em frente à porta e fechou os olhos, repassando em sua mente os rápidos movimentos que Li fizera para teclar a sequência de cinco dígitos, e depois os repetiu sem errar nenhum. Ela ouviu a trava ser liberada e, então, Evans a levantou do chão e se a carregou de volta até a adega. Logo depois, ela ouviu o som penetrante do disparo de uma arma de fogo. E, então, tudo ficou em silêncio outra vez.

Garcia pôs a cabeça para fora da porta.
— Venham, vocês dois merecem ver isso.

Sita segurou a mão de Evans e foi com ele até o estúdio. Ao entrarem na sala, encontraram a mulher loira caída aos pés da cama, com um revólver na mão. Uma menina de cabelos castanhos estava sentada no chão em frente ao corpo, tremendo de pavor.

— Ela estava fazendo a menina de refém — disse Garcia, sacudindo a cabeça.

Outras cinco crianças com idades entre 12 e 16 anos estavam amarradas na cama, com os punhos e os tornozelos imobilizados e as bocas seladas com fita adesiva. Uma a uma elas foram se sentando e olhando para Sita, com olhos arregalados que demonstravam medo. Por um momento ela permaneceu imóvel, ouvindo mais uma vez os cliques da máquina fotográfica de Li e sentindo a vergonha por ter que se despir em frente a Dietrich Klein. Depois, ela sacudiu a cabeça. Estava tudo terminado. Klein estava morto.

Ela atravessou a sala e tocou de leve a face da menina mais nova, antes de puxar a fita adesiva de sua boca. A menina recuou, mas Sita a acalmou com um sorriso.

— Está tudo bem agora — disse ela —, você está a salvo.

* * *

Quando todas as meninas estavam desamarradas e eram capazes de caminhar, Trudeau e Garcia as levaram para o andar de cima. Sita, contudo, pediu a Evans que esperasse enquanto ela recolhia seu casaco jogado em um canto no chão do estúdio. Ela vestiu o casaco sobre o sári e então enfiou a mão no bolso, procurando a figura de Hanuman. Ela respirou profundamente, prometendo nunca se esquecer de seu protetor, e depois seguiu Evans até as escadas.

Evans se sentou na sala de jantar que saía do hall de entrada e deu seu depoimento a outro homem que segurava uma prancheta. Sita se sentou a seu lado, mas foi difícil para ela prestar atenção ao que ele dizia. Seus pensamentos voaram para longe. Ela se recordou de seu pai, em pé na praia em frente ao bangalô, acenando para que ela o acompanhasse para assistir ao pôr do sol. Ela se recordou de como caminhava pela praia e encontrava seus pais esperando por ela. Ahalya estava mais a frente, perto da linha-d'água, catando conchas. Era um dia como outro qualquer, um dia bom.

Ela levantou o olhar quando dois homens entraram na casa usando roupas civis. Um deles era alto, com cabelos escuros e olhos gentis, o outro era mais baixo e musculoso. Ela examinou o homem mais alto; já o tinha visto. Buscou em sua mente até encontrar a conexão. E então se lembrou. Na rua, do lado de fora da residência de Dmitri em Paris. Foi ele quem correu atrás do carro pela rua.

E tudo se encaixou imediatamente. Ele estava procurando por ela todo esse tempo! Mas como ele ficou sabendo? E por que se importou? Ela tinha certeza de que nunca haviam se encontrado antes. Ela o seguiu com os olhos, pensando se teria uma chance de conversar com ele.

***

Thomas permaneceu no vestíbulo e procurou, no meio dos agentes que corriam de um lado para o outro, por algum sinal de Sita.

— Onde você acha que ela pode estar? — Ele perguntou a Porter.

— Provavelmente todas as meninas estão juntas — respondeu Porter, caminhando em direção à sala de estar. — Vou ver se encontro o agente Trudeau.

Thomas começava a segui-lo quando olhou para sua esquerda. Em volta de uma mesa de mogno polido, estavam sentados um soldado da Swat grandão, um agente de campo em uniforme camuflado e uma menina indiana de compleição miúda e vestida como uma princesa. A menina o encarava com seus adoráveis olhos ingênuos. Ela parecia mais velha do que na fotografia que carregava em seu bolso, mas era ela mesma. Ele soube imediatamente.

Por um momento, ele pareceu congelado, mas, então, começou a tocar com os dedos a pulseira em seu punho. Ele caminhou lentamente até ela.

— Seu nome é Sita Ghai? — perguntou ele.

— Sim — ela respondeu.

Ele desatou o nó da pulseira *rakhi*, se ajoelhou e a colocou sobre a mesa diante dela.

— Eu sou Thomas Clarke. Sua irmã me pediu para entregar isso a você.

Ele viu as lágrimas brotando em seus olhos.

— O senhor conhece Ahalya?

Ele fez que sim com a cabeça, emocionado.

— Nós a resgatamos do bordel de Suchir. Ela está esperando por você em um *ashram* em Mumbai.

Thomas ficou maravilhado, pois era como se um novo amanhecer surgisse no rosto da menina. Ela segurou com força a pulseira e começou a soluçar. Foi como se todo o horror, a dúvida, o desespero e a falta de perspectiva dos últimos dois meses e meio houvessem convergido em uma grande onda de lágrimas.

Ele sentiu uma mão em seu ombro. Era Porter.

— Parece que finalmente você a encontrou — disse ele.

Thomas soltou a respiração que prendia e sorriu.

— Muito bem — disse Porter.

Quando a onda de emoções cedeu, ela amarrou a pulseira em seu punho.

— Eu fiz essa pulseira para o aniversário dela no ano passado — disse ela baixinho. — Ela disse que sempre a usaria.

— Então você tem que devolvê-la para ela.

Sita pensou por um momento e então colocou a mão no bolso, tirando o Hanuman. Ela segurou a estatueta com reverência e depois a colocou sobre a mesa.

— O senhor conhece a história de *Ramayana*? — perguntou ela.

Ele assentiu, olhando a pequena figura.

— Hanuman era um amigo de Rama. Foi ele que encontrou Sita. O senhor deve ficar com ele.

Thomas pegou a estatueta. Ele se recordou do que Surekha havia dito sobre o pai de Priya durante o *mendhi*. "Quando Priya era mais nova, ele me disse que o homem que se casasse com ela teria que possuir o caráter do Senhor Rama. Rama é um homem sem pecado." Thomas sabia que nunca chegaria a alcançar esse padrão de conduta. Mas, na verdade, não era Rama o herói daquela história. Foi Hanuman quem cruzou o oceano e resgatou a princesa de Mithila.

— Obrigado — disse ele. Ela nunca conheceria a importância daquele presente.

Sita olhou em torno para os homens do FBI.

— Eles vão me deixar partir? — perguntou ela.

O agente Evans procurou dar uma resposta.

— É um pouco complicado. Mas faremos todo o possível para que você possa voltar logo para casa.

Thomas olhou para Porter.

— O grande feriado de Holi[45] cai no dia 26. É o segundo feriado mais importante na Índia. Existe alguma chance de que você mexa mais alguns pauzinhos e nos coloque em um avião antes disso?

Porter riu.

— Eu já mexi tantos pauzinhos nos últimos dias que estou começando a me sentir profissional. Vou colocar o pedido no relatório e ver o que os chefes têm a dizer sobre isso. Grande parte do processo vai depender do governo da Índia. Eles têm que tomá-la sob custódia lá do outro lado.

— O que acontece agora? — perguntou Sita olhando de Thomas para Evans.

— Nós colocaremos você sob proteção policial e faremos um monte de perguntas — respondeu Evans. — Vamos precisar da sua ajuda para colocar atrás das grandes um bom número de criminosos.

— O senhor ficará comigo? — ela perguntou a Thomas.

Thomas assentiu, segurando o pequeno Hanuman e apreciando o doce sabor da vitória.

— Ficarei com você o tempo que for preciso para levá-la de volta para casa.

---

[45] Holi é um festival celebrado na Índia, entre fevereiro e março, que festeja a chegada da primavera. (N. T.)

Capítulo 32

"A marca da sabedoria é enxergar a realidade além das aparências."
Thiruvalluvar

Atlanta, Geórgia, Estados Unidos

Thomas estava sentado em uma bagunçada sala de conferência no interior do escritório de campo do FBI em Atlanta. Do outro lado da mesa, estavam dois agentes em roupas civis e Andrew Porter, que fora designado para atuar como o braço do Departamento de Justiça na fase de investigação, em Atlanta. As conversas, que já se arrastavam por mais de três dias, estavam sendo gravadas em um aparelho digital que era mantido no centro da mesa.

— Eu sei que nós já estamos conversando há muito tempo — disse o agente especial Alfonso Romero, um norte-americano de ascendência italiana do Brooklin. — Acredito que estamos quase no fim.

Enquanto Romero verificava suas anotações, Thomas tentava reprimir sua irritação. Muitas vezes a entrevista parecia mais um interrogatório, e sua paciência já estava se esgotando. Mas ele devia a Porter ser complacente com o FBI. Era o preço a pagar por ter sido incluído na operação de invasão.

— Conte-me outra vez, por que foi a Paris? — disse Romero. — Sua mulher estava em Mumbai. Seu trabalho era em Mumbai. O que o compeliu a deixar Mumbai para procurar uma menina que poderia estar em qualquer lugar àquela altura?

— Nós já não conversamos sobre isso?

— Talvez já tenhamos conversado, mas ainda estou incomodado.

— A única coisa que posso dizer é que fiz o que achei que devia ser feito. Eu havia feito uma promessa à Ahalya e decidi dar um tiro no escuro. De alguma forma funcionou.

Romero sacudiu a cabeça e tornou a verificar suas notas. Ele trocou um olhar com a agente especial Cynthia Douglas, uma morena linha-dura que havia feito todas as perguntas de cunho pessoal que Thomas, na verdade, não gostaria de ter que responder. Douglas também sacudiu a cabeça.

— Tudo bem, vamos encerrar por agora — disse Romero. — Mas mantenha-nos informados sobre suas andanças e notifique-nos se houver qualquer alteração nos dados sobre como entrar em contato com você.

— Não se preocupe — disse Thomas com uma pitada de sarcasmo. — Vou mantê-los informados.

— Você quer perguntar mais alguma coisa? — Romero perguntou a Porter.

Porter aquiesceu.

— Sim, mas é pessoal. Eu prefiro falar em particular.

— Sem problemas — disse Romero e fez um gesto para que Douglas deixasse a sala junto com ele.

Thomas fechou os olhos e massageou as têmporas.

— Eu estava começando a pensar que ele nunca calaria a boca.

Porter deu uma gargalhada.

— A persistência dele é impressionante, até um pouco exagerada. — Ele se inclinou para a frente. — Eu tenho duas notícias boas e uma ruim, o que você quer ouvir primeiro?

Thomas abriu os olhos e examinou o rosto do amigo. Porter estava sério.

— Primeiro as más notícias — Thomas cruzou os braços sobre a mesa.

Porter recostou na cadeira.

— Acabei de ter notícias do delegado Morgan de Fayetteville. Ele e seu esquadrão invadiram o estacionamento de trailer perto do Forte Bragg ontem. Eles esperavam encontrar oito meninas. Mas três não estavam lá. Abby era uma das que estava faltando. — Ele fez uma pausa. — A polícia a encontrou esta manhã.

Thomas pressentiu o que o amigo ia dizer.

— Ela estava enterrada em uma cova rasa, próximo a uma linha de árvores, não muito longe do estacionamento dos trailers — disse Porter. — Ela estava ali há não mais de uma semana.

Thomas prendeu o fôlego e depois deixou escapar.

— Por que eles fariam isso?

— Eu não sei. O caso dela foi muito divulgado. Talvez eles tenham percebido que nós estávamos perto de descobri-los e ficaram com medo. Talvez ela tenha tentado escapar e eles não quiseram mais lidar com ela. Gente desse tipo é capaz de qualquer coisa.

Thomas pensou na mãe da menina e se sentiu oco por dentro. O que ela mais temia havia acontecido. Ela estava sozinha no mundo.

— E as outras meninas que estavam faltando? — perguntou ele.

Porter sacudiu a cabeça.

— Tinham vindo do México. Acreditamos que tenham sido vendidas novamente.

— Então a história continua — disse Thomas. — Isso nunca vai acabar, vai?

Porter ergueu os ombros. — Temo que não enquanto vivermos.

— Bem, e quais são as boas notícias?

Porter se animou um pouco.

— Sem contar a morte de DeFoe, a operação contra o esquema de Klein foi um retumbante sucesso. Sessenta e uma vítimas resgatadas em oito cidades diferentes, trinta e cinco delas menores de idade. Quarenta criminosos atrás das grades. Kandyland desbaratada e seus computadores apreendidos. Nós, de olho em pedófilos por todo o mundo. Vinte milhões de dólares em contas no exterior para alimentar o Tesouro Nacional. Foi um grande sucesso de relações públicas. Todo mundo em Washington está eufórico.

— Que bom pra eles — disse Thomas. Ele não pretendia ser sarcástico, mas a notícia da morte de Abby o deixara arrasado. Pela milésima vez, ele desejou ter corrido mais rápido e anotado a placa da SUV preta, antes que ela desaparecesse para levar a menina até o túmulo.

— E a segunda boa notícia? — perguntou ele.

Porter notou o humor do amigo e ergueu as mãos para se desculpar.

— Acho que vamos poder mandar Sita para casa antes do feriado de Holi. O comissário mostrou interesse pessoal pelo caso dela e o embaixador da Índia em Washington também. Estamos movendo céus e terra com os burocratas, e eu estou cauteloso, mas otimista de que as coisas darão certo.

Thomas assentiu.

— Como é que ela tem passado?

Porter deu um sorriso.

— Essa garota ficou feito uma bola de bilhar humana nos últimos três dias. Ficou indo de lá pra cá, da casa de segurança para uma sala de reunião no segundo andar da Corte Juvenil de Fulton County, e ninguém a ouviu reclamar de nada. O FBI designou uma especialista em vítimas para trabalhar com ela, a agente Dodd. Ela é psicóloga infantil e tem um modo de ser amigável. Pelo que ouvi falar, elas estão se dando bem. E eu tenho que te dizer: Sita é a arca do tesouro das informações. Nós conseguimos dela informações que vão pôr muitos dos criminosos de Kandyland atrás das grades.

— Quando poderei vê-la novamente? — perguntou Thomas.

Na noite da invasão, Sita havia sido levada embora da propriedade de Klein por um carro da FBI e, por razões de segurança, o agente Pritchett negou seus repetidos pedidos de visita.

— Provavelmente não antes do voo de volta a Mumbai — disse Porter. — Sinto muito.

— Nesse caso, eu preciso resolver algumas coisas. Será que o Romero vai arrancar minha cabeça se eu deixar a cidade por uns dias?

Porter riu.

— Pode deixar que vou mantê-lo em rédeas curtas. Apenas se certifique de estar de volta no dia 23. Se tivermos sorte, você e Sita estarão em um voo para Mumbai no dia seguinte.

Thomas ergueu as sobrancelhas.

— Cortesia do Governo Federal?

Porter fez que sim com a cabeça.

— Nossos impostos sendo usados para uma boa causa.

— Então, agora que você terminou seu assunto comigo, posso fazer uma ligação?

Porter se levantou da mesa.

— A liberdade de expressão é um direito constitucional. A forma como você a usa depois que sai desse escritório é problema seu.

Ele fez uma pausa.

— Agora faça a si mesmo um favor e saia daqui antes que Romero se lembre de todas as perguntas que se esqueceu de fazer a você.

***

Às 21 horas daquela noite, Thomas fez uma ligação internacional de seu celular. Eram 7h30 da manhã em Mumbai. Jeff Greer atendeu ao telefone no segundo toque. Thomas fez um resumo dos acontecimentos da semana anterior, que culminaram no resgate de Sita, e então pediu a ele uma informação e um favor. Quando Greer se recuperou do choque, ele procurou algo em sua mesa enquanto ouvia a ideia de Thomas.

— Aqui está — disse ele, remexendo uns papéis. Ele passou um número de telefone e prometeu fazer os arranjos necessários.

— Não dá pra acreditar que você conseguiu — disse ele. — Confesso que eu nunca imaginei que você teria qualquer chance.

Depois que Greer desligou, Thomas discou um número em Andheri. Ele esperou enquanto o telefone chamava e chamava. Quando estava para finalizar a ligação, ele ouviu um som distorcido. "Alô". A conexão estava muito ruim, mas ele tinha quase certeza de que era a voz da irmã Ruth. Falando bem devagar ele deu as boas-novas à freira. Quando terminou, ela ficou em silêncio tanto tempo que ele pensou que a linha tinha caído. Então, ele ouviu um sussurro, apenas um eco atravessando continentes, que parecia uma oração.

— Irmã Ruth — disse Thomas. — A senhora dará a notícia à ela?

— Sim — ele a ouviu dizer. A linha fazia muito barulho e cortava a ligação, mas ele conseguiu juntar as palavras. — Eu não sei... Como agradecer... Ao senhor.

— Diga a ela para ser paciente — disse ele. — O processo pode demorar um pouco.

Com isso, Thomas desligou e se dirigiu para o aeroporto.

***

Durante a madrugada, Ahalya despertou em um estado febril. Sua testa estava molhada de suor, sua camisola estava úmida e sua mente ainda estava conectada ao que havia visto em seu sonho. Ela olhou em volta do pequeno quarto que dividia com outras três moças. Ninguém se mexeu. Estava tudo em silêncio na casa. Ela voltou os olhos para a janela. A cor do céu era de um cinza azulado que antecipava a chegada do amanhecer. Ela respirou profundamente e tentou acalmar seu coração. A visão tinha sido tão dolorosamente real que ela não podia acreditar que fosse só uma miragem.

Ela atravessou o quarto até a área comum. Era sábado e não havia ninguém lá. Irmã Ruth já estava acordada, Ahalya tinha certeza, mas a freira dormia numa outra parte da casa e normalmente não aparecia por ali até depois das 7h30. Ahalya se movia silenciosamente, pisando na ponta dos pés. Tecnicamente, ela não podia deixar a casa sem a permissão das irmãs, mas essa regra só era rigorosa para meninas que demonstravam interesse em fugir dali.

Ela desceu os degraus da entrada e caminhou para o bosque. Umas poucas cigarras cantavam nos galhos das árvores e de vez em quando ela podia ouvir o canto de um pássaro. A trilha diante dela estava vazia e ainda coberta pelas sombras. Olhou em volta, preocupada em saber se uma das irmãs a impediria e a levaria de volta para o *ashram*, mas ela não viu ninguém.

Conforme se aproximava do lago, ela diminuía o passo, repassando o sonho em sua mente. Sita havia estado ali. Ela havia se sentado no banco e admirava alguma coisa na água. Ela ergueu os olhos quando Ahalya se aproximou. Seu rosto era o retrato da felicidade. Ela se levantou e fez um gesto para Ahalya se apressar. Ahalya segurou sua mão e olhou para baixo, para o lago, seguindo o olhar de sua irmã. Ela havia visto um broto de nalini, um botão que logo se abriria.

Ahalya se aproximou do lago bem devagar. A superfície da água era um espelho de vidro, naquela manhã sem vento. Ajoelhou-se na beirada do lago, a dor em seu ventre aumentando a cada segundo. Mas ela não viu nada. Ela olhou mais de perto, talvez o broto fosse menor do que o que havia aparecido no sonho.

Talvez...

Subitamente, ela sentiu uma onda de vertigem. Ela se segurou em uma pedra ao lado do lago. Sua gravidez era uma coisa sobre a qual ela não queria pensar naquele momento. Seu desejo era simples, e, na sua simplicidade, puro. Tudo que ela queria era encontrar um broto.

Ela olhou novamente, procurando um sinal da flor, mas não encontrou nada. O sonho fora apenas uma ilusão. Um engodo irresistível. Sita não estava no *ashram* e a nalini ainda não havia brotado. Naquele momento, o Sol despontava sobre um futuro que ela realmente não queria. Lakshmi havia se esquecido dela. Rama a havia deserdado. Ela era um ser de pedra, do mesmo modo que a Ahalya do *Ramayana*.

Ela chorou muito, mal percebendo o canto dos pássaros em torno dela, os sons do *ashram* despertando para um novo dia, ou os ruídos distantes da rua para além dos muros. Depois de um longo momento, ela conseguiu se recompor e se esforçou para levantar, blindando seu coração contra o pensamento de outra semana sem Sita. Ela começou a subir novamente a trilha e, então, parou. Diante de seus olhos surgiu uma visão peculiar. Ela piscou e olhou novamente, com medo de que o sonho houvesse roubado sua sanidade. Mas a visão permaneceu.

Irmã Ruth corria pela trilha em sua direção.

O sári da freira voava atrás dela como uma capa e seus olhos brilhavam como os de uma criança. A freira parou de correr quando se aproximou de Ahalya, arfando e tentando recuperar o fôlego.

— Desculpe-me — disse Ahalya, se sentindo culpada por ter desobedecido. — Eu precisava andar um pouco.

Irmã Ruth sacudiu a cabeça e sua silhueta arredondada tremia a cada respiração ofegante.

— Não, não — disse ela, com dificuldade para falar. — Sita...

Ahalya olhou para ela, paralisada. Uma mistura de emoções se apoderou dela, a esperança competindo com o terror.

Até que, finalmente, a freira conseguiu se recompor para transmitir a mensagem de Thomas.

Pela segunda vez naquela manhã, Ahalya se ajoelhou; dessa vez, porém, seus olhos não estavam cheios de lágrimas. Em vez de chorar, ela olhou para o Sol que nascia no leste. Ela ergueu a face e sentiu a luz penetrando nela como se fosse uma semente em um solo fértil. A luz se espalhou pelo seu ser e sua pele começou a formigar. Ela começou a rir e imediatamente se lembrou de como era boa a sensação. Seu riso ecoou pelo gramado, enchendo a floresta e silenciando os pássaros.

O sonho era verdade. Sita estava viva.

E, em breve, viria para casa.

* * *

Dois dias depois, Thomas estava sob uma chuva fria, em frente de um condomínio de apartamentos de luxo em Washington, tentando juntar coragem para entrar. Ele estivera na exclusiva vizinhança de Capitol Hill apenas duas vezes antes, ambas à noite. Lembrava-se das duas visitas com uma nitidez perturbadora. Ele apertou com força o cabo do guarda-chuva e encarou a porta de entrada sob a cortina de chuva. O hall estava vazio. Eram 8 horas da manhã de domingo, o único dia da semana em que tinha certeza de que ela estaria em casa.

Ele tomou o elevador até o sexto andar. O apartamento dela ficava à direita no final do corredor. Número 603. Ele ficou parado em frente à porta por pelo menos um minuto, com os nervos à flor da pele. Finalmente, decidiu bater. Prestou atenção para ouvir o som de passos. A princípio, não ouviu nada e passou por sua cabeça que ela pudesse ter viajado para as Ilhas Cayman para passar o fim de semana ou, melhor ainda, tivesse encontrado um namorado e passado a noite na casa dele. Mas, então, ele a ouviu vindo atender à porta. Ele se controlou e olhou para o olho mágico. A raiva que sentira em Goa era uma lembrança distante; o que restava dela era ansiedade e remorso.

Passou-se um longo momento até que a porta fosse aberta. Então, Tera apareceu diante dele, enrolada em um roupão de banho atoalhado, seus cabelos molhados presos em um rabo de cavalo. Seus olhos estavam arregalados e, sua boca, entreaberta com a surpresa.

Ela olhou para ele sem dizer nada. Seu coração estava disparado, mas ele não fez nenhum movimento em sua direção.

— Thomas — disse ela afinal. Os segundos iam passando. Então algo mudou em sua atitude e ela terminou de abrir a porta. — Achei que nunca mais o veria. — Ela fez um gesto para que ele entrasse.

Ele aceitou o convite e entrou no apartamento. A decoração era de vanguarda — tudo em preto e branco com bordas angulares, quadros de arte abstrata nas paredes, luz direcional e objetos diversos de todos os cantos do mundo. Ela havia se formado em História da Arte na Universidade de Colúmbia antes de ir para a faculdade de Direito de Chicago. Sob esse aspecto, na verdade, sob muitos aspectos, ela era muito parecida com Priya.

Ele caminhou até a sala de estar e apreciou a paisagem que se descortinava das altas janelas. A chuva havia diminuído um pouco e ele podia ver à distância o contorno do prédio do Capitólio.

— Para onde você foi? — perguntou ela, em pé, um metro atrás dele, com as mãos nos bolsos do roupão. — Já faz quase três meses.

Ele tornou a olhar para ela.

— Eu fui para a Índia — disse ele sem nenhum preâmbulo.

O corpo dela se enrijeceu.

— Índia — ela repetiu.

— Você estava certa em relação ao que houve na empresa — disse ele. — Eles me deram um ultimato e eu tirei um ano sabático. Um ano nas trincheiras em Mumbai.

— Então você não viajou para lá por causa de Priya? — perguntou ela com uma ponta de otimismo em sua voz.

— Eu fui para trabalhar na Aces. Mas também fui procurar minha mulher.

Ela pensou sobre a forma como ele escolheu as palavras para dizer.

— Você foi bem-sucedido na procura? — ela perguntou.

— Não tenho certeza — disse ele. — Mas quero muito.

Tera inclinou a cabeça de lado.

— Então, por que está aqui?

— Porque antes eu agi de maneira errada. Devo desculpas a você.

Ela se sentou na beirada do sofá.

— Eu não me arrependo de nada.

— Apenas me ouça — disse ele estendendo as mãos. — E me julgue depois.

Ela ficou esperando ele falar, em atitude neutra.

Ele continuou.

— Você me deu apoio no pior momento da minha vida. Eu precisava de ajuda e você me ofereceu. Nunca vou me esquecer disso. Mas fui um tolo. Eu não deveria ter deixado as coisas irem tão longe. Ainda que Priya tivesse ido embora, eu devia ter honrado meus votos. Ter vindo aqui naquela primeira noite foi um erro. Eu estava completamente instável emocionalmente. Não a culpo por isso. Foi minha culpa, mas machucou todos nós. Eu, você e Priya. Você merece coisa melhor. Por favor, me perdoe.

Tera se levantou e caminhou até a janela, olhando a cidade encharcada do lado de fora. Ela colocou atrás da orelha uma mecha de cabelo. Ele pensou que talvez devesse ir embora, mas não foi. Não podia virar as costas para ela outra vez.

Finalmente, ela tornou a olhar para ele.

— Eu não preciso que você se desculpe — disse ela. — Já estou grandinha. Eu sabia no que estava me metendo. — Ela fez uma pausa. — Priya fez bobagem ao partir. Espero que ela possa perceber isso agora.

Thomas olhou para ela pensando em uma resposta apropriada. Ela estava linda na luz filtrada pela chuva. Ele sentiu um instinto fugaz de consolá-la, como ela fizera com ele. Mas conseguiu perceber que era só uma tentação e soube resistir.

— Adeus, Tera — disse ele.

Quando ela não respondeu, ele deu de ombros e foi caminhando pelo corredor em direção à porta. Ele colocou a mão na maçaneta e a ouviu dizer seu nome.

— Thomas — disse ela, surgindo na entrada do hall. — Faça-me um favor, está bem?

— O que é?

— Qualquer que seja a sua decisão, atenha-se a ela.

Ele aquiesceu e ensaiou um sorriso. A bronca foi menor do que ele havia imaginado. Abriu a porta em silêncio e a deixou lá, emoldurada pela janela e pela chuva.

***

Ele dirigiu o carro, rumando para o sul, para fora de Washington, e chegou à casa de seus pais vinte minutos mais tarde. Com exceção do tráfego em frente às igrejas, as ruas estavam vazias. Estacionou seu carro na entrada da casa e abriu a porta. A chuva havia se transformado em garoa, e ele deixou o guarda-chuva no carro.

Bateu na porta da frente e ouviu os passos lentos de seu pai. Seu coração se acelerou e ele tornou a imaginar de que modo se explicaria. O juiz abriu a porta e olhou para ele. Estava vestido com um terno listrado e uma gravata com estampa escocesa. A missa começaria em meia hora.

Quando o viu, os olhos do juiz imediatamente ganharam vida.

— Thomas! Entre, meu filho.

Elena apareceu no hall, elegante em um vestido malva e um cardigã preto. Ela o abraçou longamente.

— Você está todo molhado — disse ela, apontando para os cabelos dele e levando-o até a cozinha. — Vou lhe fazer um chá.

Enquanto Elena lidava com as coisas no fogão, Thomas se sentou em um banco ao lado da bancada. Seu pai se sentou em uma cadeira da mesa de café da manhã. Esse arranjo, sua mãe servindo e seu pai esperando para dar conselhos, era tão familiar para ele como um par de sapatos velhos. Quantas vezes eles não estiveram exatamente nas mesmas posições enquanto ele crescia.

— Como vai Priya? — perguntou Elena por cima do ombro. Ele havia mandado um e-mail para ela de Paris com um resumo vago, mas abrangente de seu progresso. Mas isso havia sido antes da viagem para Goa.

— No momento as coisas não vão muito bem entre nós.

Sua mãe pareceu despontada, mas não quis ser indiscreta.

— Lamento ouvir isso.

Ele ergueu os ombros e olhou para o pai.

— Não tenho certeza se voltarei a trabalhar com Clayton.

Os olhos do juiz se estreitaram.

— Você recebeu meu e-mail?

Thomas fez que sim com a cabeça.

— Max vai desenrolar o tapete vermelho para você. Ele vem conversando sobre uma sociedade há um ano.

— Não tenho certeza se ainda é isso que quero para mim — disse Thomas.

Seu pai estava sem fala, um evento raro.

E foi Elena quem falou.

— O que você quer para si mesmo, querido?

Thomas agarrou a beirada da bancada.

— Ainda estou tentando descobrir.

O juiz se levantou.

— Não posso acreditar no que estou ouvindo. Quando tinha 15 anos, você me disse que queria seguir a magistratura. Fiz tudo dentro de minhas posses para tornar isso realidade. Eu o mandei a Yale e depois para a escola de Direito da Virgínia. Eu consegui um estágio para você. Consegui colocar panos quentes na empresa de Clayton. E, depois disso tudo, você simplesmente vai me virar as costas? Simples assim?

— Rand — sua mãe interrompeu, mas o juiz a silenciou apenas com o olhar.

— Eu quero uma resposta direta — disse ele —, eu mereço uma.

Thomas respirou profundamente e encarou o olhar do pai.

— Eu sei o que quis um dia, pai. E também sei os sacrifícios que você fez. Mas as coisas mudam. Se quer uma resposta, eu lhe dou. Quero terminar meu ano de trabalho na Aces e quero descobrir um modo de convencer minha mulher de que ela vive melhor comigo do que sozinha.

O juiz jogou as mãos para o alto, exasperado.

— Você está falando de um ano da sua vida, dois no máximo. Mas e o seu futuro, Thomas? O que dizer sobre daqui a dez anos, vinte anos? Onde você vai querer estar então?

Thomas sentiu a raiva crescendo dentro dele.

— Não tenho a menor ideia. Mas estou certo de uma coisa: não quero voltar para a corrida de ratos.

— Maravilha! Agora você está comparando a minha vida com a de ratos.

Os olhos de Thomas faiscaram.

— Isso não diz respeito a sua vida, pai. É sobre mim que estamos falando. Quer saber por que estou de volta aos Estados Unidos? É porque uma menina foi traficada da Índia para cá. Nós resgatamos a irmã dela de um prostíbulo em Mumbai. Sita vai voltar para casa em alguns dias e eu irei com ela. Não estou questionando as escolhas que você fez. Estou apenas dizendo que pode ser que eu não queira o mesmo para mim.

Ele tomou um gole do chá e observou seu pai pensando. Ele sabia exatamente como iria terminar: o juiz encerraria a conversa deliberada e abruptamente até que tomasse uma decisão, ponto no qual ele faria um monólogo pomposo, como os que costumava fazer em seu tribunal.

Como Thomas previa, o juiz consultou o relógio.

— A missa começa em quinze minutos — disse com voz firme. — Terminaremos nossa conversa mais tarde.

Elena se voltou para Thomas, com uma desculpa e uma interrogação no olhar.

Ela fez a pergunta:

— Por quanto tempo pretende ficar?

— Tempo suficiente — disse ele. — Vou com vocês à igreja.

Os olhos da mãe se arregalaram. Ele não ia à missa com eles desde a faculdade.

— Estou cheio de surpresas hoje, não é? — disse ele, tomando seu braço.

***

No final daquela tarde, Thomas retornou a Washington. Ainda tinha mais uma coisa a fazer antes que o dia terminasse. Depois de uma breve parada para comprar flores, margaridas, em homenagem à chegada da primavera, ele entrou pelo portão de trás do Cemitério Glenwood e foi seguindo a trilha cheia de curvas através das árvores até o lugar do túmulo. Ele levou as chaves do carro, mas não o trancou. Não ia andar até muito longe dali. Respirou o ar frio e apreciou a solidão do lugar.

Embora a chuva da manhã tivesse passado e o Sol, reaparecido, o cemitério estava vazio. O túmulo estava situado no topo de uma elevação, com vista para o jardim dos anjos. Ele viu a lápide e a dor voltou como se nunca tivesse ido embora. Querida, doce Mohini. Ela era tão novinha para morrer.

O enterro daquela garotinha havia sido motivo para uma grande disputa.

Os pais de Thomas, como bons católicos, foram contra a cremação, mas Priya se opôs com a mesma força em relação ao enterro.

— Tome o seu rumo, eu não me importo — ela havia dito. — Mas me deixe dar a minha filha um funeral apropriado. — Ele usara todo seu capital conciliatório na intermediação de um acordo. Eles a cremaram e espargiram as cinzas no rio Hudson. Mas a urna foi enterrada no jazigo da família Clarke, em Glenwood.

Ele se ajoelhou e colocou as flores sobre a sepultura. Na época, imaginara que a lápide também seria motivo de controvérsia. Mas Priya permitiu, sem fazer nenhum comentário, que usassem a inscrição que a mãe de Thomas havia escolhido: "Na certeza e na esperança da ressurreição". Enquanto estava ajoelhado, ele ficou imaginando como seria a ressurreição de um bebê, se seria dado a ela um corpo e a personalidade do adulto que ela se tornaria ou se teria que passar pelo processo de amadurecimento como se sua morte nunca tivesse acontecido. Além de tudo o mais que representava, a fé era cheia de mistérios.

— Já faz um tempo, querida — disse ele sentindo as primeiras lágrimas brotarem de seus olhos. Ele se sentiu sufocar e esperou até que a sensação cedesse. — Existe uma menina que eu gostaria que você pudesse ter conhecido. Acho que você gostaria dela. Seu nome é Sita e ela é da Índia, como a mamãe.

— Ele conversou um pouco mais, dizendo tudo o que lhe vinha ao coração. Ele contou sobre Mumbai, sobre a família de Priya e sobre Sita e Ahalya.

Quando ele achou que não havia mais nada a dizer, ele beijou a lápide com carinho.

— Tenho que ir agora, querida — disse ele. Fechou os olhos e a angústia tomou conta dele novamente. — Amo você, Mohini — disse ele.

Voltou ao carro e ficou lá sentado por um longo tempo, antes de pegar sua mochila. Pegou uma folha de papel e uma caneta, e derramou sua dor sobre a página, escrevendo para consolar uma mulher que era uma estranha para ele em todas as dimensões, exceto uma.

Cara Allison,

Meu nome é Thomas Clarke e eu estava lá no dia em que Abby desapareceu. Um amigo me contou o que houve e senti necessidade de lhe escrever. Eu não posso lhe oferecer grande consolo. Não existe antídoto para o seu sofrimento e nunca haverá uma explicação que dê sentido ao que aconteceu. O mundo falhou com você e também falhou com Abby. Quando o mal se levantou, o bem não teve forças contra ele. E eu realmente sinto muito.
O que posso lhe oferecer é uma promessa, com base na minha experiência pessoal. Embora neste momento não lhe pareça possível, haverá um amanhã. Do outro lado da escuridão, lentamente vai surgir um novo dia. Sei disso porque perdi minha filha não há muito tempo. Hoje visitei seu túmulo. E cada vez que vejo seu nome escrito na lápide, meu coração se parte novamente. Eu não consegui protegê-la, como você não pôde proteger Abby. Mas Mohini e Abby possuem uma coisa que nós não temos.
A morte não tem mais nenhum poder sobre elas.
Onde quer que estejam, elas encontraram a paz.

Depois de assinar, ele dobrou a página e colocou em um envelope endereçado a Andrew Porter no Departamento de Justiça. Mais uma vez, ultrapassando os limites protocolares, Porter havia passado a Thomas o nome dela e providenciado para que a carta, por meio do detetive Morgan, fosse entregue em mãos à polícia de Fayetteville.

Thomas olhou uma última vez em direção ao túmulo da filha e dirigiu até a saída do cemitério. Ele observou os anjos, enquanto fazia o contorno de volta, com suas trombetas nos lábios silenciosos, anunciando o dia em que todas as lágrimas seriam extintas. Passou os dedos sobre o envelope em seu colo, desejando que esse dia chegasse.

***

Uma semana depois, Thomas estava sentado na sala de espera do Aeroporto Internacional de Washington, esperando para tomar o voo do começo da noite da Delta Airlines para Atlanta. Havia passado os últimos seis dias arrumando suas coisas e cuidando do conserto dos estragos causados por um vazamento que houve na tubulação de sua casa durante o inverno. Uma grande poça d'água havia se formado no assoalho da sala de jantar, infiltrando até o porão. O pesadelo não terminou até que o último empreiteiro deixou a casa, com o pagamento nas mãos.

Thomas pegou seu celular para verificar os e-mails. Encontrou vários spams em sua caixa de entrada, além de mensagens de amigos, mas nem uma palavra de Priya. Em catorze dias ela não havia feito sequer uma tentativa de contato. Ela tinha todo o direito de estar chateada com ele, mas o fim de semana que passaram juntos provou, para além de qualquer dúvida, que eles se amavam. Será que isso não era suficiente?

Do lado de fora da vidraça, enquanto observava as nuvens levadas pelo vento, ele se lembrou do poema que Priya havia lido para ele em Goa, do pequeno livro que Elena havia lhe presenteado. Priya havia iniciado a sessão de leitura depois de fazerem amor. A princípio, ele ficou hesitante, mas ela insistiu, e a cadência de suas palavras o conquistou. Ou talvez fosse porque lera o poema deitada, nua, na cama. Ele sorriu por se lembrar disso, mesmo sem querer.

Então, foi tomado por uma ideia. E se ele escrevesse um poema para ela? Não um soneto de amor, no estilo de Byron, mas umas poucas linhas de uma poesia sincera, parecida com as que Naidu, ou um dos místicos sufi, escrevia e que ela gostava tanto de citar.

Ele tentou se livrar do pensamento. Por que ela daria importância à tentativa imatura de um amador? Ela riria dele, isso se chegasse a ler.

Olhando para o monitor acima de sua cabeça, ele ouviu o noticiário até ficar entediado. Então, tornou a olhar através das vidraças e viu um avião levantando voo. A aeronave alcançou o céu cruzando o caminho através do Sol poente. No mesmo instante, as palavras se materializaram em sua mente:

"Cruzando o caminho do Sol". Por algum motivo, a imagem despertou sua atenção. O que queria dizer?

Ele abriu o celular e exercitou sua imaginação. Lutou com algumas ideias, dispondo-as em um tema mais abrangente. Não muito tempo depois, as palavras se transformaram em linhas e, as linhas, em uma estrofe. Ele examinou o poema.

> *Cruzando o caminho do Sol*
> *Nossas sombras se encontram*
> *Sobre as rodas do tempo*
> *Nos nomes destinados pela luz*
> *Que nos dá a vida*

Ele salvou o arquivo e se levantou, esticando as pernas. O procedimento de embarque começaria em vinte minutos. Ele foi até o banheiro e retornou à sala de espera, se sentindo inquieto. Tirou a fotografia de Priya de sua carteira e leu o poema novamente. Não era nenhum Tagore[46], mas também não estava de todo mau. Colocou a foto de volta na carteira e jogou fora seus receios. Digitou até que seus dedos começassem a doer; quando escreveu as últimas palavras, releu a mensagem.

> Querida Priya,
> Gostaria de lhe dizer tudo isso pessoalmente, mas vai ter que ser por e-mail mesmo. Eu estava me sentindo um trapo quando deixei Goa. Não era minha intenção ferir você. Sou um idiota de categoria internacional. Não sei como dizer de outra forma. Lamento muito ter decepcionado você. Sinto muito toda a confusão envolvendo Tera. Você merecia saber a verdade, mas eu estava muito envergonhado.
> Estou nos Estados Unidos. Encontramos Sita e, algum dia, se você quiser, conto como foi. Mas não vou lhe forçar a nada. Nesse momento não sei direito o que fazer, exceto levá-la de volta à Índia e terminar meu ano de trabalho na Aces. Não consigo enxergar o futuro. Mas eu espero, por favor, acredite em mim, quero que você seja parte dele.
> Escrevi um poema faz uns minutos. Não sei exatamente o que significa, mas de algum modo deu sentido a minha vida. Estou enviando o poema anexo. Mesmo que você não me responda, saiba que eu a amo.

---

[46] Famoso poeta hindu. (N. T.)

Ele enviou a mensagem e ouviu a chamada para o seu voo. Olhou pelas vidraças, as nuvens bem altas refletindo os últimos raios de sol. Ele recolheu seu notebook e se encaminhou para a fila de embarque, apreciando a ideia de ir atrás deles novamente.

Capítulo 33

"Não permita ao coração arder pelo que já passou."

Épico Ramayana

Atlanta, Geórgia, Estados Unidos

Na manhã do dia 24 de março, a Corte Juvenil de Fulton County entrou com uma ordem que garantia à Sita o direito de deixar os Estados Unidos para retornar à Índia. Tanto o governo norte-americano como o indiano concordaram que a agente Dodd, especialista em vítimas, deveria acompanhá-la como guardiã em sua viagem de volta para casa, e Thomas foi nomeado seu acompanhante oficial.

O representante destacado para chefiar a missão pela embaixada da Índia fez os arranjos necessários para que uma equipe da ACI os recebesse no aeroporto de Mumbai. Depois que a Organização Internacional para as Imigrações completou seu trabalho, o representante da embaixada prometeu que Sita seria conduzida à instituição administrada pelas Irmãs da Caridade junto com Ahalya. A pedido de Thomas, o agente Pritchett fez uma solicitação especial relacionada ao feriado de Holi, ao que o diplomata indiano aquiesceu com entusiasmo.

Quando todas as peças do quebra-cabeça estavam no lugar, Pritchett os levou até o aeroporto. A agente Dodd, uma senhora de 40 e poucos anos, se sentou no banco do passageiro, Thomas e Sita foram no banco de trás. Depois de passar dezesseis dias sofrendo em confinamento burocrático, Sita estava cheia de perguntas sobre a irmã. Thomas respondeu cada uma delas da melhor forma possível, sem ter que enfeitar as coisas. Só não falou nada sobre a gravidez de Ahalya, porque ele achava que ela mesmo devia explicar a Sita.

Quando chegaram ao aeroporto, Pritchett passou com eles pela segurança até o portão de embarque da Continental Airlines. Pritchett apertou a mão de Thomas e fez um discurso laudatório sobre o acordo de confidencialidade que ele havia assinado. Então, parou em frente à Sita e lhe deu um alfinete de lapela com o emblema da bandeira norte-americana.

— Sabe — disse ele —, eu tenho uma filha da sua idade. Ela é a luz da minha vida. É difícil de lidar de vez em quando, mas isso faz parte da relação. Eu falo em nome de todos os agentes do meu escritório quando digo que foi uma honra conhecê-la.

Sita deu em Pritchett um abraço tímido e seguiu Thomas e a agente Dodd para a fila de embarque.

***

Na noite seguinte, eles chegaram à grande e luminosa cidade de Mumbai. Dois policiais da ACI esperavam por eles no desembarque. Eles passaram pela alfândega rapidamente e seguiram até um veículo estacionado na calçada do aeroporto. Um dos agentes recolheu sua bagagem da esteira e eles partiram.

Sita passou todo o caminho olhando a silhueta noturna da cidade pela janela. O retorno à mãe Índia evocou nela emoções conflitantes: raiva e empatia pela violação sofrida por Ahalya; sofrimento renovado sobre a família que perdera; confusão a respeito de seu futuro e medo por saber que Suchir estava por perto. Mesmo assim, toda a angústia que tomou conta dela nessa volta para casa não conseguiu diminuir uma enorme sensação de alívio. Respirar o denso ar de Mumbai a fez se lembrar das razões que tinha para amar seu país. Esse era o seu povo. Essa era a sua terra.

Uma terra que a havia ferido, mas à qual devia a própria vida.

***

Os agentes da ACI, que se apresentaram por seus sobrenomes, Bhuta e Singh, os levaram até o hotel Taj Land's End, ao sul de Bandra. Dinesh os recebeu no lobby do hotel, segurando um ramalhete de flores.

— Belas acomodações — disse ele, apertando a mão de Thomas. — Imagino que isso tudo tenha sido ideia sua.

Thomas assentiu, encantado com a presença do amigo para recepcioná-los.

— O governo queria colocá-la em um hotelzinho de terceira classe próximo ao aeroporto — disse ele —, mas eu não podia deixar isso acontecer. Não na sua primeira noite de volta à Índia. — Ele fez uma pausa. — O que você faz aqui? Eu disse que encontraria você no seu apartamento.

— Eu não vim por sua causa — disse o amigo com um sorriso. — Estou aqui para encontrar Sita.

— Sita — disse Thomas se voltando para ela —, quero que conheça Dinesh. Dinesh, Sita.

— *Gharamemsvagatahai, chottibahana* — disse Dinesh, dando as boas-vindas com o uso da expressão familiar "irmãzinha". — Você realmente vai gostar daqui. — E lhe entregou as flores. — São para enfeitar seu quarto. — Sita ficou ruborizada e gostou dele imediatamente. Eles ficaram conversando em híndi enquanto Bhuta os registrava na recepção.

Depois de alguns minutos, o gerente do hotel apareceu e os acompanhou até a suíte no último andar. Após alguma negociação, os homens da ACI permitiram que Dinesh os acompanhasse. O gerente mostrou a eles as acomodações espaçosas e deixou as chaves com os agentes da ACI. A agente Dodd, que havia dormido muito pouco naquele longo voo, encontrou um sofá no quarto e entrou para dormir. Enquanto isso, Sita se dirigiu até uma das janelas com vista para o mar da Arábia. Ela ficou ali, em silêncio, apreciando a vista da cidade adormecida.

— Onde está Ahalya? — ela perguntou a Thomas. — Quando poderei vê-la?

— Ela está no *ashram* em Andheri — disse ele. — Você vai vê-la amanhã.

Sita assentiu.

— É tão bonito aqui.

Com o passar do tempo, ela bocejou.

— O quarto é seu — disse Thomas. — Nossos amigos do governo vão encontrar algum outro lugar para dormir.

— E você? — ela perguntou.

— Eu vou ficar com Dinesh. O apartamento dele é aqui perto. Eu voltarei amanhã de manhã.

***

— Então, boa noite — disse ela e os deixou com um pequeno aceno.

Pela manhã, Dinesh preparou um café da manhã de *gourmet*, com pão indiano frito, grão-de-bico e *mahimhalwa*, um bolo amanteigado feito com amêndoas, que ele e Thomas levaram para o hotel para dividir com Sita. A agente Dodd, parecendo recuperada e satisfeita após uma boa noite de sono, se deliciou com o seu *halwa* e tomou uma xícara de *chai*. Ela percebeu que Sita olhava para ela e tentou se explicar.

— Lá nos Estados Unidos eu vivo à base de fast-food e de comida chinesa — disse ela. — Isso aqui é muito melhor.

Dinesh riu e disse.

— Algum dia a senhora terá que voltar à Índia.

— Eu certamente o farei — respondeu a mulher do FBI.

Após o café da manhã, os agentes da ACI trouxeram o veículo e os pegaram em frente ao hotel. Thomas lembrou ao agente Singh que eles eram esperados no *ashram* às 9 horas. O homem da ACI fitou-o de modo estranho e trocou um olhar com Dinesh. Thomas não percebeu que Singh não estava seguindo suas instruções até que passaram pelo acesso à Rodovia Western Express e continuaram para o sul ao longo de Mahim Bay.

— O *ashram* fica para o outro lado! — exclamou Thomas, tocando o ombro de Singh.

O agente não respondeu.

Thomas olhou para Dinesh e depois para Sita. Dinesh tinha uma expressão travessa no rosto.

— O que está havendo? — perguntou Thomas. — O que você aprontou?

— Não fui eu — respondeu Dinesh. — Você vai ver.

O trânsito de sábado na cidade era um nó gigante de congestionamento. Apesar do repertório de manobras alucinantes de Singh, a viagem até Malabar Hill demorou quase uma hora e meia. Quando eles entraram em Breach Candy, na Warden, Thomas se voltou para Dinesh.

— Nós estamos indo para Vrindivan, não estamos? — disse ele.

— Vrindivan? — perguntou Sita. — Você quer dizer o bosque onde Krishna brincava?

Dinesh deu de ombros e Thomas recostou no banco com milhões de pensamentos passando ao mesmo tempo por sua mente.

— É um pouco diferente — ele disse a ela. — Mas existem algumas semelhanças.

Quando o carro entrou na propriedade, Thomas não podia acreditar no que estava vendo. A calçada estava cheia de pessoas para lhes dar as boas-vindas. Entre os muitos rostos, ele reconheceu pessoas da família estendida de Priya, ele viu Jeff Greer, Nigel, Samantha, e toda a equipe da Aces esperando sob a sombra de uma figueira. Irmã Ruth estava ao lado de Anita, com seu hábito esvoaçando ao sabor do vento.

Surya e Surekha Patel os receberam no final da trilha pavimentada. O pai de Priya estava muito elegante em um terno de linho branco e sua mãe, vestida com um sári cor de jade, exalava uma aura de nobreza. O agente Singh estacionou e Bhuta abriu a porta de trás. Dinesh desceu do veículo e Thomas se voltou para Sita. Ela tinha os olhos arregalados, sem entender o que estava acontecendo.

— Quem são essas pessoas? — ela perguntou.

— Alguns são da família da minha mulher — ele respondeu. — Os outros são pessoas que ajudaram no resgate de sua irmã.

— E por que elas estão aqui?

Ele sacudiu a cabeça tentando entender como é que seus planos de celebrar o Holi tinham sido sequestrados e como é que Vrindivan tinha sido escolhido como a nova locação.

— Eles vieram para ver você — ele respondeu, certo disso, pelo menos.
Ele estendeu as mãos, mas ela parecia pensativa.

— Você não precisa fazer isso — disse ele, olhando bem para ela. — O motorista pode dar meia-volta e nos levar a um lugar mais reservado, onde você poderá se encontrar com Ahalya.

Sita examinou a multidão pela janela.

— Não — disse ela. — Hoje é Holi, é desse jeito que se comemora.
Thomas sorriu.

— Bem-vinda ao lar — ele a trouxe para a luz do Sol.

Quando Sita saiu do carro, as pessoas começaram a aplaudir. Sita apertou sua mão e ele apertou de volta, examinando os rostos diante deles e procurando por Priya. "Ela tinha que estar aqui", pensou ele. "Não seria de seu feitio perder a comemoração do Holi."

De repente, ele viu outro rosto no meio da multidão. Era Ahalya surgindo em meio ao grupo de voluntários da Aces. Ela correu na direção de Sita com lágrimas no rosto. Ela estava vestida com um *churidaar* amarelo brilhante e usava um *bindi* em forma de rosa sobre a testa. Sita se desvencilhou das mãos de Thomas e foi encontrar a irmã no meio do caminho. Seu abraço era quase íntimo demais para ser observado, mas, mesmo assim, Thomas não conseguiu deixar de observar a cena. As irmãs ficaram abraçadas pelo que pareceu uma eternidade, esquecidas de tudo o mais. Então, Ahalya se aproximou de Thomas. Ela se ajoelhou e tocou os pés dele em sinal do mais profundo respeito.

Depois, ela ficou diante dele, irradiando gratidão.

— Obrigada — murmurou ela. — Eu lhe devo a minha vida.

— Muitas pessoas ajudaram — ele respondeu com os olhos úmidos.

— Talvez. Mas o senhor usou o meu bracelete. E eu nunca vou me esquecer.

No terraço, uma banda hindustâni tradicional começou a tocar e Surya Patel surgiu em frente deles segurando uma taça dourada. Thomas olhou nos olhos do professor buscando um sinal de julgamento ou ressentimento, mas ele não viu nenhuma dessas coisas. Então, Surya levantou a mão e pediu a atenção de todos. Ao mesmo tempo, familiares e amigos fizeram silêncio.

Ele se dirigiu a eles em inglês com uma voz retumbante.

— Como todos sabem, Holi significa muitas coisas. É um dia de alegria no qual nos lembramos de Krishna e dos jogos divertidos que brincava com as donzelas da floresta. Também é um dia em que comemoramos a mudança de estação, o final do inverno e a chegada da primavera.

Ele ergueu a taça brilhante.

— Em nossa família, temos uma tradição: a cada Holi escolhemos uma criança para colocar o *tilak* na fronte de uma pessoa mais velha. Depois disso, o festival de cores tem início e todos, até mesmo aqueles que gostariam de permanecer limpos, têm que entrar no jogo. E é bastante apropriado que esse ano a criança seja Sita Ghai. — Ele se inclinou para que Sita pudesse ver o pó vermelho dentro da taça.

— Feliz Holi — disse Surya à ela. — Você e sua irmã serão sempre bem-vindas em minha casa.

Com um amplo sorriso, Sita mergulhou o polegar no pó vermelho e fez o *tilak* na fronte de Thomas.

— Para mim, você será sempre meu dada, meu irmão mais velho — disse ela. — Feliz Holi!

Todos começaram a festejar e, então, como uma surpresa repentina, nuvens de pó colorido encheram o ar que tremeluzia entre as cores. Vermelhos e amarelos, azuis e púrpuras, verdes e dourados, a paleta que coloria o Holi tinha as mesmas cores da Índia, magnífica, desavergonhada, resplandecente e verdadeira.

Surya, contudo, ainda tinha uma coisa a fazer. Mergulhando sua mão na taça, ele retirou um punhado do pó e arremessou contra o rosto de Thomas, que tossia e ria ao mesmo tempo, tentando retirar os finos grãos dos olhos.

— Feliz Holi — disse Surya. — Acredito que tem alguém esperando por você.

Com isso, ele se virou e começou a arremessar o pó vermelho em seus familiares. Surekha segurava uma cesta de fibra natural cheia de saquinhos coloridos e Sita e Ahalya se armaram para a brincadeira. Ahalya gargalhava enquanto Sita derramava pó cor de lavanda em seus cabelos. Ahalya, por sua vez, tomou o rosto de Sita em suas mãos deixando marcas cor de laranja em suas bochechas.

Enquanto isso, Thomas procurava por Priya. Ele finalmente a encontrou na varanda. Ela olhava para ele. Seu coração apertou em seu peito. Ele abriu caminho entre os convidados e subiu os degraus. Parou a cerca de um metro dela sem saber o que dizer.

— Parece que meu pai finalmente aceitou você — disse ela, quebrando o gelo.

Ele pôs as mãos sobre o corante vermelho em seu rosto.

— Parece que sim. Mas por quê?

Ela desviou o olhar.

— Você o deixou impressionado. E também o fez se lembrar do *Ramayana* — ela fez uma pequena pausa e prosseguiu. — Eu contei a ele sobre Sita depois que recebi o seu e-mail. Eu nunca o tinha visto tão comovido. Eu escutei ele contar a minha mãe que havia se enganado a seu respeito. Ele disse que o que você fez era digno das maiores honras.

Thomas respirou aliviado, pensando na estatueta de Hanuman que Sita havia dado a ele. Então, uma palavra veio a sua mente, como se sussurrada por alguém. Era uma palavra que Priya gostava muito. *Serendipity.* Uma variante de "providência". "Sim", ele disse a si mesmo, "existe a luz depois do túnel".

— Então tudo isso foi ideia de seu pai? — perguntou ele.

Priya assentiu.

— Irônico, não é mesmo? Você resgatou Sita do fogo e ele se sentiu na obrigação de proporcionar a ela uma recepção digna de uma rainha.

Ela caminhou até o fundo da varanda e ele foi atrás dela. Eles desceram os degraus e atravessaram o gramado até uma alameda de árvores floridas. Ela parou ao lado da fonte.

— É um belo poema — disse ela quando estavam sozinhos.

— Não é grande coisa.

— Ele falou ao meu coração — respondeu ela. — Ele me contou que você realmente sentia tudo aquilo que declarava — ela se virou e olhou para a água que corria da fonte. — Mas você tem que entender que eu nunca mais vou deixar minha família.

Ele assentiu.

— Agora eu compreendo.

— E não vou tolerar que você me abandone por causa do seu trabalho. O que quer que você decida fazer, preciso ter certeza de que venho em primeiro lugar.

Thomas abriu um sorriso.

— Isso quer dizer que você me perdoa.

Ela fechou os olhos.

— Eu comecei a perdoá-lo ainda na praia, quando você disse que me amava — disse ela. — Mas eu tinha que ter certeza de que era verdadeiro.

Ele se aproximou e tocou seus cabelos. Ela se virou e ele percebeu que seus olhos estavam cheios de lágrimas. Priya deu um passo e depois outro, até estar a alguns centímetros dele. Ele a envolveu em seus braços.

— Estou tão feliz que você tenha vindo para Mumbai — ela disse. — Eu pensei que havia perdido você.

Ele olhou para ela e tirou uma mecha de cabelo de seus olhos.

— Você beijaria um homem coberto de pó vermelho? — perguntou ele.

O sorriso dela começou no canto da boca e foi se espalhando até deixar todo o seu rosto resplandecente de alegria.

— Eu acho que as nossas cores combinam bem — sussurrou ela para provar que estava certa.

epílogo

Mumbai, Índia

O telefonema chegou às 6h30 da manhã do dia 7 de outubro. O celular de Thomas estava na mesa de cabeceira. Ele o alcançou no segundo toque e atendeu a ligação.

— Estaremos aí em quarenta minutos.

— Chegou a hora? — perguntou Priya, levantando e olhando para ele. Seu rosto estava banhado pela luz azul do amanhecer. O Sol ainda não havia despontado no horizonte.

Ele fez que sim com a cabeça.

— Ela disse que levará no máximo uma hora.

Eles trocaram rapidamente de roupa, ele colocou umas calças de algodão e uma camisa de linho, e ela vestiu um salwarkameez vermelho e preto. Tomaram o elevador até a garagem onde o seu SUV esperava por eles. Priya subiu no banco do passageiro e Thomas arrancou com o carro, saindo da garagem e acenando para o porteiro da noite que fumava seu charas perto do portão. Ele dirigiu rumo ao norte ao longo da Bandstand até que a rua fez uma curva para o leste. Dez minutos da Hill Road até a S. V. Road. Quinze na rodovia Western Express até Andheri. E outros cinco minutos até o ashram. Embora fosse manhã, sexta-feira, o trânsito estava bem tranquilo. A maioria dos veículos na rodovia eram riquixás e Thomas conseguia ultrapassá-los com facilidade.

Priya tirou a mão dele do câmbio e colocou sobre seu ventre.

— Que nome daremos a ela? — perguntou a ele.

Na semana anterior, eles tinham feito o ultrassom da vigésima semana da gravidez de Priya, e o seu médico em Breach Candy anunciou o sexo do bebê com certeza absoluta.

— Não sei — disse Thomas olhando para ela.

Ela sorriu.

— Eu estou pensando em Pooja.

— De jeito nenhum — disse ele. — Toda menina em Mumbai se chama Pooja. Ela precisa ter um nome original.

Priya começou a rir.

— É tão fácil enganar você. Tenho uma ideia muito melhor.

— Conte-me — disse ele.

— Na hora certa eu conto.

Eles ficaram em silêncio e a mente dele voou para os eventos do dia anterior. Depois de nove meses de adiamentos conseguidos à custa de corrupção, Ahalya finalmente havia sido chamada para testemunhar no Tribunal contra Suchir, Sumeera e Prasad. O dono do prostíbulo e seu filho estavam presentes na sala de audiências, o que não era comum. Mas logo sua estratégia se tornou aparente. No momento em que Ahalya subiu ao tablado com o ventre avolumado sob o tecido do seu churidaar, Suchir e Prasad se levantaram e a encararam. A uma distância de cinco metros, a ameaça contida em seu olhar era perceptível. O promotor protestou, mas o advogado de defesa disse alguma bobagem sobre a incapacidade deles de permanecerem sentados por longos períodos. O juiz, claramente irritado pela disputa, mandou o promotor continuar e permitiu que o malik e seu filho mantivessem a atitude de desafio.

No fundo da sala do tribunal, Thomas pôde perceber a apreensão nos olhos de Ahalya, mas ela se manteve firme e, no final, seu testemunho soou claro como um sino em uma manhã ensolarada. Ela contou toda sua história de cativeiro, desde o tsunami até Chennai, e depois Mumbai; primeiro em um inglês eloquente e depois em híndi, igualmente bem articulado. Ela contou sobre o primeiro estupro que sofreu nas mãos de Shankar, e sobre a segunda violação nas mãos do rapaz que fazia aniversário. Até ali, Suchir e Prasad estavam ombro a ombro. Ahalya, entretanto, continuou a falar, descrevendo a primeira noite em que Prasad veio até ela e os encontros que se seguiram. A expressão de Suchir não se alterou, mas ele virou ligeiramente a cabeça e murmurou algo para o filho. A expressão de Prasad se alterou e ele ficou um pouco mais pálido.

Depois, veio a parte das perguntas diretas. O advogado de defesa montou um esquema escandaloso para atacar a credibilidade de Ahalya. Ele insinuou, sem que houvesse o menor fragmento de prova, que Ahalya havia sido uma colegial promíscua e que tivera diversas relações amorosas com os namorados. Quando ela negou, o advogado simplesmente aumentou o tom do discurso enfatizando que a criança em seu ventre era o produto de sexo consensual ocorrido fora do bordel.

Ahalya explicou com paciência que era virgem até que Suchir a comprasse, e que os únicos dois homens que poderiam tê-la engravidado eram Shankar, que pagou uma principesca soma em dinheiro para não usar preservativo, e Prasad, que era tão ardente em suas investidas, que a questão da proteção nem era lembrada. O advogado de defesa mantinha uma atitude arrogante, gesticulava e chegou a gritar com ela a certa altura, mas o estrago já estava feito. Ahalya permaneceu vitoriosa no tablado e até o juiz, que havia iniciado a audiência com ar de enfado, no final lançou a Suchir e Prasad um olhar de censura.

"É apropriado que o telefonema tenha vindo hoje", pensou Thomas, acelerando a SUV para ultrapassar o riquixá que andava devagar. Eles chegaram perto do aeroporto internacional e pegaram a Sahar Road até Andheri.

Quando chegaram à propriedade, irmã Ruth abriu o portão e permitiu que eles estacionassem o carro do lado de dentro da cerca.

— Venha — disse a freira subindo depressa a trilha. — Não vai demorar muito agora.

O Sol nascente pintava o terreno com sombras douradas e trazia consigo a promessa de outro dia resplandecente em Mumbai. O período de chuvas das monções fora mais curto nesse ano, começando nos últimos dias de maio até o final de agosto, e o calor e a umidade haviam retornado, como uma vingança em setembro.

Ainda nem eram 7h30, mas Thomas podia sentir as gotas de suor se formando em sua fronte enquanto caminhava atrás da irmã Ruth.

— Como ela está passando? — perguntou Priya.

— Está sendo difícil — disse a freira —, mas agora está quase no fim.

Eles estavam com tanta pressa que quase passaram pelo lago de Ahalya sem perceber a mudança. Thomas, contudo, conseguiu ver alguma coisa pelo canto dos olhos.

— Esperem! — exclamou ele.

Irmã Ruth parou tão abruptamente que Priya quase caiu sobre ela. A freira seguiu o olhar de Thomas e começou a sorrir. Lá, suspensa na superfície brilhante da água, estava uma nalini com seu formato estrelado. Suas pétalas tinham a mesma cor do céu e captavam os raios inclinados do Sol da manhã.

— Não estava aqui quando vim na semana passada — disse ele.

— A flor desabrochou ontem — respondeu Irmã Ruth.

— Ela conseguiu ver a flor antes da audiência?

— Sim — confirmou a freira — e eu estava com ela.

Thomas balançou a cabeça. A nalini fora a razão de Ahalya ter se mantido intocável na tribuna de testemunhas. Ela interpretou o desabrochar da flor como um sinal da graça divina e decidiu que sua vitória estava assegurada. E, acreditando, ela fez acontecer.

Eles entraram no hospital bem a tempo de escutar o choro de uma criança ecoando até a entrada. Priya agarrou a mão de Thomas. Irmã Ruth os conduziu a uma pequena antessala do lado de fora da sala de parto.

— Esperem aqui — disse ela. — Voltarei quando a criança estiver apresentável.

Um minuto depois, surgiu outro rosto na porta da sala de parto.

— Thomas! — exclamou Sita indo a seu encontro.

Ela havia crescido desde que a conhecera. Antes ela era apenas uma menina meio desajeitada, adorável, mas frágil. Agora, ela começava a ganhar corpo nos lugares onde se distingue uma mulher. Sua voz estava mais firme, sua confiança, mais aguçada, e seus olhos redondos, mais brilhantes. As freiras teriam que ficar de olho nela com os meninos. "Mas por outro lado", pensou Thomas, "será que um dia ela vai querer se casar, depois de tudo pelo que passou?"

Ele a abraçou e se afastou para perguntar:

— Como está Ahalya? — disse segurando novamente a mão de Priya.

O rosto de Sita se iluminou.

— Ela foi bem forte e o bebê é saudável. Venham vê-los.

Irmã Ruth reapareceu e os deixou ir até a sala de parto. O espaço tinha várias camas, uma grande bacia e um carrinho com instrumentos médicos. Ahalya estava sentada com a cabeça recostada em travesseiros. O bebê dormia quieto em seus braços e duas enfermeiras cuidavam dela. Sita ficou ao lado da irmã, segurando sua mão.

Quando se aproximaram, Ahalya disse:

— Obrigada por virem.

— Nós não perderíamos essa ocasião — disse Thomas. — Você já escolheu que nome dar a ela?

Ahalya sorriu e pareceu menos esgotada.

— Seu nome é Kamalini, minha pequena nalini.

Ele sorriu.

— Nós vimos sua flor quando chegamos aqui hoje.

— É um renascer — disse ela com um ímpeto repentino. — Um novo começo.

A paixão em sua voz pegou Thomas de surpresa. Durante meses ela havia tratado a gravidez como um imprevisto, um fardo que tinha que carregar. Mas essa ambivalência fazia sentido para ele. A criança era a lembrança viva da exploração de que fora vítima. Ele havia detectado algumas mudanças sutis na sua maneira de encarar a gestação à medida que a menina crescia em seu ventre, mas ele não esperava que ela, realmente, abraçasse a criança como sua filha. Olhando para ela agora, ele começou a compreender. Confrontada com a escolha entre a amargura e o amor, Ahalya havia escolhido o amor. E, por meio dessa escolha, ela transformara a pequena Kamalini de semente demoníaca de um estuprador em um novo membro da família Ghai.

— Você quer segurá-la? — Ahalya perguntou à Priya.

— Posso? — perguntou Priya e apenas Thomas percebeu o tremor em sua voz. A última vez que ela havia segurado uma criança no colo fora na noite em que Mohini faleceu.

Uma das enfermeiras pegou a criança e passou para os braços de Priya.

Ela embalava a criança e lágrimas escorriam por seu rosto. Ela entoou uma cantiga de ninar que sua mãe havia lhe ensinado quando era criança. Foi a canção que entoou para Mohini no dia em que nasceu.

Seria você, querida
A lua crescente?
A linda nalini?
O mel que mora nas flores?
O clarão do luar?

Ela devolveu o bebê à Ahalya.
— Ela é linda. E se parece muito com você.
Ahalya sorriu.
— E vocês, já escolheram o nome?
— Estávamos exatamente conversando sobre isso no carro — disse Thomas.
Priya pousou a mão em seu ombro e olhou para as meninas.
— Acho que sim. Com sua permissão, gostaríamos de dar a ela o nome de Sita.
Thomas perdeu o fôlego e começou a assentir com a cabeça. Ele nunca havia pensado nisso, mas não poderia ser mais apropriado.
— É um bom nome — disse Ahalya com os olhos brilhando. — O que você acha? — perguntou à irmã.
Sita começou a rir. Era um som musical, como o de sinos repicando ao vento. Após um momento, Thomas também começou a rir, Priya e Ahalya o seguiram e logo até as enfermeiras riam, embora não soubessem do quê.
— Eu sempre quis ter uma irmãzinha — disse Sita, segurando a mão de Priya. — Agora vou ter duas.

NOTA DO AUTOR

Cruzando o Caminho do Sol é um trabalho de ficção, mas o comércio de seres humanos é totalmente real. É um empreendimento ilegal que afeta praticamente todos os países do mundo e gera um lucro de mais de 30 bilhões de dólares por ano, forçando milhões de homens, mulheres e crianças à prostituição e ao trabalho escravo. Apesar disso, permanece um negócio envolto em mistério e incompreensão devido à sua natureza clandestina. Para escrever o livro, me baseei fortemente em relatos reais descritos na literatura sobre tráfico humano e em fontes que encontrei durante minhas viagens. Nas partes em que empreguei licença poética a serviço da narrativa, procurei fazê-lo de maneira sutil, com um pé na realidade. Não há necessidade de tratar a escravidão atual de forma sensacionalista. É uma atividade suficientemente aterrorizante por si mesma.

A organização sem fins lucrativos Aces é fruto da minha imaginação, mas tem muito em comum com a organização mundial de direitos humanos International Justice Mission, ou IJM[47], minha fonte na Índia (www.ijm.org). Recentemente, soube que há duas organizações com as palavras "Aliança contra a Exploração Sexual" em seus nomes. A organização fictícia que criei não tem relação com nenhuma organização da vida real. O mesmo acontece com Le Projet de Justice, o grupo sem fins lucrativos que criei em Paris.

Quando terminei o livro, muitos dos meus primeiros leitores perguntaram sobre como poderiam aprender mais sobre o assunto e se engajar na luta contra o tráfico humano. Existem diversas fontes de informação disponíveis. Algumas, entretanto, merecem destaque. Anualmente, o Departamento de Estado Americano publica um relatório intitulado Trafficking in Persons Report (TIP Report), com dados sobre as centenas de esforços realizados por países para combater o comércio, processar traficantes, intermediários e proprietários de escravos, e também para amparar as vítimas. O TIP Report apresenta um panorama inestimável sobre a escravidão atualmente, além de pungentes casos reais ocorridos em todo o mundo. Todos esses relatórios podem ser encontrados no site do Departamento de Estado (www.state.gov).

Uma das melhores fontes não governamentais de dados sobre o comércio de seres humanos é o Polaris Project, que tem sede em Washington, D. C.: www.polarisproject.org. Outros dois portais muito relevantes são mantidos pelas instituições Shared Hope International, www.sharedhope.org, e FondationScelles, www.fondationscelles.org. Esses sites nos dão a dimensão e a abrangência do tráfico e também discutem as forças de mercado que alimentam a demanda por seres humanos. Recomendo também o blogue The CNN Freedom Project, que contém relatos e comentários comoventes: thecnnfreedomproject.blogs.cnn.com.

Para aqueles que desejam se aprofundar na questão, recomendo a seguinte bibliografia: *A Crime So Monstrous* (Um crime tão monstruoso), de Benjamin Skinner; *The Natashas*, de Victor Malarek; *Sex Trafficking* (Tráfico sexual), de Siddharth Kara; *Smuggling and Trafficking in Human Beings* (Contrabando e tráfico de seres humanos), de Sheldon Zhang; e *Disposable People* (Gente descar-

---

[47] IJM é uma organização cristã que trabalha nas nações em desenvolvimento para tratar de questões de justiça social. (N. T.)

tável), de Kevin Bales. Indico também os seguintes artigos acadêmicos, que, em sua maioria, estão disponíveis on-line: "Sex Trafficking of Women in The United States", de Janice Redmond e Donna Hughes; "Demand: A Comparative Examination of Sex Tourism and Trafficking in Jamaica, Japan, the Netherlands and the United States", da Shared Hope International; "Desire, Demand and The Commerce of Sex", de Elizabeth Bernstein; e "Sex Trafficking and The Mainstream of Market Culture", de Ian Taylor e Ruth Jamieson.

Diversos documentários em vídeo apresentam cenas e entrevistas eloquentes com vítimas, investigadores e traficantes. Recomendo *At The End of Slavery*, produzido pela IJM; Sex Slaves, um canal exclusivo no mercado da Europa Oriental, disponibilizado pela Fondation Scelles: www.fondationscelles.org; *Demand*, uma exposição do tráfico na Europa e na América, disponível em www.sharedhope.org; e *Born into Brothels*, uma visão perspicaz sobre o bairro de prostituição localizado em Calcutá, na Índia.

Sobre como as pessoas podem ajudar esta nova causa abolicionista, tenho três sugestões: primeiro, use sua voz. Quanto mais ampliarmos a divulgação e o nível de decibéis da comunicação global sobre o assunto, maior é a possibilidade de alcançar os ouvidos e os corações de empresários e dos que são capazes de mudar a situação: legisladores, políticos, juízes, policiais e os homens comuns que compram essas meninas.

Segundo, contribua financeiramente com organizações antitráfico que atuam em todo o mundo. Minha esposa e eu colaboramos com a IJM. Diariamente, os ativistas da IJM visitam as áreas de prostituição no mundo inteiro e arriscam a vida procurando pistas, estabelecendo evidências e colaborando com a polícia local no resgate de meninas das mãos de aliciadores e traficantes. Investir na IJM é investir em esperança.

E, finalmente, use suas habilidades. Se você é advogado e apaixonado por justiça, organizações como a IJM podem aproveitar seu talento. Se você trabalha na mídia ou detém uma plataforma pública, mesmo que seja apenas um blogue, pode utilizar essa plataforma para despertar a consciência sobre o problema. Se tiver recursos, talvez possa considerar a adoção internacional, uma vez que órfãos, especialmente meninas da Europa Oriental, são mais suscetíveis às falsas promessas dos aliciadores de libertá-las das instituições governamentais.

As necessidades são muitas e os desafios, muitas vezes, parecem sobrepujar nossa capacidade. Mas não existe problema sem solução. Nós podemos fazer a diferença: um mundo, uma dádiva, uma vida de cada vez.

CORBAN ADDISON
Novembro de 2011

AGRADECIMENTOS

Desde a sua concepção, *Cruzando o Caminho do Sol* tem sido um projeto comunitário, feito com a participação de muitas vozes e muitas mãos. Eu não seria capaz de expressar toda a minha gratidão em tão poucas palavras.

Na Índia, gostaria de agradecer à heroica equipe de investigadores, advogados, assistentes sociais e voluntários do escritório da International Justice Mission por me permitir vislumbrar o seu trabalho. Quero também agradecer Shanmugam, Grace Pillai e Sadhanna Shine em Chennai por sua hospitalidade e suas histórias sobre o *tsunami*.

Na Europa, gostaria de agradecer a Elias Mallon e Michael Mutzner, da Franciscans International, por me colocarem em contato com as pessoas certas na França. Em Paris, quero agradecer a Gérard Besser, da Amicale du Nid, e Jean Sébastien Mallet, da Fondation Scelles, pelas entrevistas interessantes e cativantes sobre o tráfico humano na União Europeia.

Em Washington, D. C., gostaria de agradecer a Pamela Gifford e a equipe da sede da IJM por me garantir acesso ao seu escritório em Mumbai. Foi um privilégio poder colaborar com vocês nesse projeto. Agradeço também a Amy Lucia, Holly Burkhalter e Amy Roth da IJM por colocarem o livro nas mãos das pessoas certas e por seu apoio na publicação. Agradeço imensamente a March Bell, do Departamento de Justiça, por me oferecer uma perspectiva interna sobre o tráfico doméstico de seres humanos, e a Charles Colson e Mariam Bell da PFM por me colocarem em contato com March.

No estado da Virgínia, gostaria de agradecer Nate e Sara Hagerty por serem meus gurus da internet e, também, grandes amigos; Jonathan e Julie Baker por me recomendarem às pessoas certas na IJM; David Roberts por me colocar em contato com Nathan Wilson, do Projeto Meridian Foundation; Mark Johansen por me colocar em contato com seus amigos em Chennai; Bill Finley, Matt Brumbelow, Eric Nelson e Charles Dumaresq por seu apoio e incentivo; Ash Singh por me instruir sobre a Índia e me fornecer uma lista com leituras importantes; Stephen Scott, Bob Kroner, Lamar Garren, Neal Walters e Chip Royer por me fornecerem espaço profissional para viajar para a Índia; Scott e Palm Feist e Rick e Sue Shiflet por plantarem a semente e confiarem na fertilidade do solo; Michael O'Brien por sua bondade e inspiração; e para todos os meus amigos e familiares que contribuíram financeiramente para tornar esse projeto possível.

Agradeço a Wade Bradshaw, Keith e Claire Hume, Christy Tennant e Alex Mejias por estabelecerem as conexões que resultaram na publicação do livro. Muitíssimo obrigado a John Grisham por assumir o risco de um autor iniciante e por concordar, primeiro, em ler o manuscrito e, posteriormente, em me oferecer sua valiosa recomendação, que resultou na abertura de várias portas. Agradeço também a Eric Stanford, da Edit Resource, LLC, por ser um editor excepcional.

Agradeço a meu gerente e agente literário, Dan Raines, da Creative Trust, a meu agente de direito autoral no exterior, Danny Baror, da Baror International, e sua equipe maravilhosa, por acreditarem no livro, dando a ele forma, mediante sua experiência editorial, e por entregá-lo às pessoas certas para distribuí-lo pelo mundo. Sinto-me honrado por tê-los como amigos.

Agradeço aos meus editores nos dois lados do Atlântico: Jane Wood e Jenny Ellis, da Quercus Books em Londres; Lorissa Sengara, da HarperCollins Canada; e Nathaniel Marunas, da Sterling Publishing em Nova York. Entreguei a vocês o melhor livro que eu poderia escrever e vocês o fizeram ainda melhor. Agradeço também às editoras que publicam meu livro por gostarem da história, por se interessarem em divulgar a mensagem e por investirem recursos na minha obra.

E, finalmente, mas não menos importante, gostaria de agradecer profundamente à minha mulher, Marcy, que esteve ao meu lado o tempo todo, e que se sacrificou de diversas maneiras para tornar possível este projeto. Nunca me esquecerei do dia em que você me disse que eu tinha que escrever este livro e viajar para a Índia para fazê-lo. Meu muito obrigado por acreditar em mim, por me desafiar a perseguir meu sonho, por permitir que eu me mudasse para o outro lado do mundo para ter a vivência da história e por me dar espaço para escrever e revisar o livro. Sem sua sabedoria e bondade, este romance não existiria. Sem seu amor, eu seria apenas uma sombra de mim mesmo.